危機からの脱出 II

W・エドワーズ・デミング

成沢俊子+漆嶋稔［訳］

日経BP

NIKKEI BP
CLASSICS /

OUT OF THE CRISIS II / W. Edwards Deming

/ 8. Some New Princi es of Training
and Leadership / 9. Operational
Definitions, Conformance, Performance
/ 10. Standards and Regulations / 11.
Common Causes and Special Causes of
Improvement. Stable System / 12. More
Examples of Improvement Downstream
/ 13. Some Disappointments in Great
Ideas / 14. Two Reports to Management
/ 15. Plan for Minimum Average Total
Cost for Test of Incoming Materials
and Final Product / 16. Organization
for Impr ement of Quality and
Productivi Some Illustrations
for Imp f Living /
18.Appen Japan

OUT OF THE CRISIS,
Reissued Edition
by **W. Edwards Deming**

Japanese translation published
by arrangement with The MIT Press
through The English Agency (Japan)

W・エドワーズ・デミング　　AP／アフロ

第II巻　目次

第Ⅰ巻　目次

危機からの脱出　II

第8章 訓練とリーダーシップの新たな原則

NIKKEI BP CLASSICS / OUT OF THE CRISIS I / W. Edwards Deming/ 1. Chain Reaction: Quality, Productivity, Lower Costs, Capture the Market / 2. Principles for Transformation of Western Management / 3. Diseases and Obstacles / 4. When? How Long? / 5. Questions to Help Managers / 6. Quality and the Consumer / 7. Quality and Productivity in Service Organizations // NIKKEI BP CLASSICS / OUT OF THE CRISIS II / W. Edwards Deming // **8. Some New Principles of Training and Leadership** / 9. Operational Definitions, Conformance, Performance / 10. Standards and Regulations / 11. Common Causes and Special Causes of Improvement. Stable System / 12. More Examples of Improvement Downstream / 13. Some Disappointments in Great Ideas / 14. Two Reports to Management / 15. Plan for Minimum Average Total Cost for Test of Incoming Materials and Final Product / 16. Organization for Improvement of Quality and Productivity / 17. Some Illustrations for Improvement of Living / Appendix: Transformation in

見識ある人にはその見識が命の泉となる。
無知な者には無知が諭《さと》しとなる。

『旧約聖書』箴言16・22＝新共同訳

貴殿の見解は何らかの利点があるが、既に十分に検討された上で拒絶されたものだ。

ディーン・ラスク国務長官が、インドへ向かって出発する駐印大使ジョン・ケネス・ガルブレイスに向かって言った言葉。ハーパーズ誌1967年11月号

リーダーシップがめざすべきもの

リーダーシップがめざすべきは、人と機械のパフォーマンスを良くすること、品質を良くすること、アウトプットを増やすこと、そして同時に、人々がワークマンシップの誇りを持てるようにすることだ。逆の言い方をするなら、人の失敗を見つけては記録するようなことばかりやるのをやめて、失敗の原因を取り除けということだ。リーダーシップがめざすべきは、人々がもっと楽に、もっと良い仕事をやれるように、助けることなのである。

実際、本書の大半はリーダーシップに関するものだ。ほぼすべてのページで、人と機械のためになる良いリーダーシップの原則を述べ、あるいは、良いリーダーシップと悪いリーダーシップの具体例を説明している。本章は既に学んだ原則のいくつかをまとめて論じ、さらに事例を加える。

特に、リーダーは、手元に意味のある数字があるところならどこでも、部下のなかに、「このシステム」の管理限界の外にいる者はいないか、いるとしたら、個別の支援が必要なのは誰か、何らかの形で功績を認められるべきは誰か、ということを、「計算」によって把握しなければならない。「計算」なしでは、自分の判断だけに頼ることになるが、それでは拙い。われわれは既に第I巻第3章の237ページから245ページでそれを見た。本章の後段でも事例を紹介しよう（25～29ページ）。

リーダーにはまた、「システム」そのものを良くしていく責任がある。即ち、誰もがより良い仕事をして、より大きな満足を得られるようにすることであり、彼らの「より良い仕事、より大きな満足」を、長期にわたってずっと改善し続けられるようにすることだ。

リーダーの3つ目の責任は、その「システム」の中で行われる仕事のパフォーマンスの安定性を、着実に高め続けることだ。そうすれば、人による「ばらつき」は目に見えて減っていく。これらはすべて第3章の244～245ページで見た原則と同じ方向を向いている。

その人が犯したミスについて、当人に言うべきか？

当然言うべきだ。その人がつくった不良を当人に言ってやらずに、どうやってその人が自分の仕事を自分で改善することができるだろう。「不良をつくってしまった」と知ってこそ、自分がどこで間違ったかを理解できる。これからはもう、不良やミスは許されないのだと理解してもらいたいのだ。

これらは「当人に言うべきか？」という問いへの普通の反応である。ここに示した答えは実際、あたかもごく自然であるかのように、当然のことだと認識されている。

訓練の重要性

自分の仕事をひとたび「統計的に管理された状態」に持ち込めたら、その後は、その人がしっかり訓練されているか、拙い訓練しか受けていないかということに関わらず、誰でも「型通りの仕事で、ちょっとつまらない」と感じるようになる。当人は、その仕事について学ぶべきことはすべて学んだと思っている。同じような仕事についてさらに訓練を与えようとしても、あまり効果はない。だが、他の種類の仕事なら、良い訓練を受けることで非常によく学べるかもしれない。

新しい人が職場に入って来たとき、うまく仕事をやれるように訓練するのが最も重要なのは明らかだ。学習曲線がすっかり平らになる頃には、その人が「統計的に管理された状態」に到達したか否か、達しているとしたらいつ到達したのかを管理図が教えてくれる（第11章を参照）。既に「統計的に管理された状態」に達しているなら、同じやり方で訓練を続けても得るものは何もない。

興味深いことに、その人の仕事振りが「統計的に管理された状態」に達していない場合は、さらなる訓練が当人の助けになる。

拙劣な監督に悪いマネジメント、「統計的に管理された状態」のものが何一つないといった「カオス状態」にあるなら、その組織にいる者は誰であろうと、「ばらつき」を減らすために、または品質を良くするために、潜在的な技量・能力を引き出して力を発揮することはできない。

生産のワーカーのなかで、一体何人が「後工程はお客様」だと認識したことがあっただろう？　最終製品が箱詰めされてお客様が買ってくれるのを待つばかりになっているところを、見たことのあるワーカーは何人いるだろう？

ある工場で調査した後、私はその会社のマネジメントに宛てて次のように書いた。

> 貴社の社員なら、狙いが「完全性」であることを、誰もが知っています。あなた方マネジメントが「不良や間違いは一切許容できない」と言っていることも、彼らは知っ

ています。あなた方は、「不良はつくった当人の責任だ」と言う。ところが、あなた方が私に見せた記録から明らかなのは、皆さん方は高い不良率を許容しているのみならず、これまで何年も許容してきたということです。実際、さまざまな種類の間違いが起きていますが、その水準は下がっていません。それどころかこれまでずっと「安定」していて、今後とも長期にわたり発生し続けると予測できます。

それでもなお、今後、間違い発生の水準が下がると考える理由をお持ちですか？問題は「システム」にあるのかもしれないと考えたことはありますか？

この考え方は第11章で論じることになるが、製品検査で見つかった不良を、その不良をつくった当人をつかまえて、つくり直しを終えるまで、あるいは修正作業を終えるまで無給で働かせるというやり方は、その当人が「統計的に管理された状態」にある場合には、「システム」の欠陥をその人のせいにしているも同然だ。

拙い労務管理のもう1つの例は、悪天候のために公共交通機関が乱れたときでも、遅刻したら社員に罰を与えるといったマネジメントの方針だ。

レストランの客がウェイトレスに対して、料理や料理を持って来るのが遅いと文句を言うのも、同様に明らかな愚行である。原因はむしろ厨房にあるのだから。

もっと良いやり方がある

正しいやり方は、監督やマネジメントの本によく書かれている「プラクティス」やアドバイスの逆をいくことだ。ここには考えるべき状態が2つある。

①そのワーカーは、自分の仕事が既に「統計的に管理された状態」に達している。

あるいは、

②そのワーカーは、まだ自分の仕事が「統計的に管理された状態」に達していない。

まず、自分の仕事が既に「統計的に管理された状態」に達しているワーカーについて論じよう。統計的に管理された状態にあるなら、先に掲げた問い「その人が犯したミスについて、当人に言うべきか?」への答えはノーだ。当人にその不良を見せたり、それについて当人に話したりしないほうがよい。ただし、個人別に管理図をプロットしていて、その管理図が特殊要因の存在を知らせているなら話は別だ。そもそも、管理図上で特殊要因の存在が検知されたら、当人が既に気づいて、原因を特定し、除去していてしかるべきなのである（それができていないとしたら、その不良を当人に見せ、特殊要因から生じていることを理解させなければならない）。

ここで立脚すべき基本原則は、自分にはどうすることもできないこと（「システム」の欠陥ゆえの悪いパフォーマンス）のために責められたり、罰せられたりしてはならないということだ。この原則に反すれば、その仕事に対するフラストレーションや不満に繋がるだけだ。結果的に生産性も下がってしまう。

そんなことより、もっと良いやり方がある。まず、それぞれの集団の中で管理限界から外れている人はいないか、いるならそれは誰かを特定する。次に、管理限界の外側の、パフォーマンスが悪い方の側にいる人がいたら、当人がおかれている環境・状況をよく調べる。例えば、視力、工具、訓練はどうかといったことだ。そして、本当にその問題を矯正する上で役に立つ対策を打つ。あるいは単純に本人がその仕事に向いていないだけなのかもしれない。または、あなたがその人に受けさせた訓練が的外れであったか、不十分であったのかもしれない。

逆に、当該集団のなかで「良いほうの側に」管理限界を外れている人がいたら、やはり調査が必要な理由になる。その人が特別なやり方をしていたり、独特な動作をしたりしているかもしれない。それを他の人が学べば、それによって彼らのパフォーマンスを改善できる可能性がある。

ある特定の生産水準を標準として定め、未達の社員は解雇するという方針を持つ企業があったとしよう。それを実行する最善の策は存在する。その「標準」は、利益の最大化をめざし、統計理論を用いてこそ定めることができるものだが、その際、以下の点を考慮することが欠かせない。

- ●こうした「標準」にまだ取り組んでいない人々の能力の分布
- ●1人の社員を再訓練するか、去るに任せるか、あなたが見極められるところまで徹底的に訓練するためのコストはどれほどか
- ●1人の社員を雇い続ければ、利益はその分減る。それを織り込んでなお、利益目標に適うか

訓練における$\bar{x}$-R管理図の活用の一例

図17に、あるゴルフ初心者の平均スコア($\bar{x}$)を示す。レッスンを受けるまで、この人が「統計的に管理された状態」になかったのは明らかだ。管理限界を外れた点がいくつも存在している。レッスンを受けると、彼のスコアは統計的に管理された状態を示すようになり、望んだ結果が

図17　ゴルフ初心者の週次の平均スコア

この人は「統計的に管理された状態」に達するところまでレッスンを受けたことが見て取れる。

連続4ゲームのスコアは$n=4$の標本をなし、平均値$\bar{x}$と範囲Rを計算できる。

上方管理限界と下方管理限界は、範囲Rの管理図（図示されていない）から計算された。

W・エドワーズ・デミング著 *Elementary Principles of the Statistical Control of Quality*（邦訳は、『デミング博士講義録　統計的品質管理の基礎理論と応用』日本科学技術連盟訳編）の22ページからの引用。

UCLとLCLは、平均値$\bar{x}$に対する上方管理限界（Upper Control Limit）と下方管理限界（Lower Control Limit）。

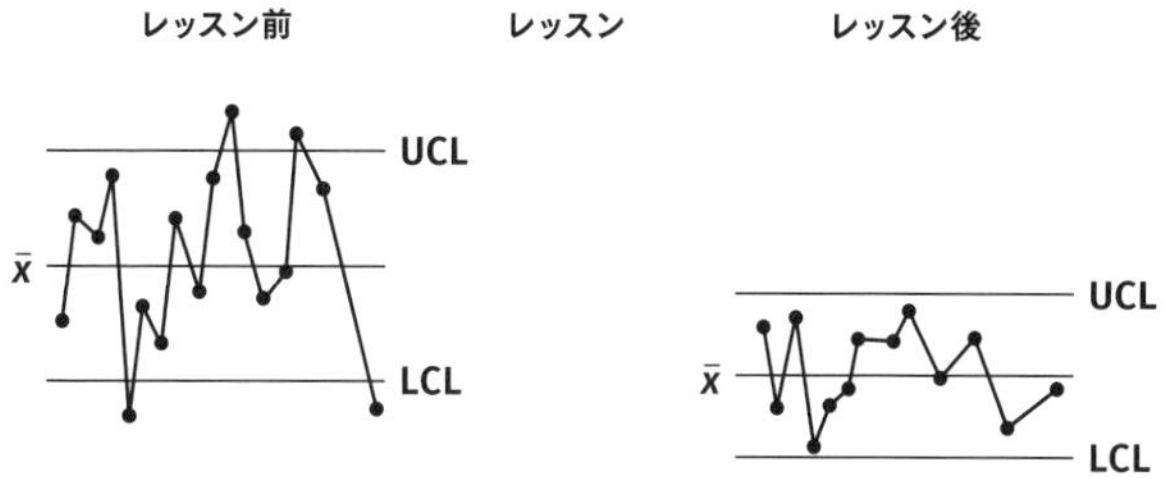

得られるようになったのである。彼の平均スコアは、レッスン受講前の平均値よりもかなり下がった。要するに、レッスンが「そのシステム」を変えたのだ。

病院における管理への応用（日本の事例[*1]）

ある患者が手術後、歩き方の訓練を始める。歩行訓練は大阪の病院の特別訓練室で実施される。図18に、この特定の患者の改善具合の記録を示す。患者がフロアー間を移動する際、左足が階段を一段登る（あるいは降りる）のに要する時間を、電子的なパルスを用いて記録していく。連続10歩（50歩のうちの21歩目から30歩まで）が平均時間（$\bar{x}$）と範囲（ここでは示さない）を与える。

5日から10日にわたって当該患者の歩行訓練を20回観察し、20個の平均時間（$\bar{x}$）と範囲を得た。平均時間（$\bar{x}$）をプロットしたのが図18だ。範囲の記録は示されていない。（$\bar{x}$）に対する管理限界は平均範囲から通常の方法で求めることができる。

読者の目にも明らかかと思うが、訓練開始前の患者は「管理された状態」から大きく外れている。だが、10日間の訓練を終える頃には「管理された状態」に徐々に近づき、さらに訓練を10日続けると、退院できるくらい良くなった。

管理図をこのように使えば、病院における管理のための重要なツールとなる。療法士は、

図18　手術後に歩行訓練をする患者の日々のスコアの推移
管理限界は患者の集団全体から計算されたもの。出典は広川と杉山（原注1を参照）

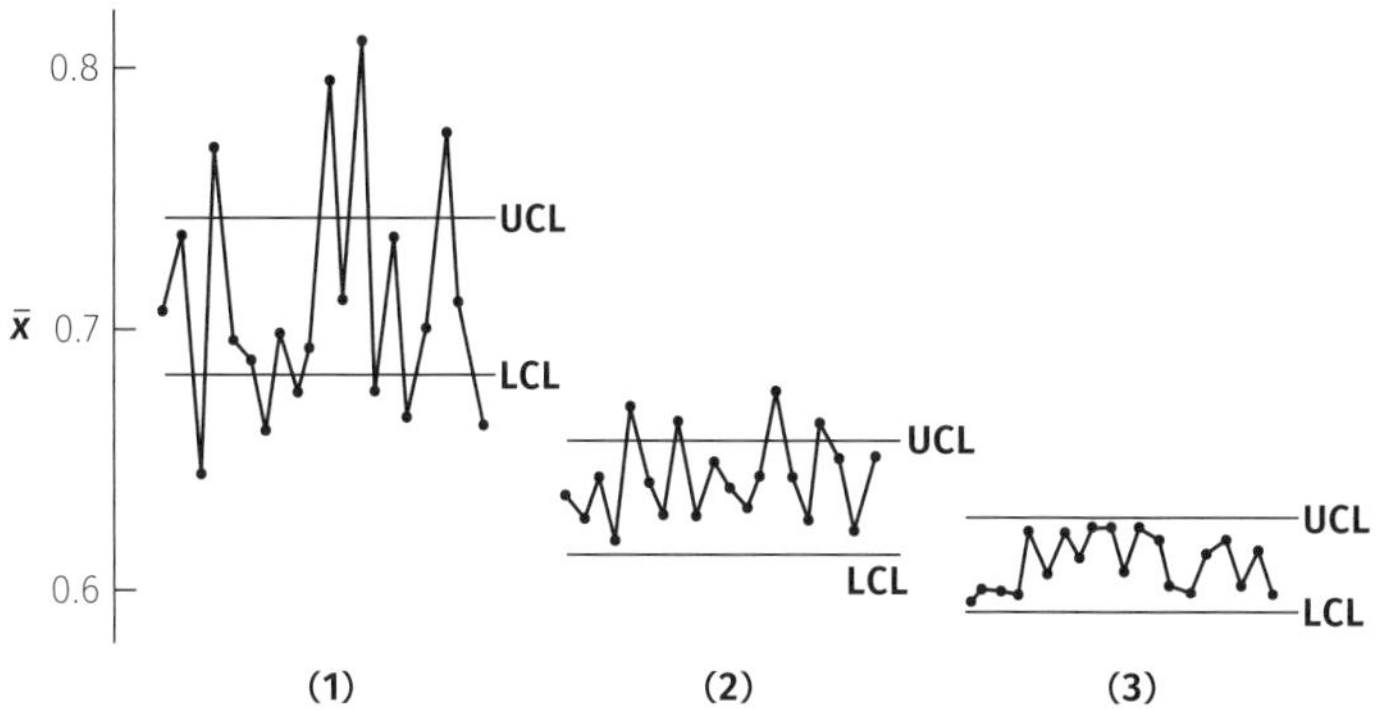

訓練が患者の回復に効果がある限り、患者への訓練を続けるが、これ以上続けても効果はないというところまできたら、そこで訓練をやめる。換言すれば、管理図は患者を守り、療法士の時間を最大限有効に活かすということだ。優れた理学療法士はどの国でも不足している。

統計的に管理された状態に達しても、アウトプットに満足できないときは

他の場合と同じく、この場合もまずは検査から得られる数字をよく見ることだ。

統計的に管理された状態にあるワーカーの仕事が期待に適わないなら、そのワーカーは1つの問題を提示しているということだ。同じ仕事に対して当人に再訓練を受けさせても、通常はあまり効果がない。もっと効率的なのは、その人を別の新たな仕事に就かせ、その仕事についての良い訓練を受けさせることだ。

図19はこれを解き明かす。あるベテランのゴルファーが、レッスンを受けてスコアを良くしたいと思っていた。だが、この図を見る限り、レッスンは何の効果もなかった。彼のゴルフのテクニックは、既に彼の体に刻み込まれてしまっていた。つまり、レッスンコーチは、彼の体に刻み込まれていたテクニックを取り去って、より良いもので置き換えることが、うまくできなかった。

これと同じ身近な例は、外国から数年前に米国にやってきて、当地に来てから否応なく英語を学んだ人だ。語彙や文法は素晴らしくても、アクセントはどうにも直せないということがある。あるいは、その人は母国で英会話を習い、教師に忠実に、熱心に学ぶ模範的な生徒だったけれど、その教師がかつて熱心に学んだ先生はあまり良い英語を話せない人であったという可能性もある。筆者が相談したことのある言語療法士らは「尖った縁にヤスリをかけて滑らかにすることはできますが、生徒も教師も、注ぎ込んだ努力に見合う結果が得られることはめったにありません」と言う。換言すれば、その人は、ある1つの言語体系を長い時間をかけて身に付けてきたのであり、それを変えるには遅

図19　ベテランゴルファーのレッスン前と後のスコアの推移

この人はレッスンを受ける前に既に「統計的に管理された状態」に達していた。それゆえレッスンは効き目が薄い。

連続4ゲームのスコアはn=4の標本をなし、平均値$\bar{x}$と範囲Rを計算できる。

W・エドワーズ・デミング著 *Elementary Principles of the Statistical Control of Quality* の22ページからの引用。

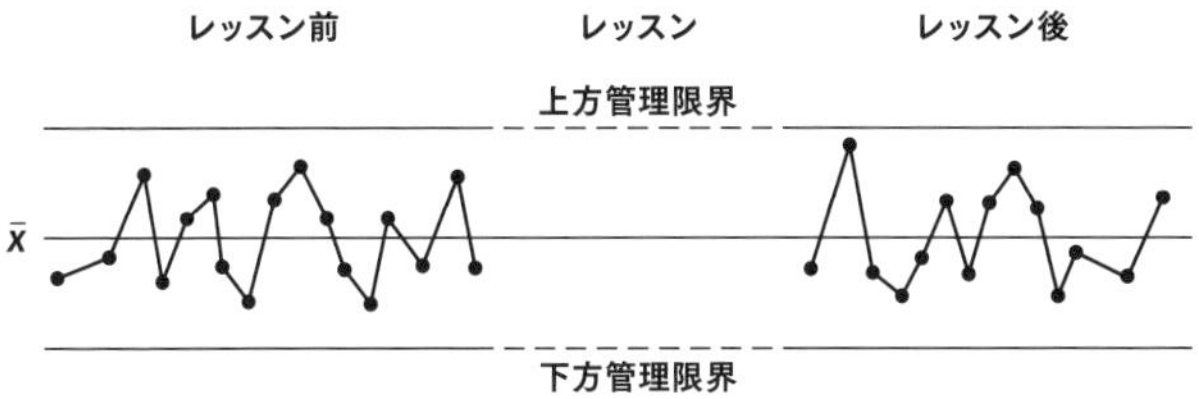

すぎるということだ。

また別の身近な例を挙げよう。その女性は、歌を独学で身に付けた。良い教師に恵まれなかったのか、あまり良くない教師に教わったのか、長年自分のやり方で歌ってきた。彼女の歌を喜ぶ人もいるし、おそらく本人も自分の歌を気に入っている。だがその一方で、他の人を震え上がらせているという。

以下に引用する手紙は、ニューヨーク大学経営大学院での私の学生から受け取ったものだ。先に述べた原則を描き出している。

私はある会社の本社経理部門のスーパーバイザー（監督者）です。職場を見渡す折々に、できることなら凡庸な社員を1人か2人、どこかへ放り出して、代わりにトップクラスの優秀な人を雇い入れて凡庸な人を優秀な人で置き換えたいと思うことが何度もあります。あなたは講義のなかで、労働市場から新たに雇い入れた人で今の社員を置き換えよう、もっとうまく社員を入れ替えられると思うかもしれないが、それがうまくいく可能性は極めて小さい、とわれわれに説きました。社内の誰かを解雇し、社外から新たに人を雇ったところで、職場全体の士気を下げてしまうのが関の山なのですね。

あなたの講義を受講し始めた頃、私は職場で問題を1つ抱えていました。大卒新人の経理担当の1人に単純な事務仕事をさせていたのですが、良くない仕事ぶりが続いていました。しかし、その人はその仕事から外されることはなく、そのまま同じ仕事を続けていたのです。現在の職務で優れた業績を挙げないと、昇進できないというのは会社のルールです。

業務管理（アドミニストレーション）の新たな諸原則についてのあなたの講義を聴いて、私はわかったのです。その人はおそらく既に統計的に管理された状態にあったのでしょう。私が統計的手法を用いてそのことを証明しようとしても、難しかったと思いますが。そこで私は正しいアプローチを採ろうと決めました。その社員に別の仕事の訓練を受けさせることにしたのです。このアイデアがとてもうまくいったとご報告できるのを、誠にうれしく存じます。その人は新たな仕事をしっかり身に付けました。私は、部下を新たに1人もらったようなものだと感じています。

警告と例外

管理に問題がなければ単純だ。ただし、社員の動揺を招くような明らかな例外扱いや変更の実施には慎重を期さなければならない。例えば以下のようなことだ。

①誰であれ、自分の仕事を一旦は統計的に管理された状態に持ち込めたとしても、後日その状態から外れることはある。つまり、管理限界の外に出てしまう可能性があるのだ。管理図上の管理限界の外側にプロットされたその点は、それまでに出会ったことのない特殊要因の存在を教えてくれている。生産のワーカー（その仕事をしている当人）は即座にその作業を止めて、当該特殊要因が何であるかを特定し、今後の仕事のやり方の中からその要因を取り除かなければならない。真因を除去しなければ、その人は統計的に管理された状態を失ったままだ。

②残念ながら、人はそれまでの自身の安定した仕事ぶりに信を置いて、うっかりすることもある。その仕事が依然として統計的に管理された状態にあるか否かを知るために、管理図や他の統計的な検証を時々、短い間だけでよいので、実施すべきだというのはこのためだ。

③新製品や新しい仕様は、新規契約や新たなビジネスに関連するものが多いと思われるが、

新たな種類の不良に繋がることがあるのを考慮しておかなければならない。生産のワーカーは、それまでとは全く違う、新しい仕事のやり方で、自分自身を統計的に管理された状態に持っていく必要があるかもしれない。

④検査部門が重要な品質特性（粘性など）に対し新たな測定方法を導入することもある。働く人にとって（検査員にとっても、生産のワーカーにとっても）、これは実質的に新製品と同じ意味を持つ。

リーダーシップの例——不良はどこから来るか？

ある1つの仕事をやっている溶接工が11人いて、溶接5000点当たりの欠陥件数が溶接工ごとにカウントされている（表1と図20）。彼らが5000点の溶接作業に要す時間はほぼ同じだ。

6番の溶接工はこの「システム」の外にいる。この溶接工には個別の目配りが必要だ。どのような種類の目配りが要るか？　よく観察して手を打てば、その人への助けとなるはずだ。

①入ってくるワーク（溶接対象物）の流れをよく見よ。6番目の溶接工のところへは、比較的難しいワークが流れてきているという可能性もある。もしそれで説明がつく

なら、それ以上の目配りは、いまは要らない。

②当人が使っている設備と工具、当人の視力、その他、想定可能なハンディキャップ（健康状態、家庭の事情など）をよく確かめよ。

さてそこで、「溶接工全員が、よりうまく仕事をやれるように改善していく」という、常に取り組まねばならない重要事がある。6番の溶接工だけでなく、全員を眼科医のところへ送り込むこともできる。

溶接の品質が悪化傾向にあって、元の良い状態に向かわせたいという取り組みもあるだろう。納入される材料の流れを調べ、材料の均一

表1　11人の溶接工

$$平均値 = \frac{105}{11} = 9.55 \text{ 欠陥数／溶接点5000点}$$

$$\left.\begin{matrix}UCL\\LCL\end{matrix}\right\} = 9.55 \pm 3\sqrt{9.55} = \left\{\begin{matrix}19.0\\0\end{matrix}\right.$$

溶接工	欠陥数／溶接点5000点
1	8
2	15
3	10
4	4
5	7
6	24
7	8
8	8
9	10
10	3
11	8
計	105

性を高めるとか、もっと溶接しやすい材料の入手可能性を調査することによって、品質のレベルが見事に元に戻ることもある。

　全体を良くする、即ち溶接工１人ひとりの溶接点５０００点当たりの平均欠陥数を減らすことは、ひとえに「システム」そのものの変化にかかっている。例えば設備を変える、材料を変える、訓練の仕方を変えるといったことだ。

　また別のケース。フォークリフトを後退させるとき、いろんなモノにいつもぶつけてしまう人がいた。理由は、当人が首を痛めており、身体を捻って後方の進行方向をうまく見ることができなかったからだ。こういうときの解決策は、別の仕事に就いてもらうことだ。

図20　11人の溶接工の溶接5000点当たり欠陥数

11人の溶接工には、この仕事の在職期間の順に1番、2番…と番号が振られている。溶接5000点当たりの欠陥数の平均値は9.55だ。上方管理限界は19.0、下方管理限界はゼロである。6番の溶接工は上方管理限界を超えている。

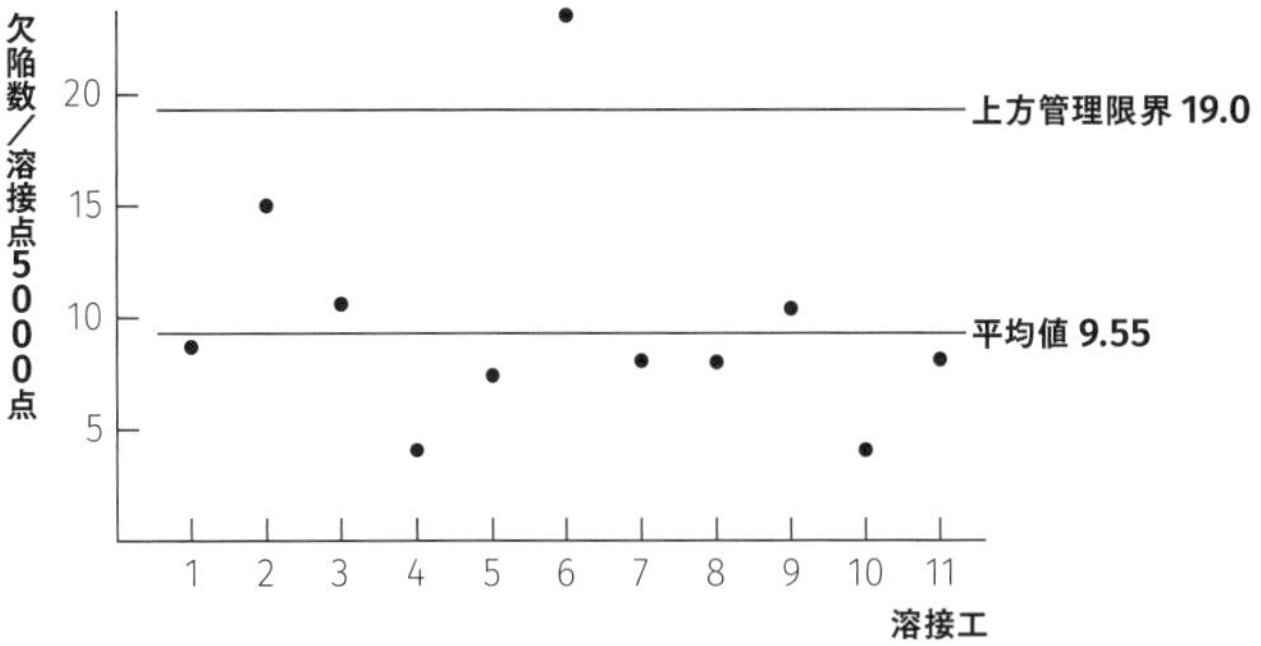

リーダーシップの助けとなる例[*2]

その仕事は、文書を1枚ずつ、正しい箱穴（たくさん並んだ「仕分けボックス」の投入口）へ入れることだ。仕分けボックスの箱穴は80ある。箱穴はそれぞれ、文書の内容に応じたものだ。その紙を読めば正しい仕分けができると想定されている。この仕事には女性240人が従事している。本書執筆時点では、この仕事は箱穴に仕分けされた後、全数検査を経る。

1カ月にわたる観察と研究のなかで検出された、ある特定の種類の重要な仕分けミスの割合が1万件当たり44件であった。このとき、ワーカー1人ひとりの作業を「二重平方根紙」の上にプロットしていくと便利である（モステラーとテューキーがデザインした「二重平方根紙」が使い易い。マサチューセッツ州ノーウッド、コーデックス・ブック・カンパニー）。縦軸を仕分けミス件数y、横軸をミスなく仕分けた件数xとして、ワーカー1人ずつの結果をプロットしたのが図21だ。全体の平均仕分けミス率が（y=0.0044x）の線で表される。

上方管理限界を3シグマに設定するのはごく単純だ。（y=0.0044x）の線の上下に並行に、3シグマ離れたところに線を引けばいい（モステラーとテューキーの「二重平方根紙」の目盛りは、1シグマ、2シグマ、3シグマ、4シグマを示し、1シグマが5ミリだ。ただし、図21のように、片方の目盛りを適宜圧縮して使うといった、若干の変更は必要）。管理限界によって、240人の作業員は次の3つの

図21　240人の作業をプロット

横軸に正確に仕分けた件数を、縦軸に仕分けミスの件数をとり、作業員の作業をプロットした図。

1つの点は、1カ月間に各作業員が行った仕訳を全数検査して得られた結果を示す。この仕事に就いているのは女性240人。10個の点が上方管理限界から外れている。4点が下方管理限界から外れており、226点は管理限界の範囲内だ。ここでは240の全点を表示していない。上方管理限界から外れた10点は、スーパーバイザー（監督者）が個別の支援を注ぐべき相手（作業員）が誰であるかを教えている。同時にこの監督者は下方管理限界を外れている4人がなぜそのように優れた仕事ぶりであるのかを学ばなければならない。

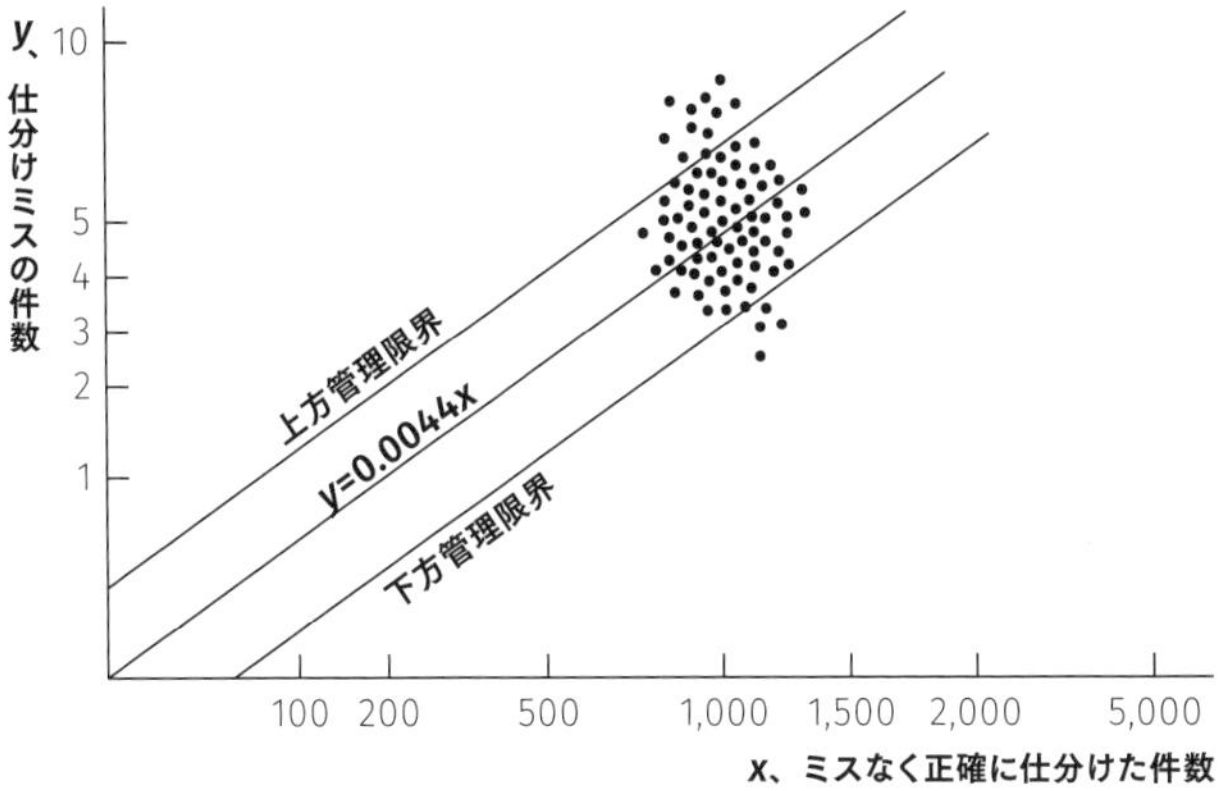

グループに分けられる。

Ａ上方管理限界（ＵＣＬ）を超える仕事ぶりの人

Ｂ管理限界内に収まる仕事ぶりの人

Ｃ下方管理限界（ＬＣＬ）を下回る（優れた）仕事ぶりの人

Ａグループの人には個別の支援が必要だ。ここで、具体的にどのような支援を行うべきかを明言することは誰にもできない。個別の対策の責任は、この会社の監督者とマネジメントに帰属すべきものだ。だが、監督者とマネジメントを助けるための提案を示そう。

①印刷された言葉の意味を即座に摑むことができない人がいる（若干の失読症の傾向がある）。このような障害を持つ人は他の職務に異動させるべきだ（失読症は知的能力や学校の成績が劣っていることを示すものではないのだから）。精神分析医を１人雇って、印刷された文書の意味を理解する能力を適切に測るテストを開発すべきだ。

②眼鏡が必要な人がいるかもしれない（２５６ページ）。

Ｂグループの作業員は「システム」そのものを表わしている。個別支援の対象ではない。この人たちに自身が犯したミスについて知らせるのは、拙いやり方になってしまうことがある。この人たちは、成績順に１番、２番、…、最悪の人、といった具合にランク付けされてはならない。そうした順位付けの代わりに、マネジメントは「システム」自体を良くするために正面から取り組むべきだ。当該作業に対するマネジメントの責任を誰かが代わりに引き受けようとしても不可能だ。しかし、1人の統計学者がこの現場を一度訪れただけで「普通の女性が手を伸ばして紙を差し込むには高すぎる箱穴の位置がいくつかある」と発見したことには留意されたい（この会社のマネジメントがなぜ統計学者に指摘されるまでこの問題に気づけなかったのか、数カ月も前に気づいて直しておいてしかるべきではないか、と思う人はいるだろう）。

Ⓑグループへのもう1つの提案は、Ⓐグループに提案したのと同じテストを全員に受けさせることだ。このテストで読解力に問題があるとわかった人は別の職務に異動してもらうといい。「システム」自体を継続的に良くしていけば、全体のパフォーマンスとして表出している根源的な問題の除去を通して直線の傾きは小さくなっていく（不良率が下がる）。

Ⓒグループの人も特別な注目に値する。彼女たちは適切な褒賞にふさわしい、それだけの価値がある人々だ。彼女らがその仕事を実際にどのようにやっているか、何か特別な技能や工夫をしているかといったことを、よく見て理解することが重要になってくる。

最初の一歩をうまく踏み出すには、検査のやり方と結果をよく調べることだ。検査はどれくらいしっかり機能しているか？　検査員はエラーの4割を見逃す可能性があるということはよく知られている。「品質の変動」についても同じ。検査員は全くの良品を不良品と判断することもある。

極端な高品質が求められる作業・検査の業務管理の仕方

製造であれサービスであれ、完璧な仕事というものは未だ実現されていないが、たった1回のミス、たった1つの不良品が深刻な事態を引き起こすということは、現実にある。

自動車の前車軸のスピンドルが安全性確保のために全数検査を経るとしよう。全数検査よりも優れたやり方は、スピンドルの製造において統計的に管理された状態を実現し、同時に、求められている品質要件よりもずっと狭い範囲の内に「ばらつき」を抑え込むことだ。

銀行における計算には、極端なまでの注意深さが要求される。薬局において処方箋に従って薬を出すときも、保険の料率算定機関が料率表を作成するときもそうだ。

銀行における利息や違約金などの取引に関する計算は、全数検査が求められる（点検、照合、突合と呼ぶこともある）。これは安全のため、正確性への評判を守るためだけでなく、トータルコストを最小化するためでもある（第15章を参照）。

まずは2人の人が原本のきれいなコピーを両人ともに持った上で作業を始める必要がある。

2人が行った計算は、それぞれ別のパンチャーがカード穿孔作業を行う。機械で対比すれば、2人の計算の相違の有無、穿孔作業のミスの有無はわかるが、2人が同じ間違いを犯して同じ結果になった計算は検知できない。

極端なまでの注意深さは、全数検査（点検、突合）のなかで訓練されなければならない。これは共通要因を除去するためであり、また、元の計算作業と検査の間の相互作用を減らすためである。監督者は「どんな仕事であっても、特定の問題の存在を示唆している書類や、判読困難な数字が書かれている書類に基づいて作業を進めてはならない」ということを関係者全員に対し、周知徹底すべきだ。例えば、数字の8を5と読み間違えることなどあってはならない。その仕事に就いている人のうち、誰か1人が（個人の判断で）明快でないと感じた数字があったら、その人は当該書類を一旦脇に置いて、監督者の注意を喚起しなければならない。監督者は確証となり得る書類の控えを探し出す必要があるかもしれない。ときに手紙を出したり、電信を発したり、電話をかけたりといった手段をとるが、こうしたことはすべて問題を明らかにするためにやる。

元の計算作業と検査の間の相互作用が一切なくなり、元の計算作業と検査の両方が、文書1000件当たり1件というレベルのプロセス平均に従うようになったら、2人が並行して作業することで、100万分の1よりはるかに小さな水準のプロセス平均を実現できるはずだ。

不完全な検査の例

不完全な検査は次の3つのタイプの問題を引き起こす。

①生産のワーカーのフラストレーション
②管理図上にプロットされた点の解釈の間違い
③不良品が流出して顧客に届いてしまう

以下に示す例は、不完全な検査の典型的な状況と、それが生産のワーカーにとってどれほどのフラストレーションとなるかを描き出している。オペレータは17人、検査員は4人である。17人のオペレータがやった仕事は乱数を用いて4人の検査員に配分され、検査される。

表2は3週間にわたる検査の結果を示しており、図22は検査員による検査の結果を図示したものだ。これを見れば、明らかに何かが間違っているとわかる。即ち、良否判定の基準がどこかおかしいのだ。検査員による差異のパターンが気になる。検査員1と4の判定は概ね同じである。検査員2と3も似たようなものだが、2つの検査員グループの判定は大きく違っている。

表2　不良品検出の記録
3週間にわたり、生産のオペレータごと、検査員ごとに検査で発見された不良品の数を記録したもの

生産のオペレータ	検査員				
	1	2	3	4	計
1	1	0	0	3	4
2	2	0	0	3	5
3	0	1	1	4	6
4	3	2	2	2	9
5	7	0	0	0	7
6	0	0	0	1	1
7	1	1	1	4	7
8	3	2	3	6	14
9	2	1	0	0	3
10	1	1	1	0	3
11	9	3	5	10	27
12	3	1	0	1	5
13	4	1	1	2	8
14	4	1	1	2	8
15	0	0	1	3	4
16	1	0	0	4	5
17	11	4	6	15	36
計	52	18	22	60	152
検査した数の計, n	400	410	390	390	1590
不良率, $\bar{p}$	0.130	0.044	0.056	0.154	0.096

注記：完成品を入れた箱（5個／箱）は乱数を用いて検査員に割り当てられる。全オペレータが生産したトータルの生産数量はほぼ一定。

図22　検査の管理図の要約

この図から、検査員による判定に違いがあることは明らかだ。

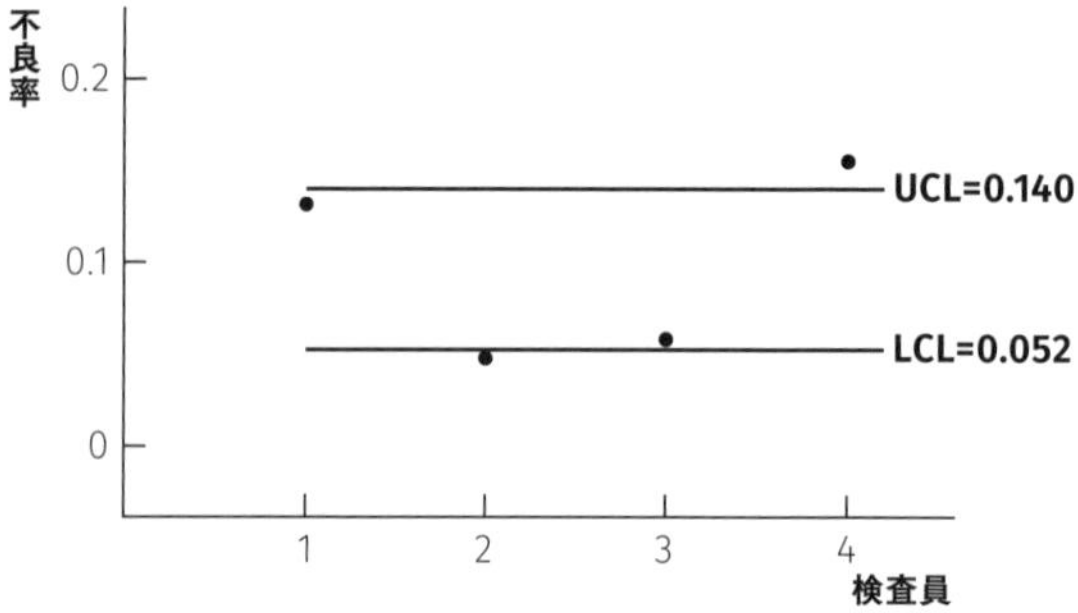

$$\bar{p} = 0.096, \qquad n = \frac{1590}{4} \cong 400$$

$$\left.\begin{matrix} \text{UCL} \\ \text{LCL} \end{matrix}\right\} = \bar{p} \pm 3\sqrt{\bar{p}(1-\bar{p})/n}$$

$$= \begin{cases} 0.140 \\ 0.052 \end{cases}$$

ここで必要なのは、何が合格で何が不合格かというオペレーショナル・デフィニションだ。われわれは既に第1章でこの問題に出会った。オペレーショナル・デフィニションは、検査方法、検査そのもの、良否判定基準から成り、互いに伝え合うことができるはずのものだ(第9章を参照)。これは一種の共通言語であり、人々はその共通言語を使って互いを理解し合っていく。

この事例を提供してくれたデービッド・S・チェンバーズに感謝する。

恐怖が引き起こす不完全な検査(その1)

図23の管理図は出荷前の最終品質監査で見つかった不良品の割合を2カ月にわたって日次で記録したものだ。2カ月間の平均不良率は8・8%だった。

図23は興味深い状況を示している。プロットされた点を見ると、上方・下方の管理限界と比べて、非常に狭い幅で上下に動いているのだ。これについては、2つの可能性が考えられる。

①不良率の均一性が「システム」の中にビルト・インされている。これは珍しいことでは全くない。一例が回転型のスタンピングで、12個のパレット(押し型)が1台の

図23　日次の不良率の記録

検査件数　225件／日

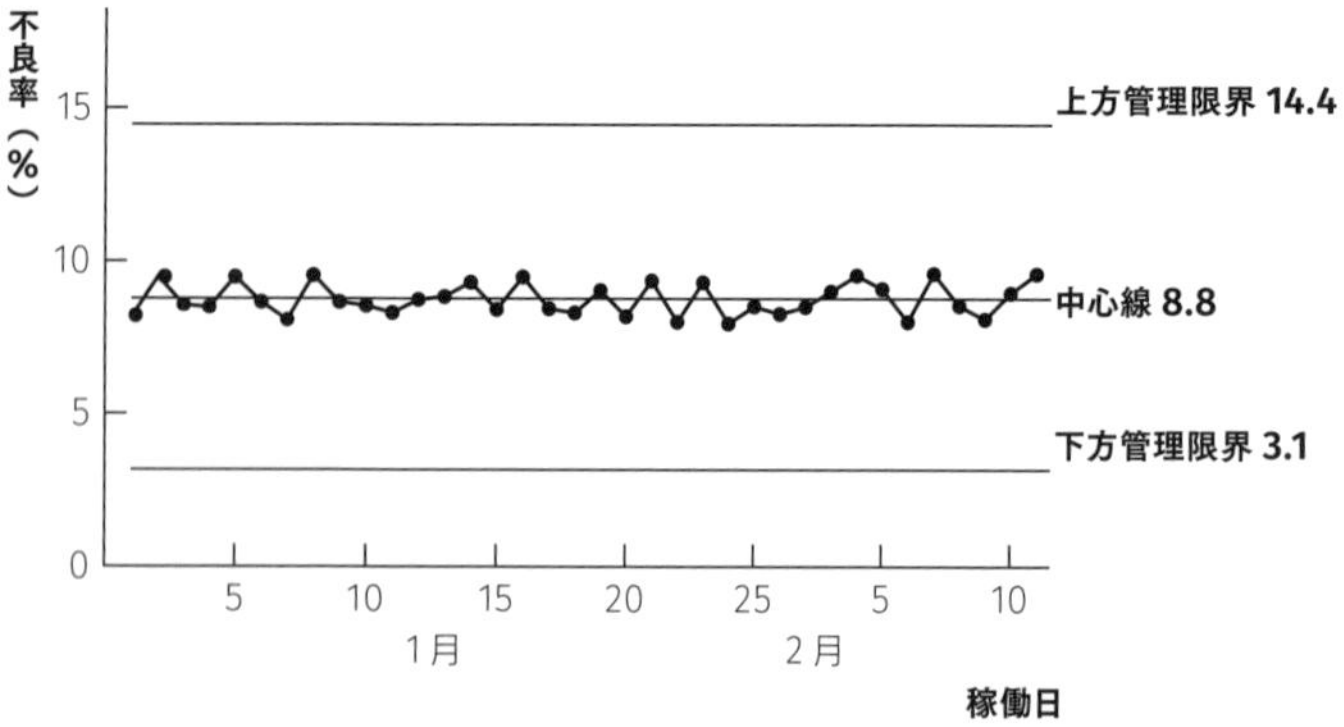

$$n = 225, \qquad \bar{p} = 0.088 \text{ or } 8.8\%$$

$$\left.\begin{matrix}\text{UCL}\\ \text{LCL}\end{matrix}\right\} = \bar{p} \pm 3\sqrt{\bar{p}(1-\bar{p})/n}$$

$$= 0.088 \pm 3 \times 0.0189$$

$$= \begin{cases}0.144 \text{ or } 14.4\% \\ 0.031 \text{ or } \ \ 3.1\%\end{cases}$$

「回転する型」に収まっている場合だ。パレットが1つ壊れたとしても、残りの11個のパレットはそのまま良品を作り続ける。スタンピングから出てくる製品は12個のうち1つが不良だ。つまり、不良率は8・3％で、図23の管理図の中心線が示す平均値8・8％に危険なほど接近する。

②管理図上の数字は無意味であるという可能性がある。

このプロセスと環境をよく知っていたわれわれ（デービッド・S・チェンバーズと筆者）は、右記の①の可能性はないと考えた。②かもしれない。実際、検査員は不安を感じ、恐怖のなかにいた。最終品質監査において、1日でも不良率が10％に達したら、工場長は工場を閉鎖し、全員解雇するつもりだと工場内のいたるところで噂になっていた。検査員はこの工場で働く300人の雇用を守ろうとしていたのである。

繰り返し言うが、恐怖が存在する職場では、数字が正しくないものになっていく。組織というものは、そこで働く人々が思い描いている認識に沿って動いていくのである。不良率が10％になったときに工場長が本当に工場を閉鎖するか否かには、これは全く関係ない。

われわれはトップマネジメントに、私たちの考え、つまり、恐怖が問題なのだということを報告した。その後、この工場長が別の職務に配置換えになり、新たな工場長がやってきた。すると、この問題は消え失せたのである。

恐怖についてさらに語る

図24のヒストグラムは、ある1つのメッセージを強く叫んでいる。このヒストグラムは、検査員がデータを歪めているとわれわれに伝えている。このヒストグラムにはいつでもどこでも出会う。測定値が仕様の範囲内に積み上がり、下限のすぐ外側に1つのギャップが見える。

　データが歪められている理由として可能性があるのは、以下の3つのケースである。

　①この検査員は、当該部品をつくっている人々を守ろうとしている。

図24　スチール棒材の直径測定結果の分布（500本）
この検査には明らかに欠陥がある。
LSLは仕様の下限。

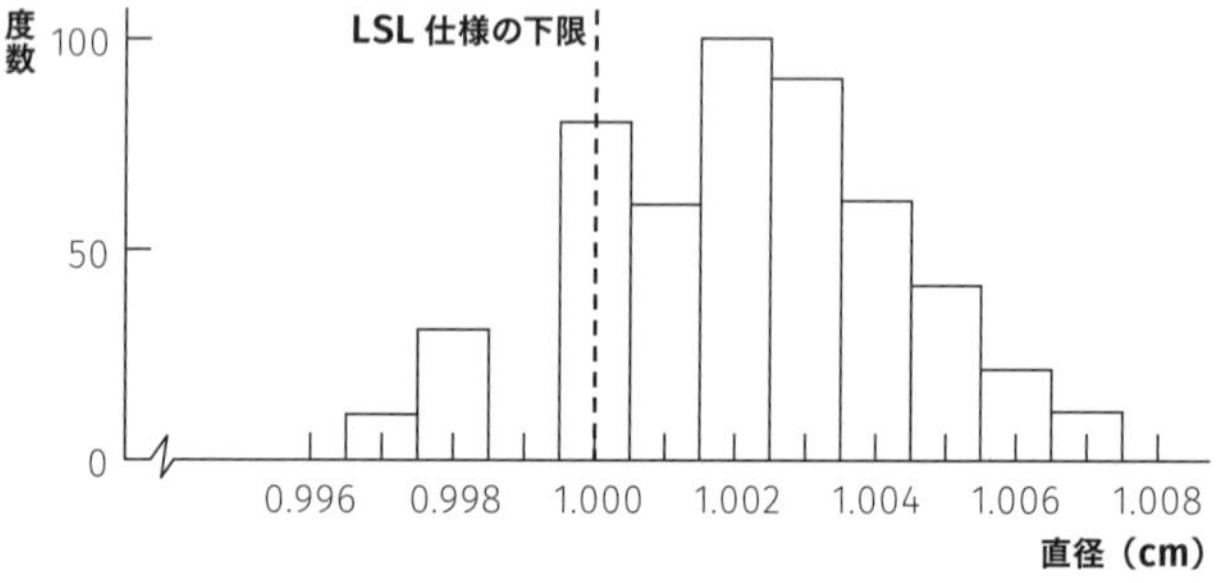

②この検査員は、自分が使っている検査機器を危惧している。この検査機器は、ある部品を不合格にするかもしれないが、その部品は実は良品で、検査機器が正常に機能していれば、合格と判定されていた部品かもしれないのだ。

③この検査員は自分の検査機器の使い方に不安を感じている。当然だが、②と区別し難い。

恐怖が引き起こす不完全な検査（その2）

図25は製造工程のなかで測定される、ある値の分布を図示したものだ。仕様の下限（LSL）は6・2ミル（ミルは1000分の1インチ、0・0254㎜）、上限はない。不適合と記録された

図25　ある測定値の分布

仕様の下限は6.2ミル、上限はない。

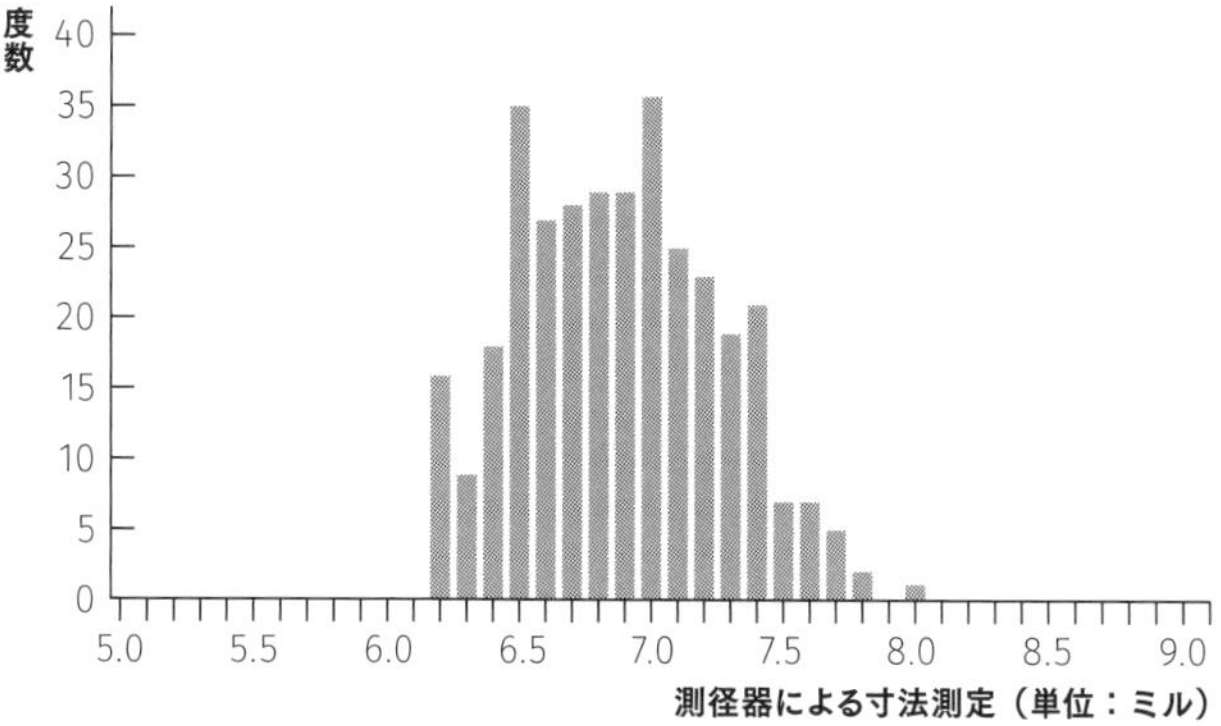

部品は1つもなかった。6・3ミルのところにピークがあることに注目してほしい。不適合の部品は本当になかったのか？　それは誰にもわからない。

バッド・ニュースの報告者になりたい人はいない。

6・5ミルと7・0ミルのピークは四捨五入から生じている可能性がある。

また別の例――面倒は避けたい

筆者の理解によれば、大気質指標（AQI、Air Quality Index）は米国の13の地域について、毎日正午に発表される。大気汚染物質濃度の上限値は1㎥当たり150㎎である。この数値を超えると、汚染源を特定するために地方行政当局が具体的な行動をとる必要がでてくる地域もある。自然現象かもしれないし、工場の排煙によるものかもしれない。この数字、150㎎／㎥が報告されたことはほとんどない。この数値を超えるのは本当に珍しい。報告は、149、148、147、146に集中している。人々は自分たちの測定結果を報告するのが怖い。そこで、こんなふうに報告している可能性がある。もっとも、これに不思議はない。なにしろ計測精度は20なのである。

恐怖から来る損失の例をもう1つ

以下は、実際の対話である。ケイト・マッキューンが筆者に報告してくれたものだ。

加工の作業員（上司の監督者・フォアマンに向かって）（ブラスト・マシンの）ベアリングが故障しそうです。動くことは動きますが、いますぐに手入れをしなければ、軸が折れてマシンが使い物にならなくなりますよ。

フォアマン この鋳物のバッチだけは、なんとしても今日、予定通りに仕上げなければならない。

このフォアマンは自分に割り当てられた出来高のことを考えている。そして、部下の作業員に「今はベアリングの手入れはできない」と言う。このフォアマンは自分が職を失うことを恐れるあまり、会社にとって最善の利益を守ることができないのだ（やろうと思えばやれるのに、できない）。このフォアマンは数字だけで評価される。ラインが止まるのを未然に防いだところで評価はされない。自分の仕事を忠実にやっているだけのフォアマンを、一体、誰が責められようか。

加工の作業員が危惧していた通り、その鋳物のバッチが完了しないうちに、ベアリングが焼き付いた。ラインが止まり、修理を始めると、案の定、軸に深い亀裂が入っている。結局、ボルティモアから新しい軸を取り寄せて交換するまで、4日かかった。

検査のやり方を統計的に管理された状態に持っていくことは必須要件

検査のやり方には、目視検査、手作業での測定、機械が自動的に検査・記録してくれるといったさまざまな方法があるが、いずれにせよ、記録された測定結果は一連の長い工程を経て出来上がった「産出物」なのであり、その中で測定されたモノがどうであったか、検査機器をどう使ったかということについて、われわれに教えてくれる。同じモノを一定期間、何度も繰り返し測定するなら、当然ながらその結果は統計的に管理された状態にあることを示していなければならない。これは、測定機器と当該機器を担当するオペレータが両者ともに、「適切な測定方法である」と認められるために必須のことだ。

もちろん、それだけで十分ということはない。何度も繰り返し測定するものについては、どの検査員のR管理図の変動幅も、あまり大き過ぎてはいけない。さもないと、その測定方法の精度は使用に耐えないことになる。測定方法というものは、どの検査オペレータが検査機器を操作しても仕様の範囲内では同じように再現可能であるべきだ（あるいは、それが目視検査であるなら、どの目視検査員が見ても同じ判定結果にならなければならない）。

検査機器と検査員の組み合わせが統計的に管理された状態にあると示すことができない限り、検査の精度や検査の良し悪しを「その検査方法のせいだ」と見定めることはできない。*3 これは検査機器のコストとは関係ない。

ベンダーから入ってくる原材料や部品が欠品を起こすとよく言われるが、ベンダーと買い手側の検査のやり方が異なっているせいで欠品が生じている可能性もある。例えば、皮革の面積をどう測るか？　皮革の縁は通常、ぼろぼろに破れている。あなたが売り手なら、ぼろぼろの縁は皮革の面積の測定にどのような影響を与えるだろう？

あなたが買い手だったらその影響はどうだろうか？　売り手と買い手、双方の測定方法を、特段の取り決めもなしに一致させるのは難しい。

検査機器間の差異

統計的に調べれば、通常なら数週間で以下のようなことが明らかになる。

①生産のワーカーのうち、自分がやっている仕事の何たるかを理解している人はほとんどいない。

②検査員も、自分がやっている仕事の何たるかを理解している人はほとんどいない。何が正しく、何が間違っているかについて、生産のワーカーと検査員の意見が一致することはない。昨日「正しい」としたものが、今日は「間違っている」とされる。

③電子的な検査機器がその仕事をしかるべくやってくれない。同じモノなのに、あるときは合格と判定し、その1分後に不合格と判定する。その逆もある。

④電子的な検査機器が複数台あるとき、その判定結果が一致しない。

⑤ベンダー側と買い手側の検査結果が一致しない。買い手が使っている検査機器の判定結果が安定しないのだから無理もない。ベンダー側も同じ問題を抱えている。双方ともに、それを知らない。

監督の職位やマネジメントの職位にある人々のなかで、「信頼できる検査」が生産のワーカーの士気を高める上でどれほど重要かに気づいている人は、ほとんどいない。

その例

生産ラインの最後に、良否選別のための検査機が8台ある。顧客を守るためにそうしているのだ。1日当たり約3000個の製品がこの検査を通り抜けていく。図26の数字と×印（機械が自動的にプロットする）は、１週間の結果を示している。この職場のルールでは、完成品が生産ラインから出てきたら、８台の検査機のうち１台を順次使って、検査することになっている。

８台の検査機は明らかに２つのグループに分かれている。２つのグループの平均の差異は約11％。ここには深刻な問題が１つ存在している。顧客がどういう製品を受け取ることになるのかは、どの検査機で検査するかにかかっている。これは警戒すべき事態だ。なぜ検査機の判定結果が２つに分かれているのか、差異の原因は何か、それを特定することが欠かせない。

生産のワーカーが感じているフラストレーションはいかばかりか。想像に難くない。彼らは、毎日毎日、明らかに判定結果に「ばらつ

図26　検査機8台の測定結果（1週間分）

検査機	検査合格率
0	66.2
7	66.3
8	54.1
9	56.0
10	56.9
11	54.1
12	66.5
13	57.3
計	59.7

（目盛：40%　50%　60%）

き」があるのに、説明がつかないのを目の当たりにしている。トラブルの原因の大半は検査機にあるのだが、彼らはそれに気づけぬままだ。

このような問題に出会ったら、まず、検査員と検査機の組み合わせで結果が違うか否かを確かめるとよい。機械はそれ自体で勝手に動くものではない。機械そのものには、本質的には特段の違いはない。機械とオペレータが一緒になって「1つのチーム」を構成する。オペレータを変えると、違う結果が出る可能性がある。このケースでは、検査機は3シフトの間、止まらず働き続ける。こういうときは、各オペレータがその週の間ずっと同じ検査機についていたか否かを調べるのがいい。

1台の検査機を操作する2人のオペレータの比較

先に紹介したのは、複数の検査装置（と検査員の組み合わせ）の間で判定が一致しないことがあるという例だった。同じ1台の検査装置が相矛盾する結果を出すこともあれば、検査装置のオペレータの間で判断が異なる場合もある。良い監督は、「測定システム」を実際に統計的に管理された状態に持ち込み、さらに良くしていくことを追求しなければならない。

測定結果が2つのパターンに分かれる場合にこれを要約するのに便利なのが「2×2の表」である。第15章の図48はその一例だ。この表はさまざまな種類の比較に簡単に応用できる。

この例では、オペレータ1を横軸、オペレータ2を縦軸に置く。あるいは、1人のオペレータが2台の検査機器を使って検査するなら、横に一方の検査機器、縦にもう1台の検査機器を置く。対角線上にある点は両者の一致を、対角線上から外れた点は不一致を意味する。検査のやり方を科学的に研究する人は、前もって検査の再現性がどのくらいあれば十分かという基準を定めておかなければならない。しかる後に、2×2の表をよく調べて、検査が適切に行われているか否かを見極めるべきだ。

なお付言するなら、統計学の講義で教わるカイ二乗検定と有意差検定はここでは使わず、他のどこでも応用しない。

検査の測定単位が㎝、g、秒、ミリボルトなどであれば、初回の検査を一方の軸、2回目の検査をもう一方の軸にするといい。1回目の検査と2回目の検査がよく一致していれば、点が45度線上またはその近傍に並ぶからすぐわかる。第15章の図50を参照されたい（363ページ）。

パフォーマンスをよくするための面接調査員の比較

第1巻第2章の204ページで論じたように、ほとんどすべての活動は「唯一無二、一期一会」である。ひとたび行動を開始したら、修正したくても、もう遅い。再び言おう。大型の戦艦を、一体どうしたら検査できるというのか？　人口動態調査は1つの例だ。合理的にうまくやれるか、大失敗に終わるか。消費者動向調査も同じだ。電話会社や鉄道会社が所有する設備の物理的状況の調査もまた別の例を提供してくれる。

トレーニング期間中ずっと、検査員と面接調査員は何度も試験を受けることになる。本番さながらの訓練もある。どれほど注意を払おうと、想定外の問題や矛盾という形で、驚きの事態に遭遇するものなのだから、そうした想定外の事柄にも「準備ができている」ことが不可欠なのだ。

実地調査の結果を2日分まとめて分析すれば、「面接調査員の間のばらつき」を「それぞれの面接調査員の調査のたびごとのばらつき」と比較することができる。これによって、手遅れになる前に面接調査員のなかに再訓練が必要な人がいるかいないかを検知できる。ときどき、管理限界の外に出てしまう面接調査員も出てくる。それはなぜか、原因を見極めなければならない。その人の仕事が優れているからということもあろうし、その人以外の面接調査員が全員、

図27　職業別就業人口の調査の結果

ここに示す「現場で働く職業に就いている人の数」と「非現場系の職業に就いている人の数」は、1952年にデラウェア州ウィルミントンで行われたサーベイの最初の2週間に面接調査員によって記録されたもの。

比較対象は1950年の国勢調査である。プロットされた点はすべて国勢調査のラインよりも上にある。

これは、現場で働く職業についての面接調査員の理解に共通の欠陥があるという強いシグナルである。さらなる訓練が必要だ。

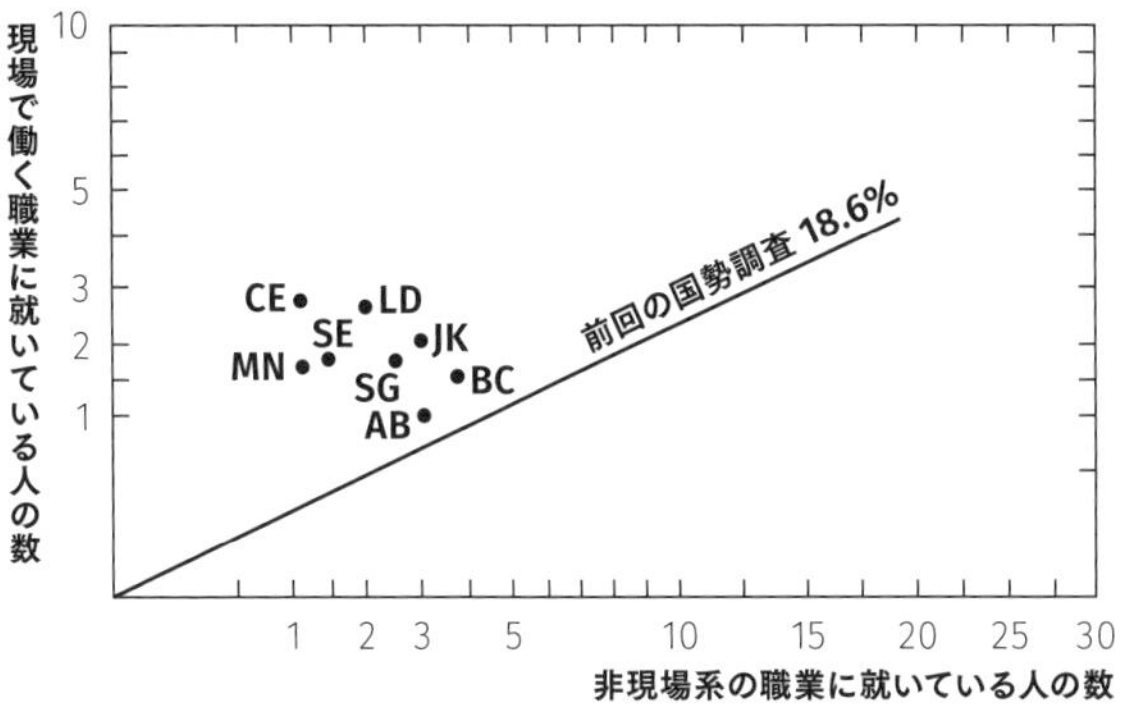

再訓練が必要ということかもしれない。実地調査の最初の2日間は決定的に重要だ。

図27はその一例だ。各点は、最初の2日間が終わった時点の面接調査員の結果を示す。面接調査員は8人いたから、点の数も8個だ。図の説明文を見ると、目下実施中のサーベイと直近の国勢調査における結果が一致しなかったのは、共通要因によるものだという。指導と訓練に弱いところがあった。特に、現場で働く人々の職業の定義に関する指導と訓練に至らない部分があった（バス運転手、列車乗務員、エレベータの操作員など）。そこで、面接調査員を再訓練したところ、直近の国勢調査と十分に一致するようになった。[*4]

注 優れた実践に求められる要件は、乱数を用いてサンプリング単位に面接調査員と検査員を配置することだ。すると、面接調査員と検査員は誰もがサーベイのために抽出したサンプル単位の全体から無作為抽出した標本を調べることができる。こうしなければ、この結果から何かを読み取ることは難しい。

図28は3週間経過したところで行った別のサーベイの結果だ。この時点ではもう仕切り直すには遅すぎる。縦軸は面接を拒否した人の数、横軸は面接を拒否しなかった（インタビューが成功した）人の数である。面接調査員EMとDFBは面接を拒否されていない。問うべきは、この素晴らしいパフォーマンスの現示が信じるに足るものか否かである。あるいは、報告の仕方に何

らかの欠陥があるのではないか。次のステップは、この2人の面接調査員、EMとDFBに直接会って話すことだ。面談にはほんの数分しかかからなかった。2人とも女性で、前職は訪問看護師。何年も前にハンブルクの友人が教えてくれたのだが、訪問看護師をしていた女性は優れた面接調査員になれるという。彼女らはもともと人が好きで、人々も彼女らに心を開いて話しかける。それが、私が知るべきことのすべてだった。

ここで使ったのは、モステラーとテューキーの二重平方根紙である。同様の結論が、別のグラフ紙からも得られる。

図28　面接調査を拒否した人と、しなかった人の数

サーベイ開始後4週間が経過した時点での面接調査員9名の結果。面接調査員DFBとEMが非常に優れているか、そうでなければ、記録がおかしい可能性がある。

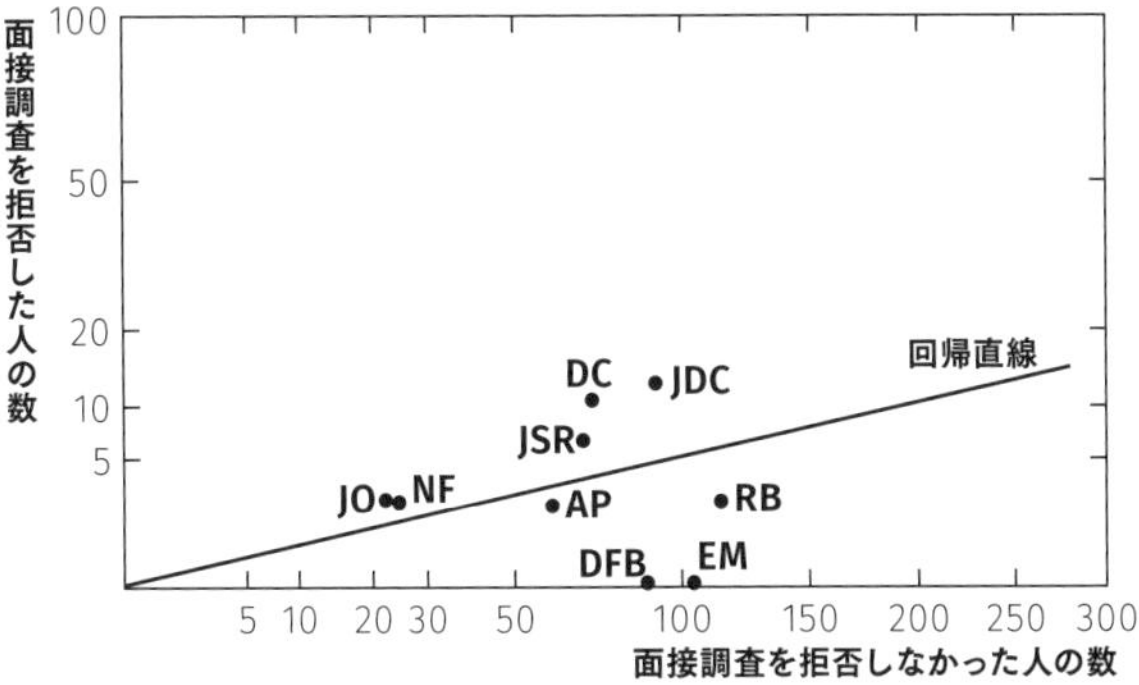

くじの当選者に褒賞を与えるという間違い

ある大企業の人事部門の人が、1つのアイデアを思いついた。人事部門の全員が優れたアイデアだと支持してくれた。特定の生産ラインで、月間最優秀者（当月の不良率が最も低かった人）に個別に表彰状を渡すことで功に酬いようとするものだ。その人の職場では小さな祝賀会を催し、当人は半日休暇を得る。その人が当月に本当に並外れたパフォーマンスを実現したのだとしたら、素晴らしいアイデアであったと思われる。その生産ラインでは、50人が働いていた。

彼らの仕事を検査した結果は、「1つの統計的なシステム」の存在を示してくれるだろうか？「1つの統計的なシステム」とは、図41（222ページ）におけるオペレータ20人のような仕事ぶりを可能にする「システム」という意味だ。当該集団の仕事ぶりが「1つの統計的なシステム」を成しているとすれば、褒賞は単なるくじ引きと同じになってしまう。一方、その最優秀者が「不良率の低い側に管理限界を外れている『特殊要因』の人」であったなら、その人は本当に並外れて優れているということだ。その人は評価に値する優れた人であり、当該の仕事をどうしたらうまくやれるかを人々に教える上で、中心的存在となり得る。

筆者の知る限り、「くじ引きです」と明言して何かを与えるなら、害はない。しかしながら、選び方がくじ引きと同じなのに「功労への褒賞です」と言って賞を与えるのはまずい。賞をもらった人も含め、そこで働く人々全体のモラールを下げてしまう。選ばれるには相応の理由があるはずと職場の全員が思うだろう。そして、誰もが、人による差異が生じる原因を解き明かし、差異を減らすべく努めるようになる。だがこれは、50人のパフォーマンスが「1つの統計的なシステム」を成しており、差異だけがランダムにばらついている場合には、徒労に終わる。

第9章 オペレーショナル・デフィニション、適合性、パフォーマンス

NIKKEI BP CLASSICS / OUT OF THE CRISIS I / W. Edwards Deming/ 1. Chain Reaction: Quality, Productivity, Lower Costs, Capture the Market / 2. Principles for Transformation of Western Management / 3. Diseases and Obstacles / 4. When? How Long? / 5. Questions to Help Managers / 6. Quality and the Consumer / 7. Quality and Productivity in Service Organizations // NIKKEI BP CLASSICS / OUT OF THE CRISIS II / W. Edwards Deming // 8. Some New Principles of Training and Leadership / **9. Operational Definitions, Conformance, Performance** / 10. Standards and Regulations / 11. Common Causes and Special Causes of Improvement. Stable System / 12. More Examples of Improvement Downstream / 13. Some Disappointments in Great Ideas / 14. Two Reports to Management / 15. Plan for Minimum Average Total Cost for Test of Incoming Materials and Final Product / 16. Organization for Improvement of Quality and Productivity / 17. Some Illustrations for Improvement of Living / Appendix: Transformation in

出版され、公開された説明の中には、その現象自体よりも素晴らしいものがある、と申し上げてもよかろう。

ヒュー・M・スミス「蛍の同期明滅」（サイエンス誌、1935年8月）

本章の狙い

多くの産業人の意見によると、事業を運営していく日々の業務において、オペレーショナル・デフィニション（仕事のやり方の具体的な定義）をきちんと運用することほど大切なものはないという。また、産業の要件のなかで、無視してよいものなど1つもないということも、頻りに言われる。米国では、オペレーショナル・デフィニションについては、リベラルアーツの大学や哲学のコース、認識論のコースで学ぶが、ビジネススクールや工学研究の課程で学ぶ機会はほとんどない。物理学や化学、自然科学の一部における研究になると、「科学哲学」（philosophy of science）は教えないと言ってもよいくらいだ。本章の狙いは、読者にオペレーショナル・デフィニションの必要性を紹介することだ。読者自身がさらなる研究に向かって自ら閃きに至る一助となればと願っている。

意味は概念から始まる。概念は人の心のうちにあり、そこにしか存在せず、言葉で表現することはできない。「意味」を伝えるために考え出したどのような言葉であれ、互いに伝え合うことができるのは、その「意味」を具体的なオペレーション（実際の作業）や検査に応用すると何が起きるかを描き出す記述だけだ。職場のルールや作業手順に始まり、仕様、測定基準と測定方法、特性の定義、さらには公的規制、法令、制度、法令に基づく命令に至るまで、言葉で書かれたものはすべて同じである。

オペレーショナル・デフィニションとは何か?

オペレーショナル・デフィニションが、概念に「互いに伝え合うことができる意味」を入れ込むのだ。「良い」「信頼できる」「均一性が高い」「丸い」「経年劣化している」「安全な」「危険な」「雇用されていない」といった形容詞的語句は、標本抽出と試験のやり方、基準といったものを定めるための用語を使って表現されるまで、何の意味も持たない。「定義」の概念は言葉では表せない。つまり、「定義」が頭の中の概念のままであるなら、他の誰かに伝えることはできないということだ。そこで、「オペレーショナル・デフィニション」は、合理的に考える人々が合意できる唯一のものだ。[*1]

また、オペレーショナル・デフィニションは、人々がそれを使って仕事をやれる、唯一のものでもある。「安全である」とはどういうことか、「丸い」とはどういうことか、「信頼できる」とはどういうことか、その他、品質に関するさまざまな事柄のいずれについても、しかるべきオペレーショナル・デフィニションがあって初めて「互いに伝え合うことができる」ものになる。品質に関する事柄なら特に、ベンダーにとっての「意味」が買い手にとっての「意味」と同じでなければコミュニケーションがとれないし、生産ワーカーにとっても、昨日も今日も同じ「意味」であればこそ、互いに伝え合うことができるのだ。例を示そう。

①部品1個、あるいはアセンブリ1台に対して、どのような検査を行うのか
②判定基準はいかなるものか（その基準は1つだけか、あるいは複数か）
③どのように判定しているか：イエス／ノーをどう決めるのか。対象物そのもの、あるいはそれを構成する部品・原材料が、（1つないし複数の）基準に適合しているか否かを、どのように判定するのか。

ある特定の事柄の仕様というものは、測定結果に言及する。つまり、長さや直径、重量、硬度、

濃度、羊毛や綿の凝集具合、色、外観、圧力、並行性、リークの程度、非雇用状態である等々の特性の測定値を述べるのである。性能を定める仕様もある。例えば、ある機械に対して、「平均故障間隔は8時間より短くてはいけない」と定める。あるいは、「購入した機械のうち95％は無故障連続動作時間1時間以上であるべし」と定めるといったことだ。

買い手と売り手の相互理解がどれほど重要か、これまでわれわれは至るところでそれを見てきた。両者は共に同じ尺度を用いなければならない。測定機器の使用に際しては、買い手側と売り手側のそれぞれの測定機器（及び自社内の複数の測定機器）の測定結果が相互によく一致する状態で使うべきなのである。この要件は、測定機器が統計的に管理された状態にある場合にのみ、意味を持つ。オペレーショナル・デフィニションを欠いた仕様は意味がない。

「届いた材料が不良だった」あるいは「届いた装置がうまく動かない」ということが起きると、企業間（ベンダーと買い手）で意見が合わない。1つの会社の中でさえ、部門間で意見が一致しないことがある。そして、その真因は大抵、両方の側にある。前もって両者が共に個々の品目の仕様やパフォーマンスの仕様について、「意味のある言葉で」定め、合意しておくべきところ、それをしていなかったから、あるいは、双方が測定の不一致の問題を理解できていなかったから、ということが多い。

オペレーショナル・デフィニションは法律家にとって決定的に重要だ。政府規制にとってもそうだし、（自主的に定める）工業規格にとっても欠かせない。例えば、「注意」とは何か？「注意義務」とは何か？（第17章「基本原理4」を参照）

実務は純粋科学よりも厳しく、教えるよりも難しい

シューハートが指摘した通り、産業と公的サービスにおいて求められる知識とワークマンシップの水準は、純粋科学において求められるものよりも、さらに厳しい。

純粋科学と応用科学はいずれも、正確さ（いかに真値に近いか）と精度（ばらつき）の要件をどんどん厳しくしてきた。

だが、応用科学、とりわけ、「互換性のある部品」の大量生産における応用科学は、正確さと精度に関して、純粋科学より厳格でさえある。例えば、ある純粋科学の研究者が一連の測定を行い、その測定に基づいて、自らがベストと考える正確さと精度の推計はいかなるものであるかを決めるとする。その際、自分が持っている測定データがどれほど少ないか、良い推計に足るだけの数の測定データを持っているか否かを考慮することはない。今後の研究がその推計が誤っていたと証明することはあるかもしれないが、そうなれば、この研究者は直ちにそれを認めるはずだ。この研究者がその推計について何か言えるとしたら、おそらく、「私の推計は、その推計を行うときに利用可能であったデータに基づいてなされたものだ。合理的な科学者なら誰でもそうしたはずであり、それと同じ程度には、良い推計である」というくらいのことしかない。

ここで、応用科学者に目を向けよう。応用科学者は、純粋科学者にとっては「利用可能な」エビデンスであったとしても、応用科学にしてみれば「不十分な」エビデンスでしかないという場合があると知っている。もし自分がそうした「不十分な」エビデンスに基づいて行動をとったら、かの純粋科学者が正確さと精度の推計において間違ったのと同じ過ちを犯すことになると分かっている。彼はまた、自分の間違いのせいで誰かが大金を失ったり、怪我をして苦しむことになったり、その両方が起きる可能性があることも承知している。

産業人にはまた別の心配事もある。正確さと精度の水準をあらかじめ定めて要件とし、それを含めて品質の仕様を定義すると、今度はその品質仕様が契約の基盤になる。正確さと精度の水準を含むそうした仕様の記述に使われる言葉のうち、1つでも曖昧なものがあれば、そして、その曖昧さがたとえわずかであっても、誤解に繋がる可能性があり、場合によっては法的措置に至ることまである。こうしたことを、産業人は知っているのだ。

だからこそ、応用科学者はそうした用語に対して、誤解の余地のない明確さと、実務的に検証可能な「意味」を確立すべく、どこまでも、できる限り合理的なやり方で追求していくべきだと考える。*2

正確な値は存在せず、真値もない

商取引における焦点は、「正確な円か否か」ではない。真円からどこがどれだけ「遠いか」だ。例えば、あなたの車のピストンの断面は「正確な円」ではない。そもそも、それは不可能なのだ。「正確な円」をオペレーショナルに定義する方法がないからである。

辞書の助けを借りればよいではないか、なぜそうしないのか。辞書は、「二次元ユークリッド空間において、その形のいずれの位置も中心と呼ぶ点から等距離にあるなら、その形は円である」と教えてくれる。ユークリッドの定理のような形式論理学において使うには、非常に役に立つ定義だ。だが、実務で使おうとすれば、辞書が教えるのは「概念」であって、工業の実務で使うための定義ではないと気づく。即ち、辞書が教える「概念」は、工業上の所与の目的に適う「『円とは何か』のオペレーショナル・デフィニション」ではないということだ。

あなたが着目しているその列車も、ピッタリの定時運行などしていない（ばらつきがある）。こうした真実を理解するためには、「確かに円であるか否かを見極める」ために、あるいは列車であれば「その列車が確かに定時運行されているか否かを見極める」ために、どのような測定をすべきか、どのような基準を当てはめるべきかを説明しようとするだけで十分だ。自分で自分をアイルランドの沼地に追い込んでしまったと忽ち気づくだろう。

物理的測定は所与の手順を適用した結果である。ある地域に住む人々の数をカウントするのも同じだ。測定や数え上げを2種類のやり方（それぞれA、Bと呼ぶことにする）で行ったら、それぞれが違う結果をもたらすと考えるべきなのだ。2つの数字のどちらかが正しく、もう1つが間違っているということではない。しかしながら、その領域の専門家は、一種の好みを持っているかもしれない。「方法Bよりも方法Aがよろしい」というわけだ。P・W・ブリグマンが主張したように、「概念はそれに対応する一連のオペレーションと同義」なのである。*3 もっと分かりやすい一文を以下に示そう。

望ましい手順というものは、「ある特定の目的のために必要な何か」に最も近い結果をもたらすはず、あるいはもたらしたという事実によって、他のやり方と区別される。あるいはまた、お金や時間がかかる、実現可能性がないといった事実によって「望ましい手順」が決められることもある。ある時点で「望ましい手順」として定めたものであっても、常に修正し続けなければ陳腐化を免れ得ないのであるから、正確さも、いずれの手順におけるバイアス（統計上の処理から生じる歪み）も、論理的な意味において不可知であると考えざるを得ない。*4

既に見てきた通り、プロセスの平均はサンプル抽出のやり方に依存し、試験方法と判断基準によっても変わる。サンプル抽出の方法や試験のやり方を変更すれば、ロット当たりの不良品のカウント数が変わり、プロセス平均も変わるということだ。したがって、ある1つのロットに含まれる不良品の数に真値はなく、それゆえプロセス平均にも真値はない。

光速に真値がないと聞けば、多くの人が驚く。光速の測定から得られる結果は、実験者が用いる測定方法に依存する（マイクロ波、光干渉、光波測距儀、分子スペクトル）。さらに言えば（これまでも強調してきたが）、測定した結果が統計的に管理された状態にあることを証明できないうちは、測定方法は存在しないということだ。光速の測定結果が統計的に管理された状態にあるか否か、測定の記録を用いて調べた試験がこれまでに1つだけあり、ネガティブ、つまり、それまでに行われた光速の測定は統計的に管理された状態になかったということが明らかになっている。*5

光速を測定する2つの方法がいずれも統計的に管理された状態にあると仮定しよう。光速に限らず、何を測定する方法についても同じことだが、統計的に管理された状態にある複数の測定方法を用いたなら、その結果に生じた差異から科学的に重要な発見に至る可能性がある。一方、統計的に管理された状態にある複数の方法で測定した結果が合理的に一致するなら、その一致は「今の基本標準」として認められるにふさわしい。

この基本標準が真値になることはない。他の測定方法が「今の基本標準」と有意差のある新たな測定値をもたらす可能性があるからだ。その測定方法が「統計的に一致する」ものであると想定されていたとしても、そういうことは起こり得る。これはバイアス（統計上の処理から生じる歪み）ではなく、今の時点では解明不可能な差異であるけれども、異なる測定方法を用いれば当然違う結果が出るものだと考えたほうがいい。

学校で学んだ光速、秒速3×10^{10}cmは今なお大抵の目的に十分に適うが、現在の科学と産業が求めているのは、これまでとは違う測定方法を使って出す結果だ。ときには小数第7位、第8位というところまで求める。シューハートは、1939年の『品質管理の基礎概念—品質管理の観点からみた統計的方法』(原題は、*Statistical Method from the Viewpoint of Quality Control*、坂元平八訳、岩波書店)の原書82ページに、それまでに論文として発表された「光速の確定値」のすべてを図で示した(図29)。どの「確定値」も、以前に得られた値より小さいことがわかる。時代が下れば下るほど「光速の確定値」が増えてきたが、唯一の例外を除いて、いずれも以前に得られた値より小さい。*6 その例外はソ連からも

図29　1932年までに論文として発表された「光速の確定値」

垂直方向のレンジは物理学者が言う「確率誤差」。通常、その算出方法はあまり明快ではない。

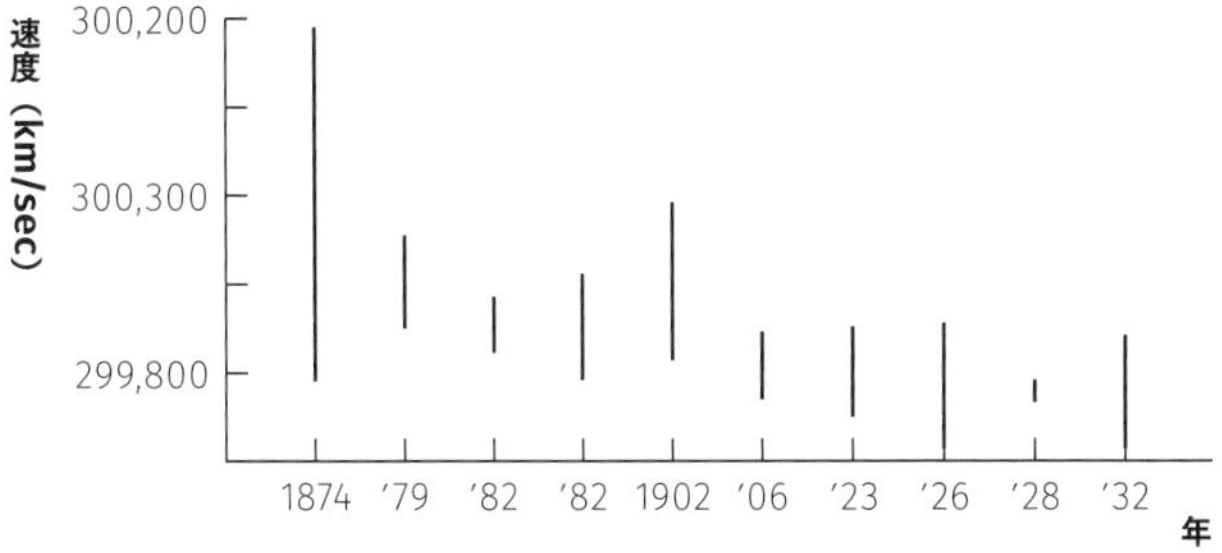

たらされたものだ。

国勢調査におけるカウントで、住民の本当の人数を得られるか

科学の基本原理のなかには、国勢調査の係官の間をすり抜けてきたものがあるらしい。筆者はある係官が次のように言うのを聞いた。

「1980年の国勢調査はかつてないくらい、最も正確でした。その過程で、私自身もそうでしたが、他の人々も、正確な数字が存在しており、国勢調査の関係者全員が1人ひとり、しかるべく頑張って働きさえすれば、その『正確な数字』を得ることができるはずだと考えるように誘導されていたのではないかと私は恐れています」

同じ1980年のうちに、米国内の複数の市長から苦情が届いた。同年4月の国勢調査は全住民の人数をカウントすることができなかったという苦情である。市長側が「国勢調査でどういうカウントをしているのか」を悲惨なまでに理解できていないのは明らかだった。複数の市が裁判所から「記録された住民の人数」を調整するよう、強い勧告を受けたのも同じ失敗を表わすものだ。一体なぜ、どの地域も人数を2・5%足せと言われなければならないのか、というのである。

デトロイトの人口の真値は存在しないが、国勢調査が従っている手順によって得られた数字は存在する（存在していた）。いずれにせよ、手順が違っていたのなら、違う数字が得られたはずだ。

ここで筆者の考えを述べよう。市長が自分の市の住民の人数のカウントについて自分自身を納得させる賢明な方法は、事前に国勢調査局と協力して以下の事柄に取り組むことだ。

①国勢調査や他のセンサスがこれまでに使ってきた、「1つのエリアに住む人々を特定する方法」をよく研究し、理解する。これには、誰をカウントし、誰をカウントしないかという定義に加え、人々をどのエリアの人と認定し、計上するかというルールも含まれる。1つのエリアの空き家の数え方は、総数の問題のみならず、分類上の問題をも提起する。第1に「住戸とは何か？」、第2に「空き家とは何か？」ということだ。実際にさまざまな種類の空き家を調査するまでは、シンプルなことに見えるだろう。誰も住んでいない家は空き家とみなされるかもしれない。だが、到底人が住める家ではないとしたらどう数えればよいのか？　それは空き家なのか？　実にさまざまな種類の「いまは住人がいない家」が存在するのである。売りに出されている家、貸し手が現れるのを待っている

家、一時的な居住のための家（1年のうち、ある期間だけ住人がいる）、売家でも賃貸物件でもない空き家、いずれ住もうと考えて空けたままにしている家などだ。

こうした空き家の種類ごとの数は1つの重要な経済指標で、ビジネスに役に立つ。国勢調査局が面接調査員に訓練コースを受けさせなければならないのは明らかだ。しかる後にこそ、彼らは空き家についてのデータを集めるために現地調査に送り出され得る。

②このような手順を学ぶための最善の方法は、国勢調査局に4日間の学習コースと試験を申し込み、訓練を受けることだ。

国勢調査の方法に馴染みのある人なら誰でも知っていることだが、国勢調査年の4月8日夜、しっかり組織化された、ある試行が行われる。教会や簡易宿泊所や救護施設など、通常の居住施設とは異なる施設を1つひとつ調べ上げ、そこに住む人々全員を特定し、カウントするためだ。こうした人々の多くは、自分自身の情報を持っていない。名前があやふやな人もいるし、もっと人数は少ないものの、年齢がわからない人もいる。国勢調査員軍団と調査員以外の国勢調査局の職員は、目配りの効いた監督と本番並みのリハーサルの下に、この調査網においてそれぞれの役割を果たしていく。

注意すべきは、より多くの人々を特定し、計上したいからといって、合理的な水準を超えて労力とお金を注ぎ込むと、異常と言えるほどうまくいかないことだ。とりわけ、18歳から24歳までの黒人男性を特定しようとすると、そうなってしまう。調査を強化すれば、新たに住民を1人特定するたびに軽く100ドルはかかる。さらに労力を注ぎ込むと、新たに1人特定するコストは200ドルに達する。どこで努力をやめるべきなのだろう？

再び言おう。「ある1つのエリアの住民の数」とは何を意味しているのか？

定例に沿って正規に認められている国勢調査の方法を超えて、いかなる労力をどれくらい投じればちょうど狙いに適うのか、誰がそのコストを負担するのかについて、事前の合意が必要なのは明らかだ。

③国勢調査とその他センサスがこれまでにⓐカウントされなかった住戸と人の数、ⓑ二重にカウントされた住戸と人の数、ⓒ間違ってカウントされた住戸と人の数を推定するのに使ってきた各種手法を学ぶべし。

付言するなら、国勢調査で計上されなかったと主張する人々の名簿は、名前が書かれている紙という以上の価値はない。カウントされるために自宅で待つ必要はない。国勢調査の記録を一度検索するだけで、ある特定の人がカウントされていたか否か、その人が自宅の住所に住んでいると認識されていたか否かという問いに答えられる。

④手順に納得がいくまで、手順に対して提案を続けるべし。

⑤ⓐ国勢調査が実施段階に入ったら、調査をモニターせよ。実際に何が起きているかについて、統計的なエビデンスを（自治体側から国勢調査局側に）提供するためである。モニタリングに際しては、複数の小さなエリアから成るサンプルを、正しい方法で選ぶべし。

サンプル内の「1つのエリア」は、（地図を使えば）いずれも10軒から50軒（厳格でなくともよい）程度の住宅を含むセグメントとして設定できるはずだ。エリア選定の最重要要件は、明確で間違いようのない境界を持っていることだ。

ⓑモニタリングによって調査の実行に失敗があると証明されない限り、国勢調査の結果を受け入れよ。実行における失敗とは何かということを、事前に定めておかなければならない。

参加しないなら、市長は国勢調査が提供するものをそのまま受け入れなければならない。後になって苦情を申し立てるのは、「コイントスで表が出たら自分の勝ち、裏が出たらもう1回」というゲームと同じだ（自分が負けることはない）。そんなルールが支配するゲームのパートナーを見つけるのは、筆者には無理だが、これは市長が他の人にゲームをしましょうと頼んでいるやり方とまったく同じだ。

判事とそのスタッフが、理性をもって「国勢調査の調査が足りなかった」という申し立てを聴くには、それなりの要件を満たさなければならない。彼らには（市長と同じく）国勢調査の方法に関する短期コースと、「概念とオペレーショナル・デフィニションの違い」に関するブリーフィングを自ら求めるよう期待したい（ブリーフィングには、本章の内容に加え、法律、工学、ビジネス、統計の教育も含まれる必要がある）。

さらにオペレーショナル・デフィニションについて

環境汚染とは何を意味するのか。誰もが自分は知っていると思っているが、いざ他の誰かに説明しようとすると、よく理解していなかったと気づく。そこで、河川の汚染、土壌汚染、道路の汚染に対するオペレーショナル・デフィニションを求める。こうした言葉は、統計的に定義されないうちは何の意味もない。例えば、一酸化炭素濃度が100PPMの空気は危険であると述べるだけでは十分ではないはずだ。明確にすべきは、一酸化炭素濃度100PPM以上の空気は、[a]たとえ一瞬でもそこにいると危険なのか、それとも[b]勤務時間中ずっとそこにいたら危険であるということなのかだ。加えて、その濃度がどうやって測定されるべきかということも、明確にする必要がある。

汚染とは、(例えば) 3回の呼吸で病気を引き起こす一酸化炭素濃度を意味するのか、あるいは連続5日間以上その空気を吸っていると病気になる濃度を意味するのか？

いずれの場合も、その影響はどのように認知されていくのか？　どのような手順を用いて大気中の一酸化炭素の存在を検知すればよいのか？　一酸化炭素中毒の診断や判断基準はどういうものか？　人間ではどうか？　動物ならどうなのか？　人間について調べるとして、その人たちをどうやって選び出すのか？　何人選べばよいか？　抽出サンプル内の人々のうち、一酸化炭素中毒の診断基準を満たす人が何人いれば、「当該濃度の空気はほんの数回呼吸するだけで危険だ」あるいは「一定期間ずっとその環境にいて呼吸していると危険だ」と言えるのか？動物で調べる場合も、問うべきことは同じだ。

形容詞の「赤い」という言葉でさえ、試験と判断基準に関してオペレーショナルに定義されない限り、ビジネス上の目的に対して何の意味も持たないのである。「クリーン」という言葉は、レストランの皿、ナイフ、フォークに対しては同じ1つの意味で使われるが、コンピュータのハードディスクやトランジスタの製造においては違う意味で使われる。

民間企業や行政府で働いている人は、製品の性能であれ、医薬品の効能であれ、あるいはまた人の能力についてであれ、その要件の理解を表層的なままで済ましておける余裕はない。認識論の原則は、純粋科学においてしばしば些細なこと、あるいは遊びとみなされる。業務管理やマネジメントの教科書においても同様だ。しかし、今日の産業における諸問題に直面する人々にとって、積極的かつ真剣に取り組むべき、熱い命題になりつつある。

販売するバターは乳脂肪分80％でなければならないという法律の意味は何であろうか？あなたが購入するバターには、どの塊にも乳脂肪分が必ず80％以上含まれているという意味だろうか？　あるいは平均が80％ということか？　そうであるとしたら、「乳脂肪分平均80％」とはどういう意味か？　1年間にあなたが購入するバターの平均乳脂肪分含有率という意味なのか？　それとも、1年間のすべてのバターの平均生産量、あるいはあなたや他の人が特定のソースから購入したバターの総量について、平均の乳脂肪含有率を定めるという意味か？　平均値を算出するためには、バターを何ポンド試験しなければならないのか？　試験に使うバターを、どうやって選ぶのか？　バターの個々の塊（パックなど）によって、乳脂肪分には自ずと「ばらつき」が生じるものだが、それをどう考えるか？

乳脂肪分80％をオペレーショナルに定義しようとするいかなる試みも、統計的手法と判断基準の必要性に大急ぎで駆け込むことになるのは明らかだ。再び言おう。「乳脂肪分80％」という言葉は、それだけでは意味がないのである。

オペレーショナル・デフィニションは経済性と信頼性のために欠かせない。例えば、失業、汚染、製品や機器の安全性、（医薬品の）効果や副作用、副作用が明らかになる前の投薬期間などについてのオペレーショナル・デフィニションがないのであれば、統計的な用語で定義されてしかるべきであり、それができないうちは、こうした概念（失業、汚染など）は意味を持たない。オペレーショナル・デフィニションがなければ、問題を調べるのにコストが嵩むばかりか、調べたとしても効果が得られず、いつまでも水掛け論を続けることになるだけだ。

「嫌な匂いがする」という汚染のオペレーショナル・デフィニションは、1つの例になる。それを定義するのは不可能ではないが（食品・飲料ビジネスにおいて安定した品質と味を保つために使われている統計的手法の近縁である）、統計的に定義されないと意味をなさない。

試験のための標本の数、抽出の仕方、推定値の算出方法、推定値の不確実性限界の算出方法と解釈の仕方、測定機器間の「ばらつき」やオペレータ間の「ばらつき」の検証、日次の「ばらつき」の検証、ラボ（測定を行う事業所）間の「ばらつき」の検証、非標本誤差の影響をいかに検出し評価するか、といったことは、高次の統計的問題である。調査の方法が2つあるとき（例えば質問票方式と実地試験）、2つの方法による差異は、統計的な考えに基づいたデザインと計算によってのみ、確実にムダなく測定することができる。

議会を通過して成立した法律も、連邦規制機関が下す裁定も、定義における透明性の欠如と高くつく混乱でいずれも悪名高い。以下に示すのは、1980年4月9日付のニューヨーク・タイムズ紙からの引用だ（D-1面、D-3面）。「データ処理」と「通信」と「データの操作」を違うものとして区別するのを、連邦通信委員会（FCC）がとうとう断念したと報じている。

データ処理（言葉と数字を変えることによるデータ操作）と通信（音声通信。即ち電話会社の伝統的基幹事業）の境界は消えていく。

多くの観察者の目には、最終的にＦＣＣはComputer Inquiry Ⅱとして産業界に知られるようになってきた決定を下さざるを得なかったと映るが、その決め手となったのがこの点、即ち「データ処理と通信の境界の消失」であった。

ＦＣＣは10年以上にわたって、データ処理と通信の間に横たわるこの基本的な問題を解くべく努めてきた。一方、ＦＣＣが検討していたのとまさに同じ期間に、この2つのテクノロジーは規制環境を乗り越えてきたのである……（中略）。

「ＦＣＣがこの2つの分野の線引きを試みるたびに、両分野は却って距離を縮めていった」と通信ビジネスの観察者は言う。「今やＦＣＣは、データ処理事業の規制を緩和することによって、この問題そのものを事実上通信キャリアに押し付けようとしている」

「ウール50％」というラベルの意味

毛布のラベルに「ウール50％」とある。これは何を意味しているのだろう？　その意味を気にする人はあまりいないと思われる。毛布の素材が何かということより、色や手触り、価格のほうが気になるかもしれない。一方、ある種の人々はラベルが意味するものに大いに関心を寄せる。連邦取引委員会（FTC）はその1つだが、どのような「オペレーショナルな意味」をもってラベルの表示に関心を寄せているのだろうか？

あなたが私に「ウール50％の毛布を買いたい」と言い、私はあなたに図30の毛布を売ろうとする。この毛布は2つの部分から成り、半分はウール100％、もう半分は綿100％の素材でできている。ある定義によれば、この毛布はウール50％である。しかし、あなたにはあなたの目的があり、そのためには別の定義のほうがいいと思い、「その50％ウールは、私が求めているものとはちょっと違います」と私に告げる。「そうですか。では、何をお探しでしょうか？」と私が尋ねる。あなたは「ウールが毛布全体にわたってどのくらい含まれているかという意味で言ったのです」と答える。

あなたは、やろうと思えば、次のようなオペレーショナル・

図30　この毛布はウール50％か――部位によって素材が違う

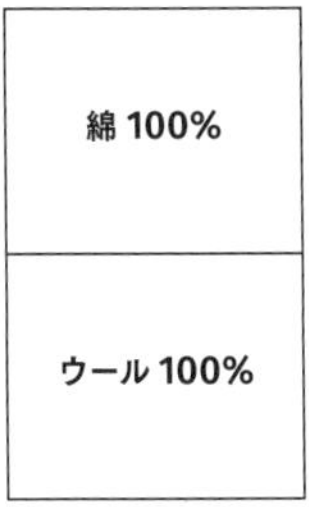

デフィニション（下図）を使ってこれを伝えることもできたのである。

先に示した「ウール50％」の2つの定義は一方が正しく他方は間違いというものではない。あなたには自分の目的にぴったりくる定義を定める権利と義務がある。この先あなたはまた別の目的を持つこともあるだろう。そして、その新たな目的に合致する新たな定義を定めていくのだ。

　1枚の毛布に含まれているウールの割合に真値はない。だが、ここに述べたような試験を行うことによって得られる数値ならある。

　ここまで、1枚の毛布について考察してきた。次に大量の毛布の問題を考えよう。あなた

「ウール50%の毛布」のオペレーショナル・デフィニション

毛布に直径1cmないし1.5cmの穴を10ヶ所開ける。その際、10個の穴の中心の位置は乱数を使って決める。穴に1番から10番まで番号を振る。切り取った毛布片10個を試験のために「自身の側の化学者」（買い手側の化学者）に渡す。

**　化学者は決められた手順に従うはずだ。あなたは化学者に「穴$_i$の毛布片に含まれるウールの割合を重量比で表した値x_iを記録し、10個の毛布片の平均ウール含有率$\bar{x}$を計算してください」と依頼する。**

判断基準：

$$\bar{x} \geq 0.50$$
$$\bar{x}_{max} - \bar{x}_{min} \leq 0.02$$

その標本が、上の2つの式のいずれかを満たしていないなら、この毛布はあなたの仕様に合致していないということだ。

が病院や軍隊のために毛布を買おうとしているとする。ここでわれわれが出会うのは、第2章で見たのと同じ、根本的な違いである。即ち、1回だけの調達と、長期にわたって何度も買う調達との違いだ。あなたは毛布の仕様を定めてメーカーに伝えればよろしい。ウール10kg当たり、綿10kgを使うこと。これは「ウール50%」の定義となり得る。正しいか、間違っているかというものではない。あなたがそう言うなら、この定義はあなたの目的に適っているのだ。

ウール混紡率の応用問題 次の記事はUSニューズ&ワールド・レポート誌に掲載されたものだ（1981年11月23日、82ページ）。

注目記事

最近の判例と政府の裁定の結果で決まる、経営者ができること、できないこと

外国の製造業者が製品に付けてきたラベルを信頼している輸入会社は、そのラベルが正しくない場合、違法行為をしていることになると連邦地方裁判所の同意判決の判例が言っている。ニューヨークに拠点を置き、ウール混紡の布を輸入する会社が罰金2万50

00ドルの支払いに合意したのだ。この罰金は、ウールの分量がラベルの表示よりも少ない製品を販売し、連邦取引委員会（FTC）から違法と通知された後もなおそれを続けたことに対してのものだ。この合意の下、同社は今後、ラベルの正確性を判定する第三者の研究所によって試験された布を扱うことになるという。

原告と被告が、「ウール25％」を定める、どのようなオペレーショナル・デフィニションに合意したのかを学ぶのはさぞ興味深いだろうと思われる。

皺とは何か

製品は自動車のインストルメントパネル（計器パネル）である。[*7] ある車種の計器パネルがトラブルの特殊要因であった。工場長は私（バイロン・ドス）に「来る日も来る日も、そこら中で35～50％も不良が出る」と言う。

データを吟味すると、検査員による「ばらつき」が非常に大きい。検査員それぞれが外観について独自の認識を持っており、その日に皺を形成したものが何であるかということについての認識もバラバラだと判明したのである。工場長がオペレーショナル・デフィニションに時間を割くことに同意し、トップマネジメントの6人がセッションに参加した。現物を見て学ぶために、検査員が20台の計器パネルを持って来る。うち何台かは彼ら検査員が「皺がある」と言うもの。「皺のないもの」もある。

最初のステップとして、私はそこにいた全員に呼びかけた。「どうでしょう、どなたか、皺の定義をしていただけませんか？　誰もが理解できる皺の定義を私たちに与えていただきたい」。だが、私のこの課題に手を挙げる人がなかなか出てこない。仕方がない、もう一度だ。「検査員のどなたか、皺とは何かを教えていただけませんか？」それでも誰も答えない。するとそこで、品質管理部長が現物を指差して「これが本物の皺です」と言った。検査員の1人が「そうです、間違いなく、これは皺です」と同意する。その場には検査員が他に4人いて、そのうち2人がこう問いかけた。「皆さんが見ているものは何でしょうか？」この2人の検査員には、一筋の皺も見えないというのだ。

解決策は、「何が皺で、何が皺でないか」というオペレーショナル・デフィニションを確立することであった。これに続いて、皺以外の他の種類の不良の定義も定められていく。

【結果】1週間のうちに不良率が10%まで落ちた。修正をやっていた社員が本来の自分の仕事をする時間を持てるようになった。オペレーショナル・デフィニションが、検査員と生産のオペレータの間にコミュニケーションの基盤をもたらした。社員たちは自らを訓練し、さらに互いに教え合った。生産量は50%増。

【コスト】ゼロ。現有のままの、同じ人員、同じ材料、同じ設備。その仕事に就いている人々と検査員が共に共通基盤に立脚して理解した新たな定義を除けば、新しいものは何もない。

標本の無作為抽出

N個のユニットが入った1つのフレームから標本ユニットを無作為に抽出する手順は、以下のように記述できる。

①フレーム内の各ユニットに、1，2，3，…Nまでのシリアル番号を振る。

②あらかじめ1からNまでの間の重複しない乱数を紙に書いておき、容認できる手順によって数字nを読み上げる。読み上げられた数字は、ユニットに振られたシリアル番号によって抽出標本を示す。

これが無作為抽出のオペレーショナル・デフィニションとなる。1つの標本は無作為でも非無作為でもない。われわれが焦点を当てるべきは抽出の手順である。標本を抽出した手順は、この無作為抽出の手順を満たしているか、満たしていないかのいずれかである。ランダムな「ばらつき」は、ランダムなオペレーションの産物だ。[*8]

ここでは、標準乱数表を用いるか、乱数生成におけるありがちな誤解を知っている数学者の指導の下で乱数を生成することを想定している。（199ページに続く）。

演習

①いずれのものについても真値のオペレーショナル・デフィニションが存在し得ないのはなぜか？

（答え　いずれのものについても、観測された数値は、定義と実際に行われた作業（オペレーション）に依存する。定義とオペレーションは、その分野の専門家によって定められる。人が違えば定められる定義とオペレーションも異なる）

②a 1つの測定システムを適格と認定するためには、その測定システムが統計的に管理された状態にあることを示さなければならない。その理由を説明せよ。同じアイテムの非破壊測定を、オペレータを変えながら何度も繰り返して翌月の再現性を予測することに関して詳細を述べよ。

b いずれの測定システムもその正確さは、容認された基本標準たる測定によって得られた結果の平均からの逸脱の大きさによってのみ定義できる理由を説明せよ。

c 基本標準が変われば測定システムの正確さも変わる。しかしながら、測定システムの精度は基本標準の変化による影響を受けない。

d あなたの測定システムを基本標準に合わせるか否かを決定するときに、工学と経済性の観点から、どのようなことが考慮すべき重要事となるか？

③いずれの測定においてもその正確さは、容認された基本標準たる測定によって得られた結果の平均からの逸脱の大きさによってのみ定義できる理由を説明せよ。（答え その標準が変われば、正確さも変わる）

④台湾（高雄）の自転車メーカーの人が提起した質問にあなたはどのように答えるか？

貴国（米国）政府が定める規則の1つに「平均的知性の持ち主が自転車を組み立てるなら、その自転車は安全なはずだ」と述べているものがあります。

彼は「この規則は何を意味しているのか？」と問うている。あなたは彼にその意味をどのように説明するか？「安全」とは何か？「安全ではない」とはどういうことか？「平均的知性の持ち主」とはどういう意味か？どのような種類の知性か？知性が低い人であっても、より良い仕事をすることができたのではないか？あなたは「知性が低い人」をいかにして定義するか？その「規則」は意味がないと結論付けるほかかない。

筆者のコメント 当該産業が自ら開発した自主的標準（第10章を参照）があったなら、かくの如き無意味で仕事を増やすばかりの規則を未然に防ぐことができただろうに、残念なことだ。

⑤ⓐ任意の測定システムが、当該測定システムと基本標準を用いた測定の両方ともが統計的に管理された状態になっていない限り、（基本標準との比較で）検証可能な正確さと精度を持てない理由を述べよ。

ⓑブロモホルム化合物の分析結果が、1mℓ当たり86・5±1・4ナノグラムと示された。区間（±1・4）は、規格基準局（NBS）によって95％の信頼区間として定められている。この区間（±1・4）が持つ、可能性のあるオペレーショナルな意味を説明せよ。どのような条件の下であれば、同じ研究室における今後半年間の分析結果の範囲が予測可能になるか？

ⓒあなたは、その測定システムが統計的に管理された状態にあることの証拠を与えるプランを立てることができるか？

ⓓその測定システムは、分析用の材料の標本抽出を含むか？　標本間の「ばらつき」も含むか？

⑥(当然ながら市場調査も含めて) ビジネスにおいて、経済や人口動態のデータを理解し、活用するために、サーベイの経験があれば望ましいとされるのはなぜか?

⑦新たな定義、新たなより良い手順が登場すると、結果の正確さはそれに応じて随時変化していくが、結果の精度は実験や調査が行われた時点で有効であればその後も常に有効である。それはなぜか。

⑧ある鋳物の仕様が以下の条項を含んでいる。

当該の鋳物はかなりきれいな状態で当方に納品される。

「かなりきれいな状態」とはいかなる状態か? この仕様は「バリ」に言及しているのか、あるいは単に汚れについて述べているだけか? この仕様に意味を持たせるためには、「かなりきれいな状態」とは何かを定めたオペレーショナルな定義が必要なのは明らかだ。

⑨以下の文章の内容に意味がないことを示せ。

連邦議会は北東回廊の再建を命じる法律を通過させ、列車運行の仕様を定めるところまできた。運行速度は時速１２０マイル（１９３㎞）、定時運行率99％、ニューヨークからワシントンまでの所要時間２時間40分、ニューヨークからボストンまでの所要時間３時間40分というものだ（トレイシー・キダー、アトランティック誌、１９７６年７月、36ページ）。

注記「定時運行率」が意味を持つためには、オペレーショナル・デフィニションを持たねばならないのは明らかだ（第17章）。

「良いサービス」「悪いサービス」「情けないサービス」といった形容詞で表現される言葉は、到着時刻のランチャートや度数分布のような統計的な用語で定義されない限り、互いに伝え合える意味を持たない。

連邦議会が期待する「定時運行率99％」も、「定時運行率」のオペレーショナル・デフィニションがなければ何の意味もないということはすぐにわかる。もっとも、「定時」が列車時刻表の定刻４時間以内に到着するという意味であったなら、１００日の内の99日は列車がニューヨークのペンシルベニア駅に「毎日定時に」到着すると誰でも請け合うことができるだろう。

ここでの説明は列車のパフォーマンスに関するものだが、容易に生産のスケジュールに応用できる。

⑩民間企業や行政機関で使われている仕様から引用した以下の例は無意味であり、互いに伝え合うことができないということを示せ（即ち、オペレーショナル・デフィニションがない）。

ⓐ**代表標本**「ある標本が全体に均質であると見做される場合に、抽出対象の物質と同じ組成を持つ標本のこと」（英国工業規格（ＢＳ）69／6188、「化学製品の標本抽出法」から引用）

あなたは、その標本が抽出対象の物質（母集団）と同じ組成を持つか否かをいかにして見極めるか？「抽出対象の物質と同じ組成を持つ」という言葉がなぜ無意味なのかを説明せよ。

ⓑ**スポット試料**「物質の特定の場所から抽出した、特定のサイズ・数の標本。また

は、河川及び、そのすぐ近く、ないしは近隣の代表的環境のうち、特定の場所と特定の時間に抽出した、特定のサイズ・数の標本」

「代表的」という形容詞は何を意味するのか？

答え この言葉には意味がない。統計学者がこの言葉を使うことはない。なぜ統計理論に従う標本抽出手順を使わないのか。より少ないコストで済むし、意味のある計算可能な公差が得られるという優位性があるのに、残念なことだ。

⑪**最善の努力** 「契約者は最善の努力を尽くすものとする」（司法省租税局と統計学者の契約から引用）

契約者が最善の努力を尽くしていることを、一体誰が知っているだろう？ その人が最善の努力を尽くしたか否かをいかにして判断するのか？ すべての契約に対していちいち最善の努力を尽くすことは可能なのか？ その努力は当人の平均以下になることが必ずあるはずだが、どうだろうか？

⑫実験計画法の有名な教科書から引用した次の文章がミスリーディングであるのは、「厳密値（exact value）」という用語に意味がないせいであることを示せ。

当然だが、未知の差異に対して解が厳密値を与えることは期待できない（ウィリアム・G・コクラン、ガートルード・M・コックス著『実験計画法』（田口玄一、松本洋共訳、丸善、原題*Experimental Designs*, Wiley、1950］p3）。

⑬「すべての人への平等な教育」と書かれていたとしよう。これはどのような意味であろうか（何を言いたかったのか）

第10章 標準と規制

NIKKEI BP CLASSICS / OUT OF THE CRISIS I / W. Edwards Deming/ 1. Chain Reaction: Quality, Productivity, Lower Costs, Capture the Market / 2. Principles for Transformation of Western Management / 3. Diseases and Obstacles / 4. When? How Long? / 5. Questions to Help Managers / 6. Quality and the Consumer / 7. Quality and Productivity in Service Organizations // NIKKEI BP CLASSICS / OUT OF THE CRISIS II / W. Edwards Deming // 8. Some New Principles of Training and Leadership / 9. Operational Definitions, Conformance, Performance / **10. Standards and Regulations** / 11. Common Causes and Special Causes of Improvement. Stable System / 12. More Examples of Improvement Downstream / 13. Some Disappointments in Great Ideas / 14. Two Reports to Management / 15. Plan for Minimum Average Total Cost for Test of Incoming Materials and Final Product / 16. Organization for Improvement of Quality and Productivity / 17. Some Illustrations for Improvement of Living / Appendix: Transformation in Japan

答えられないために、黙っている者もいれば、時をわきまえて、黙っている人もいる。

知恵ある人は、時が来るまで口をつぐむ。ほら吹きと無分別な者は、時をかまわず、しゃべりまくる。

口数の多い者は、嫌われ、他人の話を奪う者は、憎まれる。

『旧約聖書』続編、シラ書（集会の書）、20・6〜8

本章の狙い

本章の狙いは、政府規制や工業規格[1]は、施行に際してオペレーショナル・デフィニションを持たなければならないと示すことだ。適合性は試験と基準の観点からのみ判断され得る（場合によっては、検査と基準が数多く存在する場合もある）。

基準と試験は、統計学の言葉で記述されなければならない。そうあってこそ、意味を持てる。適切に記述されていない規制や標準は意味がなく、意味を欠いた規制は法的強制力を持つべきではない。

規制と標準

政府によって定められた規制があり、産業界が自主的に参加する委員会によって定められた標準がある。加えて、企業や個人が自分の考えで決めるルールや基準も存在する。[*2] 規制と自主標準の違いは、本質的に、それに従わなければ罰則が科せられるか否かという部分にある。

規制は、その規制に伴って生じる経済上の無駄よりも、その規制がもっと大きな利点をもたらすのなら正当化できる。例えば、赤信号で必ず止まるのはドライバーの義務だ。周りに他の車が1台もいないときでも、止まらなければならない。つまり、「ドライバーの義務」は時間と燃料の無駄を内包している。しかし、このような厳しい規則が課せられていなければ、交差点での事故件数は大幅に増えると思われる。

長期にわたる規則違反はもちろんのこと、たとえ一瞬だけであっても規則違反を許すことはできない。混乱を増大させる状態を1つでも許せば、やがて国民の良心の破壊に繋がる。そういうことは、あってはならないのだ。この理由から、規制は本質的に厳格であってしかるべきものなのである。優れて体系化された恒久的なシステムにおいては、こうしたチェックとペナルティが長期にわたって運用されるうちに、規制に違反しようなどとは誰も思わなくなる。この過程で、規制当局は、そもそも強制したところで実際にはそれを守ることができないような義務を課してはならない。

行政府の長官（諸大臣）は、議会と世論に責任を負う以前に、適切な規制を策定する責任を負っている。その責任とは、行政府の職員が、人々の仕事を増やす余計な無駄を引き起こすことなく、同時に進歩を阻む障害物をつくりだすことなく、しかるべく規制され得る事柄を決めることだ。特に、詐欺行為を厳しく取り締まって無法者から市民を守ることは、実際に規制を運用する地方行政がまず取り組むべき重要事である。その一方で、個人の無分別（シートベルトの着用や飲酒、煙草の吸い過ぎといったこと）の結果に対して個人を守る義務を規制当局がどこまで負うべきかについての判断は、当局によってそれぞれ違う。ラベルへの記載内容も含めた農産物のパッケージング方法に対して厳格な要件を定める必要があると考える行政機関もあれば、ある特定のテレビシステムの技術特性を当局が選び、命令する必要があると考える行政機関もある。

工業規格

行政機関が課す規制の他にも、産業界がさまざまなケースで幅広く適用可能な「推奨（自主標準）」を定めるのが望ましい分野・領域は数多く残っている。具体的な個々のケースにおいて企業や個人はその推奨に従わなくてもよろしい。完全な自由裁量だ。こうしたやり方なら、経済上のムダも、技術の進歩の阻害も、共に避けることができる。

自主標準は強制的な禁止事項を含まないから、実施して効果を得るのに大臣の署名は要らない。相対的に「お堅い」フィルターを通して当局の決定に至るというやり方ではなく、自主的なワークを通してその確立に貢献してきた関係者全員が合意することで「推奨」がつくられていく。こうした集まりに参加する人々は、もとより完全な全会一致が必須でないことに合意している。この種の「推奨」は、当局が課す規制の如き厳格な締め付けではないからだ。

標準化の枠組みは、それに関与するすべての集団の間での調整を経て、より明解な記述を与えていく。こうした枠組みは、参画者の人数が厳しく制限される「規制策定のコンサルティングプロセス」（諮問会議方式）よりも格段に柔軟だ。一般に、関与集団の人々は、省庁主催の諮問会議の席に座っているのに比べて、標準化を推進する組織の技術的な委員会には、かなり気楽な気持ちで参加する。このため、自主標準の策定に際して、「これは合意に基づくものであり、合意によって規制から免れようとする意図は断じてない」という宣言がしばしば出されるのだ。

自主標準があれば、政府による規制を避けることもできる

標準化の利点としてまず挙げられるのは、強制が必須なケースにおいて、当局が規制の範囲を

より狭く設定するのを可能にすることだ。つまり、標準化は規制策定におけるムダを省く。これによって政府の諸機関が、何千もの小さな決定に基づく膨大な量の細かい仕事から解放される。

一方で、企業や個人は標準化が存在しない状態に比べて、従うべき厳格な規則が少なくなり、より幅広い自由を享受できるという利得を得る。これこそ、標準化に時間と資金を投入すべき重要な理由だ。そうすることで、実務に役立たない強制的な規制の増殖を避けることができる。規制は、そもそも自主標準の欠落ゆえに生じたギャップを埋めようとして策定されるものであるからだ。実際、工業においてはさまざまな領域で既にこれを実現しているが、例えば農業では自主標準づくりが不十分であるせいで、依然として多くの規制が課せられている。

自主標準の更なる利点*3

列車は異なる路線に次々と乗り入れながら、国じゅうを縦横に走り回る。レールの軌間やブレーキの空気圧が異なるからといって、貨物の積み下ろしはしない。1台の自動車で移動するにしても、例えばハリファックスからモントリオール、トロント、バッファロー、フィラデルフィア、メキシコ、バンクーバーに至るまでといった具合に、さまざまなルートがある。他の車も同じようなものだ。自動車の中には鉄道会社所有のものもあれば、民間企業が所有するもの、個人所有もある。いずれにせよ皆、普通のこととして国じゅうを走り回っている。冷蔵車が停車するときには、近隣の都市部に入って市中電源を利用する。

標準化とは、われわれ皆が当然と認識しているもののことだ。われわれは州や郡を超えて家財道具とともに電気洗濯機を送り出すが、その際、送り先がどの地域でも、プラグを差し込む電源の電圧と電流は同じか、その洗濯機が適合するかなどと心配する人はいない。白熱電球はバーモント州のスプリングフィールドでもイリノイ州のスプリングフィールドでも同じソケット(受け口)に出会う。アイオワ州の人からプレゼントとして送られる15／34(首回り15インチ、裄丈34インチ)のシャツは、バージニア州で生まれ育った人であっても、同じサイズの人ならその首と腕にフィットする。西海岸と東海岸の間を車で移動するなら、われわれはその間ずっと、統一された交通信号機に従って運転する。シカゴでオハイオ州アクロン産のタイヤを1本買えば、ニューヨークで買った(デトロイト産の)自動車の(ピッツバーグ産)ホイールにぴったり合う。

レンズの倍率(例えば2・8倍)はどこでも通じる。単三電池が切れそうになったら、世界のどこでも交換用の新しい電池を購入できる(電池の品質はブランドによって大きく違う可能性はあるけれども)。北半球ではどこでも110ボルトの電圧と、統一されたコンセントがあり、言葉では表現できないほど便利だ。

価格と品質の競争が標準化によって止まることはない。

それどころか、シューハートがしばしば指摘してきた通り、ヨーロッパにおける建築基準法はこれまでのところ、国によって、ごくわずかだが違いがある。さらには、1つの国の中でも都市が違えば建築基準も少しずつ違うという具合なのだが、これは大量生産を拒んできたことによる。この種の細かい差異は、大量生産を阻害し、コストを増やす上で、関税障壁よりも、ずっと実効性が高い。

フランダース上院議員の話は続く（前節からの続き）

実際、われわれが実現した高度な標準化は、人々の暮らしを楽にしてきた。それがあまりにも基本的かつ当然なやり方であることから、われわれはその存在を意識することがないほどだ。標準化が、気軽に利用できる自由な国内市場をわれわれに与えてきたのである。標準化は、より安い価格でより良い品質のものを、もっと安全に、もっと便利に、あるいは交換や修理のサービスをもっと速くといった、大量生産によるさまざまな物質的豊かさを米国の消費者に与えてきた。これは当然視されるべきことだろうか？

標準化が可能にした米国式大量生産は、第2次世界大戦における米国最大の武器だった。だが、人・金・時間・資源においてわれわれがどれほど苦しんだかという損失は推計できない。損失に対する適切な標準が存在しないからだ。われわれの損失が実際に始まったのは1940年春である。40万人のベルギー軍は、空になった自軍のライフル銃に英国製の弾丸を装塡できたなら、もっと善戦し、より長く戦えたかもしれない。この損失はエル・アラメイン（エジプト）の緒戦でも続いた。英国軍の敗北・撤退の原因の1つは、英国軍戦車に装備された無線機や補助装置において「互換性のある標準部品」の採用が不十分だったことにある。米本土にいたわれわれは、戦時生産体制に参加できたはずの、数千もの小さな会社のサービスを失った。防衛産業の標準を分かりやすく定めた1つのシステムがあって、こうした中小企業がそれに慣れていたなら、小さな会社も戦時生産体制に貢献して生き残ることができたはずなのである。そういうシステムがあったなら、元請け業者から下請け業者へという複雑な関係も、もっと単純化されていたに違いない。

第2次世界大戦初期のある時期まで「標準」は不十分で、そのせいで大規模な厄災を引き起こす寸前までいった。例えば、長大なパナマ運河を防御するレーダーユニットの1つで、ある部品が壊れた。指揮官たちは大慌てで在庫を探したが、交換部品が見つからない。彼らはワシントンに緊急電話をかけ、当該部品を工場から運河まで空輸し、使えるようにしてほしいと依頼した。しかし、その部品が届くまでにはまだかなり時間がかかる。在庫担当の将校は倉庫を徹底的に探し回った。すると、見つかったのである。必要な部品が、まるまる8箱あるではないか。しかし、どの箱にも違うストック番号が表示されていた。

幸い、この問題が我が国でいつまでも続くことはなかった。産業の始まりの頃には、「標準」は2者だけで定めていた。メーカーとユーザーだけが当事者だ。この2者だけの間で交わされた言葉がおそらく「最初期の仕様」であり、それが「前例踏襲」で継承されてきたのではなかったか。政府が調達する製品に対して、その標準を定める権利を政府が持っているのは当然だ。政府は利害関係集団の1つである。標準化に対しては積極的であると同時に、目配りの効いた組織でなければならない。

だが、現下の標準化の過程で見られる傾向や計画や提案は、標準化を、全面的にあるいは主として政府の機能とすることを目指しているようだ。私はこれに反対する。私は、ワシントンの連邦当局にいる、資質と能力を備えた誠実な友人たちに、この国の工業規格を書かせたいと思わない。むしろ、しなくてよい仕事なのだ。

ある産業の工業規格を支配すれば、その産業の死命も在庫も帳簿も、コントロールできる。

現在、既に危惧されているように、標準の策定が政府の機能であり、責任であるとなった日には、米国産業の支配に向けて政府が長足の一歩を踏み出すことになる。

そのような枠組みの中では、いつ、いかなる標準がつくられるべきか、どのような条文（書きぶり）をもって標準を定めるべきかを、行政府の職員が決めることになる。この方法は柔軟性に欠ける。標準からの逸脱は1社たりとも許さない。そのメーカーが、特定の目的に特化した本当に役立つビジネスを開発するために標準から逸脱したいのだとしてもだ。

こうした状況で定められる標準は制約やコントロールとなり、拘束性の強い手続きに繋がる傾向がある。消費者の選択を狭める方向に力が働くのだ。

標準化が必要な産業分野は依然残っている。そうした領域で働く米国人も多くいる。そうした分野、そうした人々に役立つ標準を書き下すに足る知識・経験を十分に備えた政府のプランナーなどいない。

ナチスドイツは標準を強制し、その代償を払った。特に軍用機の標準化に際して、あまりにも多く、あまりにも早く、定め過ぎた。第2次世界大戦における我が国の経験がそれを如実に示している。産業界が、自分たちが製造する製品の標準の開発に際して意見を聞かれたり、標準の中身がいかにあるべきかを決める過程に参加したりした際、われわれは最善を尽くした。

こうしたことは明白な事実なのだが、具体的な例を1つ挙げるなら、訓練用動画を映すポータブル映写機のケースが分かりやすい。第2次世界大戦中のこと、米軍のある部隊が複数のメーカーに仕様を提示した。だが、そのマシンは想定使用条件が非常に厳しく、当時のメーカーにとって、提示されたその仕様は、自分たちの能力を超えていた。結果的にその映写機は、2、3回使用しただけなのに、しばしば故障したという。戦後、映像技術産業の会社がいくつも集まって技術標準策定団体と共に働き、機器の要件とメーカーの製造能力を調和させた仕様を書き上げた。今ではそれが軍事用途でフルに使われている。

われわれが励むべきは、この世界において、より高度な調和と秩序を達成すること、単純化によって現代生活の中にあるストレスを和らげること、互換性のある部品をより無駄なく製造し自由市場に出すことを通して人々の生活水準を向上させることだ。われわれは標準を「既に解の見つかった問題はルーティン化し、創造性に富む才能を未解決の問題を解くために残してくれる『解放者』」として活かすべきなのだ（ここまで、前掲のフランダース上院議員の記事からの引用）。

いまでは、約4000人の企業役員と技術のエキスパートが米国の標準をつくり、絶えず更新していくための公的な委員会に自主的に奉仕している。

この標準の範囲は、交通信号機から電気配線、消火用ホースからサーカスのテントのための最新の安全基準に至るまで、実に幅広い。歯車の寸法や金製品の純金含有量、電熱レンジ、湯沸かし器、ガス機器、冷蔵設備、産業用機械の放射線遮蔽能力のばらつきを減らすための標準も含まれる。音階A4（日本語のラ4音）の周波数は440ヘルツであると定義する米国規格もあれば、キッチン用計量カップやフライパンやスプーンにおいて均一性を実現するための規格もある。今では、例えばレーヨン織物に対し、基準自体は最小限に絞り込み、ラベルにもっと役立つ情報を表示せよと定めることでアメリカン・スタンダードの完成を目指している委員会もある。

以上のケースのなかで、米国規格協会（American Standards Association、現在の全米規格協会、ANSI、American National Standards Institute）が標準をつくって、完成した後に外部の民間組織に下げ渡したものは1つもない。規格協会は協議の枠組み（協議体）を提供するだけだ。その協議体での話し合いを通して関係者が標準をつくっていくのである。例えば、レーヨン織物の160ページにも及ぶ規格案を書き上げるのに、30を超す全国規模の組織が参加した。メーカー、販売事業者、消費者、サービス事業者、連邦政府機関が規格の策定に協力したのである。

規制と工業規格のリンク

規制において工業規格を参照することによって、当該の規制を、実効性の高い、有意義なものにする「リンク」を与えることができる。例えば、加熱装置が排出する煙の最大硫黄含有量を定める規制がある。実際にその硫黄分を、簡便かつ実効性の高い方法で、過剰なコストをかけずに、いかにして測定すべきかを定めるのは工業規格に委ねられている。規制当局は、当初意図した目的にもはや合致しない標準を参照している規制があれば、改正によって、いつでもその規制から不要となった参照を削除することができる。

技法や手法の開発――安全性

その始まりの頃、標準化の主な目的は、コストを減らすために大量生産を可能にすることであった。

しかし今では、製品がもたらすサービスの重要性が増してきたせいで、製品自体の重要性は影が薄くなりつつある。今日の消費者は、品質と購入価格の関係だけに基づいて選択するのではない。耐用年数、信頼性、修理の容易性、交換品入手の容易さといったことも考慮した上で、何を買うかを選ぶのだ。

これまでメーカーはそうした情報を集めてきた。メーカーは、アフターサービスのみならず、購入後の製品の使われ方や、(付属品、リード線、接続部などの)コンポーネントをもっとうまく交換するにはどうしたらよいかといったことにも心を砕いている。だからこそ、互換性と適合性の諸問題が標準化において最も重要なのだ。

もちろん、安全性は依然として不可欠の最優先事項だが、安全性に関係するのは製品(及び個々の製品特性)のなかの限られた部分だけであるという事実のせいで、その領域は狭い範囲にとどまってきた。しかし、ここに至って再び変化が起きている。安全性はもはや絶対的なものとは見なされず、確率の概念が不可避的に持ち込まれているのだ。これは、安全への意識が高まり、農業、鉱業、製造業、サービス業における安全性の水準を均《ひと》しくしたいと考えられるようになってきたからだ。

国際標準の更新は長い時間がかかるプロセスである。時に技術革新を停滞させることもある。

今日では誰もが知る国際郵便だが、多くの人々の努力によって着実に進化して今に至ったものである。特に誇張して言うのではなしに、国外へ手紙を送りたい人は郵便事業者と料金を交渉しなければならなかった時代があり、その料金にしても、しばしば何倍も違っていたものだ。*4

例えば、ドイツからローマへ陸路で手紙を送るなら、次の3種の経由地別の料金のいずれかが適用される。①スイス経由は68ペニヒ、②オーストリア経由は48ペニヒ、③フランス経由は85ペニヒ。米国からオーストラリアへ送る手紙の郵便料金は、6つある可能なルートのうち、どのルートを使うかによって、半オンス（約14g）当たり5セント、33セント、45セント、60セント、1ドル2セントのいずれかになるのであった。

手紙の送り手にとっても、郵便事業のさまざまな組織にとっても、困難が非常に大きかった。手紙の送り手は、郵便局に行くまで、自分が出したい手紙の郵便料金がわからない。郵便局は最新の郵便料金表を備えてはいたものの、郵便局の職員が、当該の手紙がとるべき経路を決めて、手紙の重さを、通過各国の重さの単位にいちいち変換した後、すべての国の料金を足し上げて、ようやく料金が決まるのである。

米国産業は標準化が遅れている

米国産業は残念なことに、おそらく資金を十分に投入しなかったせいでもあろうし、あるいはまた談合を指摘されるリスクを犯したくなかったという事情もあったと想像するが、環境汚染を減らし、多くの機械や電気機器の安全性を高めるための適切な工業規格の策定を推進してこなかった。そのせいで、民間企業と国民は政府の規制に対処せざるをえないまま、ここまでやってきたのである。そうした規制の中には、時に大急ぎで編纂されたものもあったし、またあるときには、その規制をまとめ上げるのに必要な、産業界での実務経験と統計の経験を持たない人々によってつくられたものもあった。標準を創出する仕組みは存在しているのである。実際、米国材料試験協会（ASTM）や全米規格協会（ANSI）をはじめとするさまざまな組織を通して標準化が推進されている。

これまで何度も指摘したように、定義の難しさと試験結果の矛盾が表面化する度に、政府当局は大急ぎで標準を策定しなければならないのであった。今もそうだ。次のウォール・ストリート・ジャーナル紙（1980年3月4日付）の見出しはその一例だ。

自動車衝突実験が、バンパーに関して、混乱を生じさせるデータを大量にもたらした
――当局は実験における混乱を認めたものの、その実験結果をバンパーの規制に使う

自動車業界がバンパーの標準に何年も前から取り組み、熟考と積極性をもってその問題の解決に励んでいたなら、今のように衝突事故が起きるたびに問題にパッチを当てるようなことを繰り返さずに済んだはずだ。実際、自動車産業は、大急ぎで策定され、検証もされていない規制を丸飲みせざるを得ず、自分の首を絞めることになったのだけれども、自主的な標準づくりをやっていたら、そうしたことは避けられたはずだ。燃費、環境汚染、安全性のいずれについても同じようなものであった。

ウィリアム・G・オオウチ氏のスピーチから

彼は、米国のある貿易団体の年次総会のゲストスピーカーであった。場所はフロリダ州、聴衆は業界各社の経営者約300人である。オオウチ氏の講演の後、聴衆は午後からゴルフに向かうことになっている。翌日は午前に別の講演者の話を聞いた後にテニス、3日目の講演の後は釣りという予定だ。登壇したオオウチ博士は、次のような言葉で講演を始めた。*5

お昼からゴルフコースへおいでになりましたら、パートナーがティーアップするのを待っておられる間にでも、ちょっとお考えいただきたいと思うのです。先月、私は東京におりまして、ちょうど皆さんと同じような、あちらの同業者団体を訪ねて参りました。皆さんの直接の競争相手である日本企業、およそ200社から成る団体であります。彼らは今、ある会社のオシロスコープと他社のアナライザーとを接続できるようにしようとか、また、製品の安全基準について足並みをそろえ、政府に提言できるようにしよう（早く市場に出せるように）とか、融資や輸出政策や規制の変更に対する要望をとりまとめ、協力してくれと声をそろえて政府にもちかけられるようにしようというわけで、毎朝8時から夜は9時まで、週に5日間、3カ月ぶっとおしで会議を開いております。私は皆さんのお考えをうかがいたい。今から5年後、より良い状況を迎えることができるのは、いったいどちらでありましょうか。

自動車メーカー各社は、自社の顧客の厳しい要求に適うよう、決然たる意志をもって力を結集し、安全性や触媒式の排出ガス浄化、燃費といったさまざまな特性の向上に取り組んでいるけれども、その取り組みは「各社がそれぞれにやっている」に留まっている。性能と経済性の両方共を熟考し、消費者に「ベストな買い物」をお届けするに足るだけの十分な知識を蓄積してきた自動車メーカーは1社もない。

各社が個々に取り組んでいることから生じる損失は計り知れない。誰がその損失を贖うのか？——我が国の消費者だ。そうこうする間にも、日本製品はどんどん入って来る。その物量たるや、かつてないほどの増え方だ。日本は、産業界と政府と消費者が力を合わせて品質と経済性の両方を共に良くしてきた結果として優位性を獲得したのであり、その優位性を米国の消費者にもたらしているからこそ、「日本製品がどんどん入って来る」のである。

米国では、コンピュータ産業における標準化の努力が足りない。そのことがこの産業の創造性発揮を妨げ、もっと使い易い製品を選ぶ機会を消費者から奪っていると気づいてほしい。

第11章 共通要因と特殊要因、そして、「安定した」システム

NIKKEI BP CLASSICS / OUT OF
THE CRISIS I / W. Edwards
Deming/ 1. Chain Reaction:
Quality, Productivity,
Lower Costs, Capture the
Market / 2. Principles for
Transformation of Western
Management / 3. Diseases
and Obstacles / 4. When?
How Long? / 5. Questions to
Help Managers / 6. Quality
and the Consumer / 7.
Quality and Productivity in
Service Organizations //
NIKKEI BP CLASSICS / OUT OF
THE CRISIS II / W. Edwards
Deming // 8. Some New
Principles of Training and
Leadership / 9. Operational
Definitions, Conformance,
Performance / 10. Standards
and Regulations / **11. C**
ommon Causes an
d Special Caus
es of Improvem
ent. Stable Sy
stem / 12. More Examples
of Improvement Downstream
/ 13. Some Disappointments
in Great Ideas / 14. Two
Reports to Management / 15.
Plan for Minimum Average
Total Cost for Test of
Incoming Materials and Final
Product / 16. Organization
for Improvement of Quality
and Productivity / 17.
Some Illustrations for

確かに、言葉を聞きたくない者に説教する人、その人の説教は、聞く人をいらいらさせるものです。

ジェフリー・チョーサー『カンタベリー物語——メリベウスの話』
（『完訳カンタベリー物語』桝井迪夫訳、岩波文庫）

汝聞き手のない時にはむりやり話をすることなかれ。

同書「メリベウスの話」のプロローグ
同右

本章の狙い

マネジメントとリーダーシップにおける問題の核心は、「ばらつき」の中に潜む情報の理解に失敗していることだ――友人で仕事仲間のロイド・S・ネルソンの言葉である。本章の内容について今はまだ概略を知るのみの読者も、本章を読み進むうちに、昇格・昇進の基盤として社員の年次業績評価を用いることの虚しさを理解していただけると思う。「ばらつき」を引き起こす特殊要因を減らすために必要な行動は、そのシステム自体に起因する「ばらつき」を減らし、システムの欠陥を除去するために取るべき行動とは違うこともお分かりいただけるだろう。それはまた、1つのプロセスの能力の意味、1つの測定システムの能力の意味を理解することでもある。同時に、測定機器やゲージは統計的に管理された状態において使わなければならないということを、改めて認識するはずだ。測定機器の調整・較正というものは、当該機器と標準器の両方が「安定している」ことを、統計的エビデンスをもって示した上でこそ、有効に為し得るということも、理解してもらわなければならない。さらに、生産性が平均に達しない人、作業ミスが平均よりも多い人に狙いを定めるようなリーダーシップのあり方は間違っているのみならず、まるで効き目がなく、会社にとってお金がかかるだけということにも気づくはずだ。同じことは、誰でも達成者になれるはずだし、それを目指すべきだと思っているリーダーにも当てはまるとわかる。そうしてついに、品質を良くすればコストが下がるのはなぜかということの理解へと至る。

そもそも、「安定したシステム」と「安定していないシステム」の違いを理解しておくことは、産業と科学における本質的重要事である。チャート上に点をプロットしていって、それが「安定したシステム」を示しているか否かを、合理的手法をもって判定するという適切なやり方を学ぶことも欠かせない。

チャートにプロットされた点は、(例えば)週次の売上高や、納入品の品質、出荷した製品の品質、顧客からの苦情、在庫、常習的欠勤の発生状況、事故発生件数、火災発生件数、売掛金、売掛金回収までの日数などを示すものかもしれない(146ページの図33と149ページの図34を参照)。

本書は技法についての書ではない。技法の学びを極めたい読者は、優れた指導者の指導の下に身を置いて、本章末尾に載せた冊子・書籍のうちいくつかの助けを得て、自らの研究を進めるようお勧めする。

特殊要因、共通要因、「システム」自体の改善

ランチャートについてさらに論じる

われわれは既にランチャートの一例を見た（第1章の図2）。そのランチャートが示していたのは、実質的な改善というものは、それが何であれ、「システム」そのものに変化を起こすことからのみ生じ得るということだ。「システム」を変えるのは、マネジメントの責任である。

ここで、また別のランチャート（図31）を見るとしよう。自動車のガソリンタンクを満タンにしてから空になるまでの間の、1ガロン当たりの走行距離（マイル）を示した単純なチャート（の抜粋）だ。満タンにする度にプロットされる点は上下しながら動いていく。平均に近いときもあれば、平均を上回ったり、下回ったりする。

平均値の1ガロン当たり25マイルは温暖な気候の下でそれまでに達成した数字である。それが突然、連続して9回の給油で走行距離が平均を下回った（マルで囲んだ部分）。9つの点が平

均値よりも下にプロットされている。何が原因だったのか？　連続2回、あるいは連続3回、平均を上回るとか下回るということはあるだろうが、連続9回は、「ばらつき」の中に何らかの特殊要因が存在していることを示している。[*1]

　特殊要因は、1つの可能性、あるいは複数の可能性が組み合わさったものとして説明することができる。例えば、寒かった（おそらく山間部を走行）、いつもと違うガソリンを入れた、短距離走行が多かった、いつもと違うドライバーが運転した、通常よりも重い荷物を積んでいた、スパークプラグの不具合といったことが考えられる。このような「原因である可能性のあるもの」はすべて思いつきである。1つずつ可能性をつぶしていって、唯一説明がつきそうな

図31　1ガロン当たりの車の走行距離

ガソリンタンクを満タンにする度に1ガロン当たりの走行距離をプロットしたランチャート（の抜粋）。平均を下回っている9つの点の動きが1つの変化を反映している。原因はスパークプラグの不具合とわかった。

（ナシュア・コーポレーションのフランク・ベルチャンバー、ロバート・B・M・ジェイムソンの両氏から提供された事例）

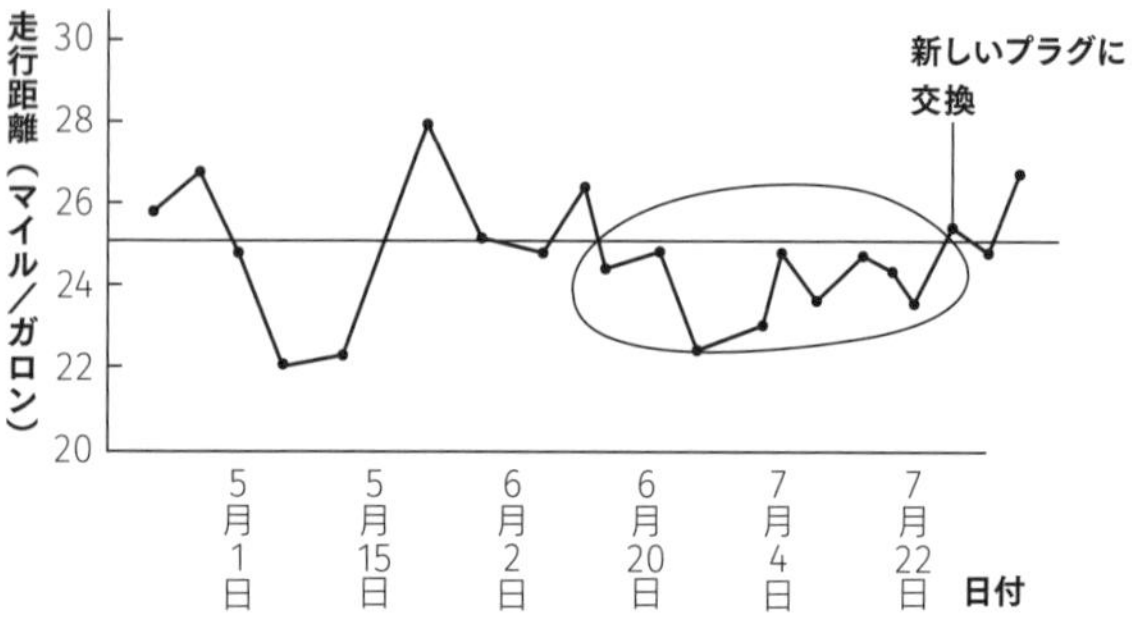

ものとして残ったのがスパークプラグであった。新品のプラグに交換したところ、走行距離は以前の水準まで回復した。

走行距離の回復は、スパークプラグが問題であったことを示しているのだろうか？　はっきりとはわからない。われわれは、胸のうちに、一種の思い込みを育てがちだ。そうした思い込みの深さは人によって違うと思われるが、どの車であっても、同じような出来事が連続して発生したら、われわれは「起こり得る要因のリスト」の中にスパークプラグを加えるべきだと信じるようになる。

自動車やトラックを所有する企業の多く（米国内だけでも、おそらく２００万社を超えるだろう）が走行距離と購入したガソリンの量の正確な記録をつけている。そのデータを有効に活用すればいいのだ。問題の有無と性質を知るために、車両ごとの単純なランチャートをドライバーにつけてもらうのは、やろうと思えばできることだ。１枚のチャートがドライバーに魔法をかけて発見を引き出し、ドライバー自身と車の所有者に新しい世界への扉を開いてくれるかもしれない。

１枚の統計的管理図は当該「システム」の外側まで広がった（管理限界の外に点がプロットされている）「ばらつき」に特殊な要因が存在しているということを検知するが、その要因が何であるかを特定することはない。

ランチャートは、簡便型のインジケーター（測定器のメーターのようなもの）ではない。連続6点の上昇傾向（または下降傾向）であるとか、連続7点、あるいは連続8点が平均値を上回っている、または下回っているといったことがあれば、普通はそこに特殊要因が存在していると示す（本章「原注6」のロイド・S・ネルソンの論文を参照）。

統計理論の応用に際しての最初の教訓

統計学のコースはしばしば分布の勉強と比較から始まる。学生たちが講義や本の中で警告されることはないが、（1つのプロセスを良くするためといった）分析の目的のためには、当該データが統計的に管理された状態から得られたものでない限り、その分布や、計算（平均値、最頻値、標準偏差、カイ二乗、t検定など）は、プロセスを良くする上で何の役にも立たない。したがって、データ検証の最初のステップは、そのデータを産み出した過程（人や測定機器や方法）が統計的に管理された状態にあったか否かを確かめることである。データ検証の最も簡単な方法は、データが生成された順に点をプロットしていくことだ。そうすれば、当該データが成す分布からそのデータを使えるか否かを見極めることができる。[*2]

一例として、ある分布を見ていこう。ヒストグラムに現れたその分布は望み得る優れた特性をすべて備えているかに見えたが、実際にはミスリーディングで、何の役にも立たなかった。図32は、特定の機種のカメラに使われるバネ50本の測定値の分布を示している。個々の測定値は、20gの力で引っ張ったときのバネの伸長だ。ヒストグラムの分布はかなり対称的で両側の裾（テイル）も仕様の範囲に収まっている。したがって、このプロセスは満足できるものだと結論を下したくなる。

しかし、製造順に1つずつプロットした伸長は、減少傾向を示している。製造プロセスにどこか悪いところがあるのだ。あるいは測定機器に何か問題があるのかもしれない。

図32　バネ50個の伸長試験のランチャート（製造順）

データは対称的な分布を成しているが、製造順にプロットしていくと、この分布が使えないことがわかる。この分布は、例えば、どのような仕様に適合するかを教えてくれない。そのわけは、安定している1つのプロセスが存在しないからだ。

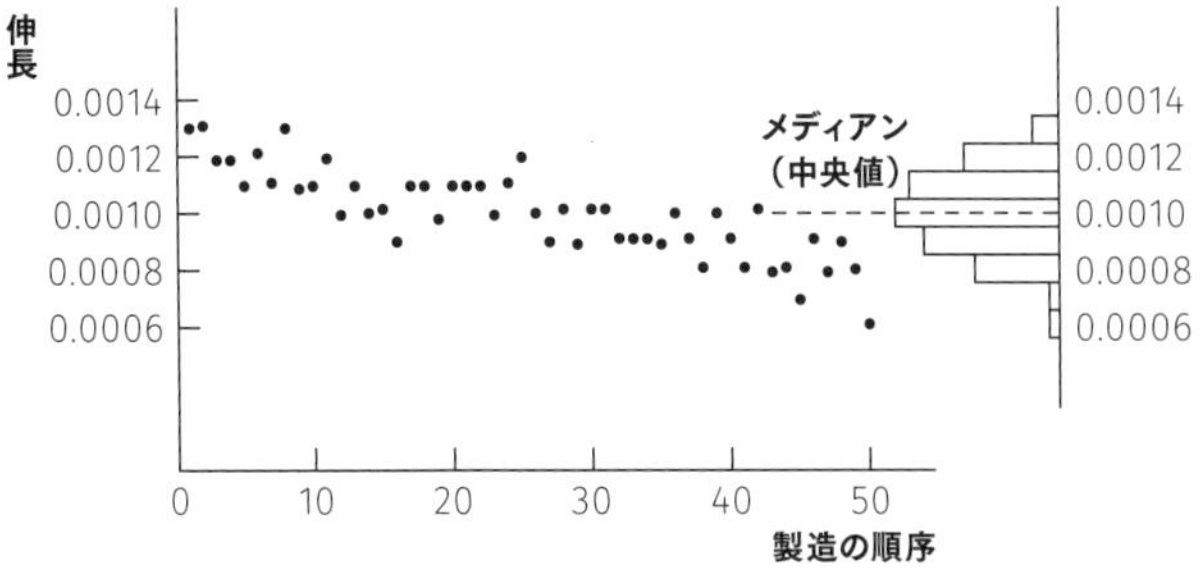

図32のヒストグラムに現れた分布を利用しようとするいかなる試みも無駄になる。例えば、この分布の標準偏差を予測に使うことはできない。この分布は当該プロセスについて何も語らない。なぜなら、これは安定したプロセスではないからだ。*3

かくして、われわれはデータ分析における非常に重要な教訓を得た。即ち、「そのデータをよく見ろ」ということだ。試験結果を製造順にプロットせよ。あるいは、何らかの合理的な順序でプロットするのもよい。ある種の問題に対しては、単純な散布図が役立つことがある。

もしも誰かがこの分布を使ってプロセスの能力を計算したらどうなるだろう？（175ページ）その人は自ら進んで罠にはまることになる。このプロセスは安定していない。安定していないプロセスの能力を推定することは不可能だ。われわれは既に第1章の図2で同じ教訓を学んだ。

ヒストグラムで表現された分布は、一定期間におけるプロセスのパフォーマンスの累積値を示すだけで、そのプロセスの能力については何も語らない。これから学んでいく通り、プロセスは安定している場合にだけ、能力を持つ。プロセスの能力は管理図（ランチャート）を使うことによってのみ実体化され、把握され得るのだ。これまで見てきたように、単純なランチャートはプロセスの能力を考察していく上で洞察を与えてくれるが、ヒストグラムに現れた分布だけでプロセスの能力を知ることはできない。

どの特性が重要か？

どのような数字が重要なのか？　管理図や他の手法を用いて研究すべきはどの数字か？　答えは当該専門分野の中にあり（工学、化学、心理学、当該プロセスの知識、材料の知識など）、統計理論が答えを見つける助けとなる。

特殊要因と共通要因

観察から得られた情報に対する解釈の間違いはどこでも見られるが、いずれの事象（不良、ミス、事故）も誰か（通常は、最も近くにいた人）の責に帰すと仮定する、あるいは、なんらかの特別な出来事に関係していると仮定することから来る。しかし、事実は違う。サービスでも生産でも、トラブルの大半は「システム」そのものの中に横たわっている。時に、そのトラブルは、実際にその現場だけでローカルに起きていて、その仕事をやっている誰かの責に帰すことができる、あるいは、しかるべき人がその仕事をやっていなかったせいであると特定することができる場合もある。以後、われわれは「システムの欠陥」を、トラブルを引き起こす「共通要因」とし、一過性の事象から生じる不具合や不良を「特殊要因」として論じていく。

「システムの欠陥」を差す「共通要因」という言葉は、筆者の知る限り、1947年に故ハリー・アルパート博士と交わした対話の中で初めて使われた。話題は刑務所内の暴動についてであった。出版物として初めて世に出たのは1956年である。*4

ある刑務所で暴動が起きる。そこで、刑務所幹部と社会学者がこの刑務所について詳細な報告書を作成する。報告書には、なぜ、どのように暴動が発生したかについては十分な説明が書かれているのだが、そうした原因はほとんどの刑務所に共通しており、暴動はどの刑務所でも発生する可能性があるという事実は無視されたままだ。

両者の混同は、高くつく

共通要因と特殊要因の混同は、関係者1人ひとり、全員のフラストレーションを引き起こし、結果的に、より大きな「ばらつき」と、より高いコストに繋がる。求められているものとは、まさに逆の方向に力が働くのだ。

筆者の経験では、トラブルと改善可能性の多くを足し上げていけば、以下の割合に達すると推計せざるを得ない。

94%……「システム」の責に帰すべきもの（マネジメントの責任）

6%……特殊要因

ある会社でのことだ。トラック輸送を担当するマネジャーに筆者はこう問いかけた。「ビル、このトラブル（モノがなくなったり、損傷を受けたりすること）のうち、どれくらいがドライバーの仕事ぶりのせいですか？」

「全部ですね」

と彼は応じる。ビルのこの答えは、トラブルの主な原因は「システム」にあり、その「システム」こそ自分が取り組むべきものなのだ、とビル自身が気づくまで、いまの水準の損失が続くのを請け合うようなものだ。

街を行く人に自動車のリコールについて意見を聞けば、「車をつくっている人たちの仕事ぶりのせい、不注意のせいではないか」と言うだろう。大局的に見て、これは間違いだ。何か拙いものがどこかにあるとしたら、それはマネジメントの中に横たわっている。部品の設計が拙かったのかもしれない。それは、マネジメントが試験の結果に耳を傾けなかったからだということもあるだろう。マネジメントは、競争の土俵が自社を置いてけぼりにする前に、新製品を市場に投入したくてジリジリしている。社内のエンジニアが行った試験から早い段階で警告が発せられていたにもかかわらず、マネジメントがそれを考慮しなかったとか、顧客から寄せられた不具合のレポートをマネジメントが軽く見ていたといったことが、あったかもしれない。ものづくりのなかで働くエンジニアやワーカーのワークマンシップの「注意深さ」と「スキル」がどれほど素晴らしい水準であったとしても、その「システム」が内包する根本的な欠陥を克服することはできない。

生産現場で働くワーカーの士気は、マネジメント側が第2章の14原則に誠実に取り組んでいると感じられてこそ、大いに高まる。加えて、マネジメントがワーカーに担わせる責任は、当人が自分の裁量でなんとかできることだけに限定すべきなのであって、「システム」によってワーカーが負わされているハンディキャップを「ワーカーの責任だ」と責めてはならない。そして、ワーカーが「うちのマネジメントは、そこをきちんと分かっている、よくやっている」と実感していることが欠かせない。そうであれば、ワーカーのモラールが計り知れないほどの力を発揮する。優れたマネジメントと優れた監督を実現したいなら、共通要因と特殊要因という2つの要因を見極めなければならない。そのためには、統計学に基づく推計の知識が不可欠なのだ。

業績は、良くなることもあれば、悪くなることもある。そうした山・谷が目に入るとマネジメントはミスを犯しやすくなり、それがまた高くつく。例えば、ある鉄道会社の本社でのこと、高給取りの幹部がミネアポリスの代理店の仕事ぶりに気を揉んでいた。先週、その代理店は、ある荷送人から貨車3台分だけの輸送を受注した（つまり、貨車3台分の貨物がこの鉄道会社の路線を使って運ばれることになる）。この代理店は、前年の同じ週には、同じ荷送人から貨車4台分の輸送を受注していたのである。「何が起きたのか？」というわけだ。鉄道会社の幹部は代理店に説明を求める電信を送り付ける寸前だったが、そのとき、「ばらつき」の性質について簡単な説明を受けたおかげで、電信の発送を取りやめた。鉄道会社の代理店は全国のいたるところに数多くあるが、各社とも販売実績におけるこの種の小さな波を説明するのに少なからぬ時間を使っている。代理店が小さな「ばらつき」に対して無意味な理由をいちいち本社に説明する代わりに、荷送人を訪問して商談を進めるのに時間を使っていたら、もっと売上を増やすことができたはずなのに、惜しいことだ。実際、週次の売上高がずっと同じで変わらぬままだとしたら、担当者がレポートを胡麻化している可能性もある。山・谷をすっかり均せば、「山」に合わせて新たな標準（販売ノルマ）が設定されるのを防ぐことができるからだ。

「身の安全はあなた次第」という標語が目立つように掲示されていた。私が上のフロアに行こうとして階段を1段上がると、危うく転げ落ちそうになった。いまにも崩れ落ちかねない、とても危険な階段であった。（プレトリアの友人、ヒーロ・ハッケボルドによる）

プレトリアのバス会社のマネジャーが、ドライバー全員に、ある誓約を伝えた。1983年11月のことである。来年の元日まで無事故だったドライバーに、600ランド（540USドル）のボーナスを払うというのだ。同社のマネジメントは、当然ながら、事故を起こすドライバーもいれば、事故を回避できるドライバーもいると想定していた。実際、よく事故を起こすことで知られるドライバーが1人いた。他のドライバーも、事故を起こす機会なら毎日何度もあるはずだが、彼らはうまく事故を回避していると見られていた。しかし事故のほとんどは、ドライバーにはどうすることもできないままに起きているのである。だが、マネジメントはそのことをすっかり忘れていた。決められた期限の直前まで無事故を続けてきたドライバーがいて、もしその時点で、他の車が寄って来たせいで接触事故になったとしたら、どうなるのか？　自分以外の誰かの行動のせいで、その人はボーナスを失うことになる。（同ハッケボルドによる）

「われわれは自らの経験を信頼しています」

これは、最近筆者がある大企業の品質管理のマネジャーに「皆さん方は、2つの種類のトラブル（特殊要因から来るものと、共通要因から来るもの）をどのようにして判別していますか？　どのような考え方に基づいて？」と問いかけたときに返ってきた答えだ。自分で自分の首を絞めている。この会社は、いままで通り、これからもずっと、同じだけ多くのトラブルを積み上げ続けると確約したも同然だ。なぜ、それを変えなければならないのか？

　理論を欠いた経験は何も教えない。実際、経験は、何らかの理論なしには記録されることすら不可能だ。一方、かなり大雑把であっても、理論は1つの「仮説」を与え、いずれ1つの「システム」に繋がる。そうした「仮説」ないし「システム」を使って、観察したものを記録し、整理していく。[*5]「仮説」は、ときには単なる勘ということもあるし、正しいときもあれば正しくないときもあるだろうが、役に立つ良い観察に至るには十分な理論である。

「システム」とは何か？

マネジメントの中にいる人々は、その「システム」は次のものから構成されていると見る。

●マネジメントそのもの、および、マネジメントのやり方
●社員——マネジメント、およびすべての人
　その人々の職業経験
　その人々の教育
●国民
　失業者
●政府
　税金
　報告書
　関税

貿易および産業に対する規制
競争ではなく割当方式によって地位を守るべしという要求
輸出・輸入の割当

●外国政府
輸出・輸入の割当
為替レートへの介入

●顧客
●株主
●銀行
●環境から来る制約

マネジメントは大きな力と裁量権を持っているが、地球を動かすことはできない。一方、生産現場で働くワーカーにとって、「システム」とはマネジメントそのものだ。（筆者のセミナーにおいて参加者が発した言葉。1983年11月、於ケープタウン）

2種類の判断ミス

本書をここまで読み進めてきたからには、読者の皆さんは損失の2つの源を既に理解していると思う。損失は、「ばらつき」の中にある特殊要因と共通要因の混同から生じる。即ち、次の2種類の判断ミスである。

①真因が「システム」に属している（共通要因である）ときに、「ばらつき」やミスを特殊要因によるものと判断してしまう。

②真因が「特殊」であるときに、「ばらつき」やミスを「システム」の責に帰すべきもの（共通要因）と判断してしまう。

「調整のやり過ぎ」は、①の判断ミスの典型例、特殊要因を一切探そうとしないのは、②の判断ミスの典型例だ。

監督者は一般に「調整のやり過ぎ」という間違った行動をとりがちである。発生したミスや不良が何であっても、部下の中の1人が注意不足だったからだと決めつけてしまう。そもそも、そのワーカーが犯してしまったそのミスに対して、本当に責任を負うべきなのか否かを確かめることもせずに。ここで監督者が問うべきは「その人が確かにミスを犯したのか、それとも、『システム』こそがその責を負うべきか？」ということだ。本書は随所にそうした例を豊富に載せている。

いずれの判断ミスも、記録をきちんと取るだけで簡単に防げる。そうしているなら、①の判断ミスも、②の判断ミスも、決して起こることはない。だが、一方の判断ミスを避けようとするあまり、もう一方の判断ミスに嵌り込んでしまうことが非常によくある。2つの判断ミスを両方共に常に防ぐのはなかなか難しいのだ。

特殊要因を特定し、排除するために求められる行動は、プロセス自体を良くするために求められる行動とは全く違う。特殊要因の存在が探知されたら、その痕跡が消えてしまう前に、即座に真因究明に動くべきだ（ロバート・コーリー、在アンドーバー、AT&Tネットワークのマネジャー〈当時〉）。

ルールの必要性

シューハートは（1925年頃には）既にそれを認識していたと思われるが、優れたマネジメントというものは、時にミスを犯し、それからまた違うミスを犯し、ということを繰り返しながら、築かれていく。シューハートが見て取ったのは、必要なのはルールであるということだ。このルールは、2種類の判断ミスの両方から生じる正味の損失を最小化すべく励むなかで使うことによって、生きたプラクティス（仕事のやり方）となる。この目的のために、シューハートは3シグマの管理限界を考案した。3シグマの管理限界は、広範な不可知の環境の下で、将来についても過去についても、合理的で経済性の高い導きを与え、人々をして2種類の判断ミスの両方から生じる損失の最小化へと至らしめる。

管理図は統計的なシグナルを送り出す。特殊要因の存在を探知したと伝えてくれるのだ（通常は、特定のワーカーや特定の集団、一過性の特別な環境のなかに真因が潜んでいると示唆する）。あるいはまた、観察されたその「ばらつき」は共通要因に帰すべきもの、自ずと生じる「ばらつき」であって、「システム」自体の中に真因があると見るべきだとわれわれに教えてくれる。

管理図にはいくつか種類がある。既にご存知の読者も多いと思うが、いまは知らずとも、いずれ出会うことになるはずだ。われわれはこれまで、すべてのケースのそれぞれで、管理限界を計算するためにこのルールを当てはめてきた。品質管理の本なら、どの本でも見ることができる。

いずれのルールにも、それぞれに注意すべきことがある

ジョージ・ギャラップ博士はあるとき、スピーチの中で次のように語った（大統領選挙の予測で大きな失敗をした後のことだ）。

「私は、投票が始まる前に選挙結果の予測を公表しました。他の人はもっと賢くて、投票が終わってから予測を公表したのです。すべてが起きた後なのですから、何もかも説明できます」

ルールは、将来の活用のために、前もって作られるべきものだ。どのようなルールであっても、現実問題として、将来についての情報がすべて揃っているはずはないのであるから、未知の部分を残したままでルールを作るしかない（事実、過去の出来事であっても、1つのプロセスに何が起きたかについてすべての情報が得られるなどということは、まずない）。前もってルールを決めようとすれば、（当然ながら）手元にある情報は少ない。情報を多く得られれば得られるほど、少ない情報を基に事前に作ったルールよりも、常に良いルールを作ることができる。

こうした見方はシューハートの管理限界に見事に符合する。シューハートの管理限界は、実務で出逢うさまざまな環境において、彼が目指したものを実現する上で、極めて役に立つのだ。

共通要因と特殊要因を仕分けるときに「人の判断（ジャッジメント）」を使うのは、一種の厄災である。これまでのところ、「人の判断（ジャッジメント）」は毎回常に間違ってきた。205ページと206ページの「例1」と「例2」をご覧いただきたい。何の道具の助けもなく、裸眼で数字を見たところで、安全な導きにはならない。確かに私自身も目分量でものを見ることはあるが、それは極端な環境にあるとき、やむを得ずやっているのだ。

「ばらつき」の中に特殊要因を見出し、それを取り除くことは、通常はその作業（オペレーション）に直接関係している人の責任である。「その作業」からデータが生まれ、管理図となるのだから。

特殊要因の中には、マネジメントにしか取り除けないものがある。例えば、生産のワーカーが、使っている設備の不具合に関連した問題を解決するには、生産のワーカーの助けが要る場合がある。必要なときに、必要な支援を与えるのはマネジメントの責任だ。特殊要因に対してマネジメントが果たすべき責任の例をもう1つ挙げよう。ベンダーとの取引においてカオス状態にあるなら、マネジメントの出番である。生産のワーカーは、そもそも不適合とされるべき原材料や部品、品質が安定していないものを「なんとかして使え」と強いられることがある。ベンダーと力を合わせて納入品の品質を良くしていくという「是正措置」を取るのは、マネジメントの仕事だ。複数のソース（ベンダー）を次々と切り替えて納入させるという「しきたり」を止めさせるのも、やはりマネジメントにしかできない（この部分は、テネシー大学のジプシー・B・ラネー博士による寄稿）。

管理図の上に現れるパターン

管理図上にプロットされた点が一定のパターンを成しているなら、特殊要因の存在を示唆している可能性がある。実際、これまでわれわれはランチャートの上に現れたパターンを使ってきた。第8章では図23の管理図の上に出現したパターンによってトラブルへの警告を受けた。着目すべきパターンの1つは、時系列推移における連続7点以上の上昇、あるいは下降である。加えて、連続して7点以上、平均値を上回っている、あるいは下回っているなら、やはりよく見ていく必要がある。

一方、パターンの探究は「やり過ぎ」になることもある。だからこそ、「何をもって特殊要因の存在を示していると見るべきか」というルールを、前もって定めておく必要があるのだ。人はいつでもパターンを「でっちあげる」ことができる。自分が望む何ものかを、そのパターンが示すように、いくらでも操作できるのだ。何しろチャートは自分の手元にあるのだから。

本章末尾に載せたウェスタン・エレクトリックの本は、パターンについての説明が非常に優れている。もちろん、他の部分もすべてすばらしい。同書を基にした、役に立つパターンの便利な要約もある。筆者の友人のロイド・S・ネルソンがまとめたものだ。*6

統計的に管理された状態

「安定した1つのプロセス」とは、大きな「ばらつき」を引き起こす特殊要因の兆候が一切存在しないプロセスの状態のことで、シューハートに従って、「統計的に管理された状態」と呼ばれる。単純に「安定している」と表現される場合もある。これは「ランダムなプロセス」だ。そのプロセスが「統計的に管理された状態」にあるとき、近い未来の当該プロセスの挙動は予測可能である。当然ながら、想定外の事態というものは、起こるときは起こる。そして、当該プロセスを「統計的に管理された状態」から叩き出すのだ。「統計的に管理された状態」にある1つのシステムは、定義可能なアイデンティティと、定義可能な能力を持つ（本章後段の「プロセスの能力」を参照）。

「統計的に管理された状態」においては、それまでに検知された特殊要因はすべて取り除かれている。したがって、残っている「ばらつき」は、自然に生じている――つまり、共通要因によって生じているはずである。当然ながら、新たな特殊要因が出現するまでの間は、という条件付きだが、その新たな特殊要因が取り除かれたなら、「ばらつき」は共通要因によるものだけの状態に帰っていく。これは、「統計的に管理された状態」においては、何もしなくてよろしいという意味ではない。残っている「ばらつき」の個々の動きに対して「いちいち行動を取るな」という意味だ。そういうことをやればやるほど「ばらつき」が大きくなり、トラブルを増やすことになる（本章後段の「調整のやり過ぎ」に関する部分を参照）。

次のステップは、プロセス自体を良くしていくことだ。この努力に終わりはない（14原則のうちの5番目）。「統計的に管理された状態」が達成され、維持されるようになってこそ、プロセスの改善は高い実効性をもって推進され得る（ジョセフ・M・ジュラン博士がはるか昔にそう述べている）。

共通要因の除去はマネジメントの責任だ。共通要因が引き起こす問題はさまざまある。トラブル、「ばらつき」、間違い、ミス、低い出来高、売上不振、事故のほとんど、といった具合だ。共通要因のリストはこの後にも登場する。売上不振はそもそも製品が良くないから、ということもあれば、値段が高過ぎるから、ということもあるだろう。機械を操作しているワーカーは、その仕事に就いている人全員に共通する要因に対して、できることは何もない。その人は、当人が責を負ってしかるべき特殊要因についてのみ、責任を担う。ワーカーは工場の照明に対して何もできない。ワーカーが原材料や道具を調達することはないのだ。ワーカーの仕事は、それらをうまく使うことである。訓練も監督も会社の方針も、ワーカーの仕事ではない。

「統計的に管理された状態」の正しい理解はマネジメントにとって不可欠である。同様に、エンジニアリング、製造、部材調達、サービスの各部門にとっても欠かせない。「安定している」とは即ち「1つのシステムが存在している」のと同義だが、それが自ずと生じることはまずない。「統計的に管理された状態」とは、ある種の「達成」であり、統計的なシグナルを受けて特殊要因を1つずつ着実に除去していった結果なのだ。そうしてようやく、1つの安定したプロセスの「ランダムなばらつき」だけが残るのである。

実務の中で使われている管理図は無数にある。だが、残念なことに、そのほとんどは使い方が間違っている。懸念されるのは、多くが有益どころか、むしろ有害であることだ。管理図をうまく使うための必要条件は、その裏にある理論を少しでも知ることである。本書でここまで論じてきた内容をある程度理解するだけでも、助けになるはずだ。

もう1つのポイントは、たとえ正しい使い方をしていたとしても、大半の管理図は使うのが遅すぎるということだ。モノと情報の全体の流れの中の、はるか下流で使っている。その時点では既に遅すぎて、実質的な恩恵を得ることはできない。

加えて、管理図を使う人の多くが、「統計的に管理された状態」をあらゆる努力の最終到達点と思い込んでいる。例えば、私は実際にコンタミネーション（異物混入）が「統計的に管理された状態」にあるのを見たことがある。その状態での最重要課題は、「統計的に管理された状態」を維持することではなく、コンタミネーションそのものをなくすことだ。

フラストレーションの発生・変容の典型的な過程（図33）

改善活動は熱狂をもって始まる。激励、やる気をかき立てるための集会、ポスター、誓いの言葉といったものがこれに付随する。そして、品質が一種の宗教になる。最終監査における検査の結果によって測定される品質は、当初は劇的に良くなり、月を追うごとに改善されていく。図の点線のように品質が良くなっていくと誰もが期待する。

ところが、成功は徐々に勢いを失い、やがてじんわり停止する。良くてフラット、悪化に

図33　フラストレーションの発生・変容の典型的な過程

はじめのうちは品質が劇的に良くなる。その後、段々と改善がなだらかになって、「安定した状態」に至る。この過程で、品質改善の責任は、徐々にマネジメントに移っていき、ついには、ほぼすべてがマネジメントの責任になる。「明らかに特殊要因である」ものが1つひとつ着実に特定され、取り除かれていくにつれて、品質は「安定」していくが、残念ながら、依然として容認できない水準にある。

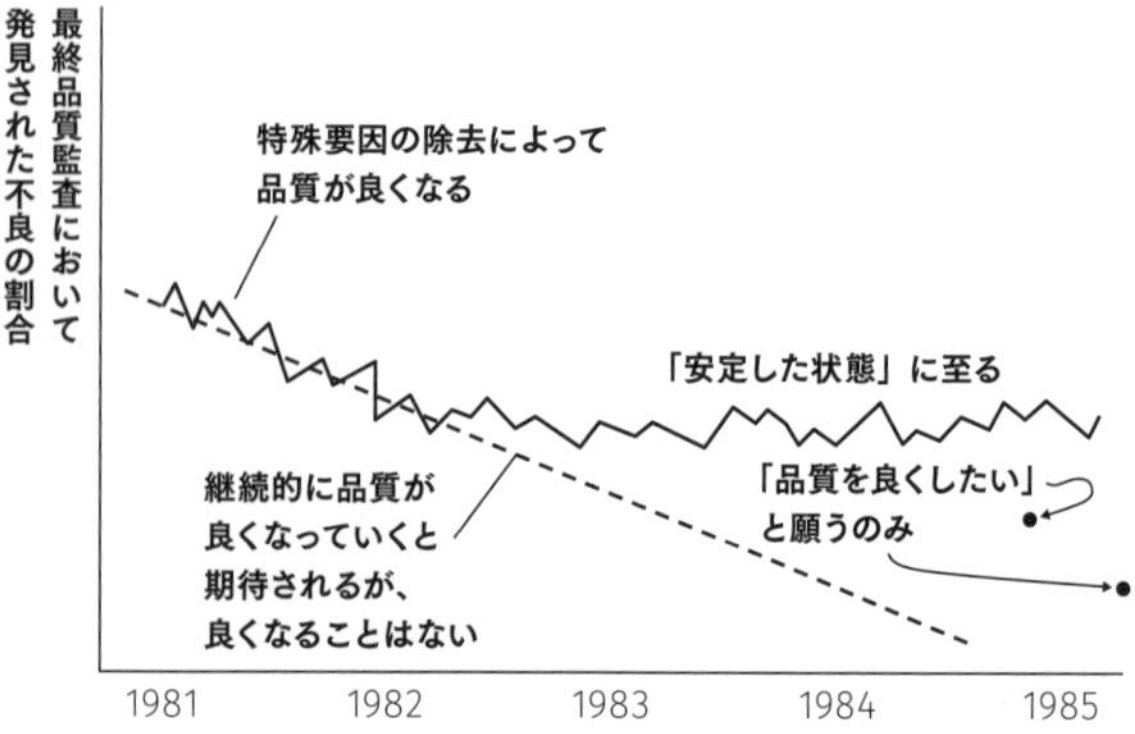

転じることさえある。落胆が入り込んでくる。マネジメントは自ずと悩むようになる。マネジメントは製造の各部門の部門長に頻りに訴え、頼み込んでは難詰し、脅しや嫌がらせまで動員した挙句、果ては祈るが如く懇願するだけとなる。マネジメントは「恐ろしい現実」に直面し、切迫した気持ちだ。実質的な改善が何もなければ、早晩事業からの撤退を余儀なくされるに違いない。

実際、何が起きていたのだろうか？　当初見られた劇的な改善は人々を勇気づけた。この時期の改善は特殊要因の除去から来ている。そうした特殊要因の探知は、言わば常識によるものだ。ここまでのすべては、かなり単純である。だが、目にも明らかな改善の源泉が枯渇するにつれて改善曲線は徐々に平らになっていき、やがて容認できない低い水準で「安定」する。

ぜひとも気づいてほしいのは、マネジメントが主導して、14原則に基づいた実践計画をもって改善活動を始動し、死に至る病と障害物を取り除いていったなら、改善曲線は最初の数カ月に続いて、その後も良くなっていくことだ。2年経っても同じように改善が続くのである。これを知れば実に興味深いと感じるはずだ。違いは活動の健全さである。健全でしっかりした取り組みをしていれば、品質と生産性の改善曲線が平らになることはない。マネジメントがその取り組みを主導している限り、改善はいつまでも続く。

激励やポスターや誓約、華やかなキックオフ大会をもって始まった自分たちの取り組みが行き詰まったと人々が知るまでに大抵2年はかかる。そして気づくのだ——私たちはペテンにかかっていた。

火災が多すぎる?

ある会社が保険会社から通知を受け取った。火災の頻度を大幅に減らさぬ限り、保険契約を解除するという通告だ。月次の火災件数のチャートは「火災を起こす、1つの安定したシステム」の存在を明らかに示している。月当たりの平均火災発生件数は1・2件、上方管理限界は5件/月と計算できる(図34)。この会社は製品をいくつか持っている。その1つが暖房器具だ。暖房器具の生産量は安定している。何カ月も火災が発生しないこともあれば、1件、2件と発生する月もある。上方管理限界は5件/月である。

この会社の社長は不安になって、1万500人の全社員1人ひとりに宛てて手紙を送った。

「お願いです、どうか火災を減らしてください」

保険会社の誰かが図34、あるいはこれに相当する管理図にプロットしていたなら、「火災を

図34　ある大手企業における火災件数の月次推移

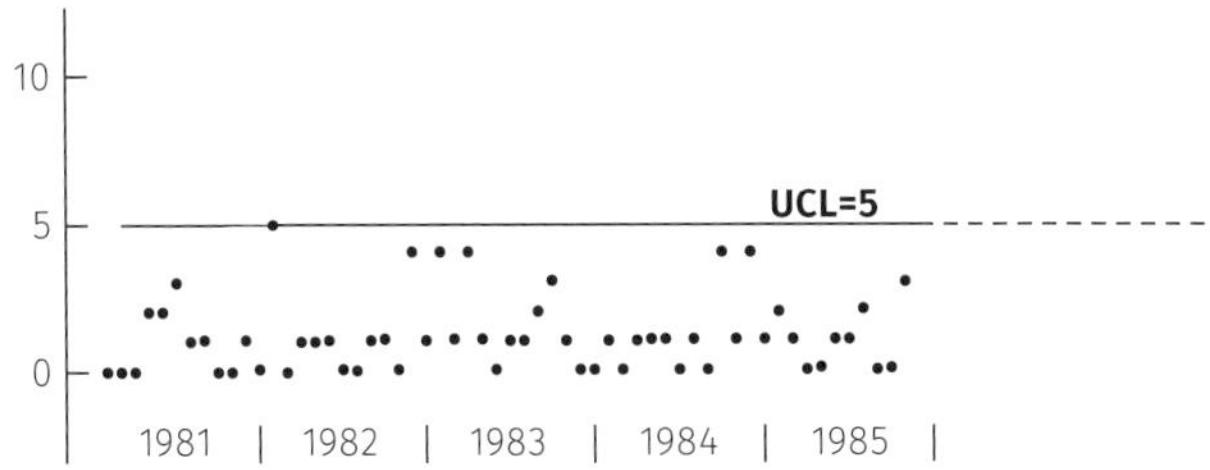

注記：
上方管理限界（UCL）の計算には移動範囲を用いた。
移動範囲の合計　77
移動範囲の数　57
$\bar{R} = 77/57 = 1.35$
$\bar{R}/d_2 = 1.35/1.128 = 1.20$
平均値 $m = 67/58 = 1.16$
$m + 3\bar{R}/d_2 = 4.75$
四捨五入して上方管理限界5を得る。

発生させている当該のシステム」が「安定している」と判ったはずだ。加えて、保険会社たる自分たちが、わずかな利益しか得られないような保険料率を設定していたことがよく分かる。

「火災を発生させている当該のシステム」は、マネジメントが自ら火災頻度を減らす行動を取らない限り、そのまま続いていく。もちろん、保険会社はこの件について専門家の助言を与えることもできたのである。

常習的欠勤は「安定したプロセス」の特徴を示しているだろうか？　そうであるなら、それを減らせるのは、マネジメントによる行動だけだ。「常習的欠勤を生み出す当該のシステム」の外側にいる部門や集団はないか？　そうした集団ないし個人が存在していたとすれば、それは特殊要因であり、個別に研究していく必要がある。

あなたの手元に届くまでの、あるいはあなたの顧客へ届くまでの、配送に要する時間は「安定している」か？　それとも、依然として遅配を引き起こす特殊要因に悩まされているか。「安定している」なら、配送に要する時間をいかにして短縮するか？（４３５ページに続く）

事故はどうか？　売掛金回収までの日数はどうだろう？

社内の部門や集団のうち、全社のデータを基に計算された管理限界から大きくはみ出している集団はないか？

ある紡績工場での困りごと

紡績工場で紡錘（スピンドル）が1つ止まる。原因は紡錘の機械的不具合か、あるいは糸か。マネジャーは不具合の記録をこれまでずっと取ってきて、保全の人々に「前の週に最も長く止まった紡錘に対策を集中せよ」と指示してきた。これはよくある間違いだ。本書のそこかしこで見てきた通り、保全の専門員のスキルと工数の無駄遣いに他ならない。

　管理限界を外れた紡錘はないかを探知するのに役立つ上方／下方管理限界を

$$\bar{r} \pm 3\sqrt{\bar{r}}$$

とすることもできたと思うが、そうはしていない。ここで$\bar{r}$は紡錘1個当たり・月当たりの平均停止回数だ。ここでは紡錘の停止を独立事象と仮定している。独立事象とは、1つの紡錘が一度止まったとして、それが同じ紡錘の次の停止を引き起こすことはなく、別の紡錘の停止にも、何ら影響を与えないということだ。紡錘が1つ止まったからといって、どこか他の場所の紡錘が止まる確率が小さくなることもない。

　上方管理限界を超えた紡錘は、1つの問いを提起する。その紡錘だけが特殊な使われ方であったのかもしれないし、至急修理する必要があるほど劣化しているのかもしれない。下方管理限界を下回った紡錘は、極めて優れた紡錘なのか、特殊な使われ方であったのか。管理限界の範囲内に収まっている紡錘は普通の紡錘であり、順次定期保守をやっていけばよい。

航空機のために定められた以下の整備のルールにも同様の間違いがある。読者の皆さんはお気づきだろうか。

①警告レベルは当該産業に一般的に適用される方法を用いて定められる。詳細は（英国）民間航空局発行資料（ＣＡＰ）４１８及び米連邦航空局（ＦＡＡ）整備方式審査会回状（ＭＲＢＣ）１９７１を参照されたい。

②この方法は、直近12期間以上にわたる着陸１０００回当たりの実際の取り卸し率の平均値を計算し、２×標準偏差を加えることを要求する。

③標準偏差は統計的パラメータで、平均値に対する「ばらつき」の大きさを表わす。

④3期間の警告レートは直近四半期の着陸１０００回当たりの取り卸し率を用いて計算される。

最初のステップをうまく踏み出したいなら、計算を始める前にまず、週次のランチャートのような形でデータをプロットすることだ。「故障するまでの時間」の推移といった大雑把な手法でも、コンポーネントの故障に関するパターンを明らかにし、役立つ情報を得られる可能性がある。

漏斗《じょうご》を用いたモンテカルロ法の実験*7

望ましくない結果が1つ出たからといっては、それを埋め合わせようとして「安定したプロセス」を弄《いじ》り、あるいはまた、ものすごく良い結果が1つ出たからといっては、それを再現させようと「安定したプロセス」を弄ったりすると、その「調整」の後に続く結果は、当該プロセスに何も手を加えずそのままにしておいた場合よりも悪くなる（ウィリアム・J・ラッコ）。

よくある例の1つが、不良品1個、顧客からの苦情1件に対して、いちいち対策を取って

漏斗を用いたモンテカルロ法の実験

■用意するもの

1. 漏斗
2. ビー玉1個（おはじきでも可）、漏斗を通って落ちるサイズのもの
3. テーブル
4. 漏斗を支えるホルダー付きの漏斗台

※ 図35を一目見れば、お分かりいただけると思う

■手順

1. テーブル上に「ターゲット」の点を書く
2. 漏斗を通してビー玉を落とす
3. ビー玉が止まった地点に印をつける
4. 再び漏斗を通してビー玉を落とし、ビー玉が止まった地点に印をつける
5. 同様に、ビー玉を50回落とすまで繰り返す

しまうことだ。将来のアウトプットを良くするためにその人が努力した結果（当人にしてみれば、自分なりにベストを尽くしただけであったと思うが）、アウトプットの「ばらつき」が倍増する。悪くすると、「そのシステム」の崩壊を招いてしまうことさえある。改善のために求められるのは「そのシステム」における根源的な変化であって、無闇に弄ることではない。

漏斗を用いた以下の実験の目的は、「調整のやり過ぎ」から生じる信じがたいほど大きな損失を、目の前で実際に見せることだ。この実験に必要なのは、どの家の台所にもある、手に入れやすい物だけだ。

※上記の結果についての詳細は原注8の文献を参照されたい。*8

図35　漏斗を通したビー玉落としの記録

密集を避けるため遠い点だけを載せている

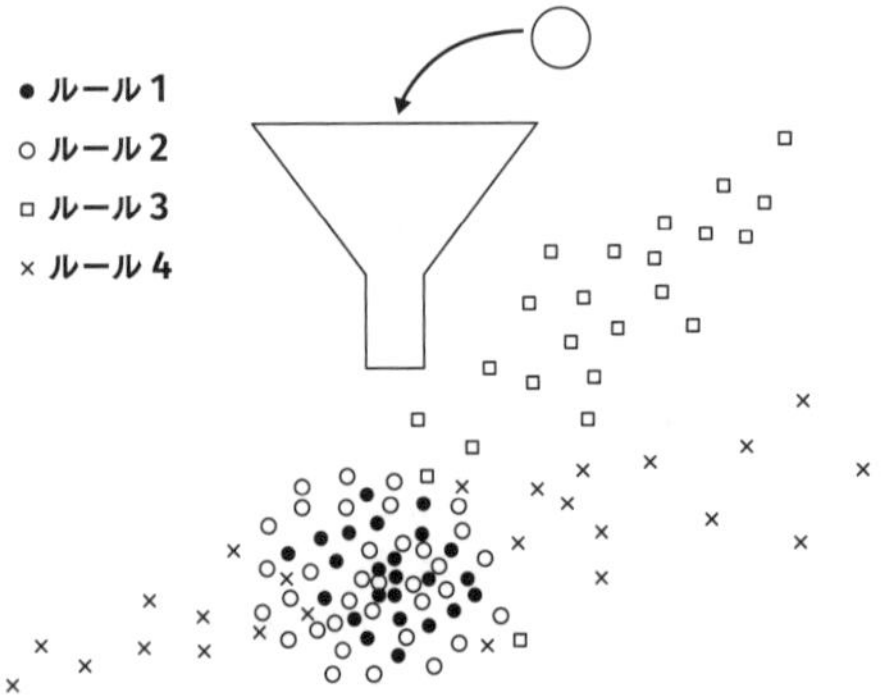

■調整のルール

手順4以降のビー玉落としに進む前に、あなたは調整のためのルールを1つ選んでおく。

人は頭の中で次の4つのルールを考えるものだ。

◆ルール1

漏斗を固定したままターゲットを狙う。調整なし。

◆ルール2

k回目にビー玉を落とすと、点z_kで止まるものとする（k=1,2,3…）。ここで、z_kはターゲットからの距離を測定した値（換言すれば、z_kはk回目のビー玉落としの「エラー」を数値化したもの）。

漏斗を直前の位置から$-z_k$動かす。

「メモリー1」として、この位置を記録しておく。

◆ルール3

漏斗をターゲットからの距離$-z_k$の位置に置く。

「メモリー」はなし。

◆ルール4

毎回、漏斗を点z_kの真上に置く。ここで、点z_kは、直前にビー玉が止まった位置である。

「メモリー」はなし。

ルール2とルール3は、オペレータが自身のベストを尽くして自分のマシンを調整し、直前の失敗を埋め合わせようとするのを実験でなぞるものだ。

■結果

◆ルール1の結果

断然ベストチョイスである。ルール1は「安定した」点の分布を生み出す。ターゲットからの距離のばらつきも最小だ。

◆ルール2の結果

ルール2は「安定した」結果を与えるが、ルール2の下では、ターゲットからの距離の期待されるばらつきはルール1の倍になる。

◆ルール3の結果

当該システムは崩壊する。ビー玉の停止位置は毎回ターゲットとは逆の方向へ向かって、何らかの対称形を形成しながら、遠ざかっていく。

◆ルール4の結果

当該システムは崩壊する。ビー玉の停止位置は毎回ターゲットから1つの方向に向かって遠ざかっていく。

ルール3とルール4の結果は「安定していない」。当該システムは崩壊する。

ルール4はランダムウォークになる。ルール4に従って落としていくビー玉の停止位置の軌跡は、家に帰ろうとしてふらふら歩く酔っ払いに似ている。ただ漠として次の一歩を踏み出すのみ。どちらが北かもわかっていない。メモリー(記憶)もないから、どの方向にでも次の一歩を踏み出す。当人の努力は、ふらふらとした歩みによって、自分自身をターゲットから次第に遠ざけていく。

ルール4は、毎回、直前に作ったものと同じように作ることによって均一性を達成すべく頑張っているオペレータに相当する。そして、当該システムは崩壊する。

ルール4の例をもう1つ挙げるなら、原本の良品材料見本を参照することなく、次々と納入されてくるバッチの色を直前に納入されたバッチの色と照合するだけでモノを受け入れている検査員が典型的なケースだ(アイバー・S・フランシスによる)。

ルール4の例のなかには、ぞっとするような酷いものもある。それは、ある仕事に就いている人が新人ワーカーを訓練する際に起きる。この新人ワーカーは、数日後には別の新人ワーカーの訓練を手伝う準備ができていると見做される。教えられる仕事のやり方は、際限なく劣化していく。誰がそれを知るだろう？

ルール2とルール3を適用した例は既に本書で見てきた。この後にもさらに事例が登場する。

読者の皆さんには、ご自身の会社や組織のなかでルール2、ルール3、ルール4のようなことをやっていないかと探し、そこから生じている損失の一覧を作り、損失がいくらになるかを推計してみることをお勧めしたい。いい練習になるはずだ。

ここに示した実験は2次元で記述されている（ビー玉の停止位置 点z_kは2次元で表わされる）。1次元でも簡単に実行できる。平面上に1本の進路（トラック）を描いて、ビー玉がトラック内に収まったまま転がっていくように、壁で境を作るだけでよい。

この実験や（後述の）赤ビーズの実験から導出される理論・検証・応用は、統計学を研究していく上で、ワクワクする「学び始め」になるはずだ。

短評1

第Ⅰ巻294ページで見たように、測定値や品質特性を仕様の範囲内に収め続けたいという意図をもって機械的・電気的なフィードバックを与えると実際には「調整のやり過ぎ」になってしまうことがあり、フィードバック後の諸々の段階（当該製造工程や測定、さらには後続の工程）において損失を引き起こす。つまり、「調整のやり過ぎ」はコストを上げる。そのプロセスを良くする上で、何の役にも立たない。

短評2

筆者のセミナーの参加者が次のような意見を述べた。「私の息子は潜水艦の乗組員です。朝一番で攻撃目標に対する発射訓練を実施した後、誤差修正のために照準器を調整するのが慣わしになっているそうです。いまわかったのですが、この調整作業は、その日の残りの（朝一番で照準器を調整した後の）パフォーマンスが、照準器をそのままにしておいた場合よりも悪くなるのを保証しているも同然、ということですね」。彼は正しい――まさに「ご明察通り」。

短評3

測定値の「ばらつき」が気になる度に測定機器を標準器に合うよう調整（較正）するのは、ほぼ常に「調整のやり過ぎ」であり、その測定機器が本来備えている正確性を奪ってしまう。調整にはルールが必要だ。２つの測定システム（標準器と検査に使う測定機器）の両方ともが、統計的に管理された状態にあることが欠かせない。しかる後に、工学と経済性に基づいて、調整すべきか否かを決めるのだ。

例1

自動車用キャブレターのメーカーが２種類の検査をしている。検査Ａは不燃ガスを用いた安価な方法で、キャブレターの全数を検査するのに使う。検査Ｂは可燃ガスを用いる高価な検査方法であり、１ロット当たりサンプルとして10個を抽出して行う抜き取り検査に使う（10個のサンプルの抽出方法についての指示はない）。

そこで、サンプルとして取り出した10個のキャブレターのすべてを、1つひとつ、2種類の検査方法で検査した。

■ルール

- ロット当たり10個のキャブレターに対して行った2種類の検査の結果の平均値 $\bar{A}$、$\bar{B}$を計算する
- 3ロット連続して$\bar{A}$が$\bar{B}$を下回ったら、検査方法*A*を検査方法*B*に合うように調整してから引き続き検査を行う
- 3ロット連続して$\bar{A}$が$\bar{B}$を上回ったら、同様の調整を行い、検査を続行する

■このルールの何がいけないのか

- 検査方法*A*は、検査方法*B*の測定値の近傍でランダムにばらつく結果を与えると仮定する
- このとき、3ロット連続で検査した結果のうち、4分の1は$\bar{A} < \bar{B}$を示し、4分の1は$\bar{A} > \bar{B}$を示すはずだ
- つまり、上記のルールは闇雲な「調整のやり過ぎ」に繋がってしまう
- この代償は高くつく。2種類の検査方法の間の不一致の大きさを人為的に増大させることによって、余計にコストをかけている
- さらに拙いことに、このルールに従うなら、いずれの検査方法をも「統計的に管理された状態」に持ち込むことはできないし、両者の差異を安定した状態に至らしめることもできない

■もっと良いやり方がある

2種の検査方法を比較するなら、もっとずっと良いやり方がある。その検査が（長さや重さのように）測定値を与えるものであるなら、図50（363ページ）が示唆するように、2種類の検査の結果をプロットしていけばよいのだ

例2

自動車メーカーのスタッフ部門の仕事の1つに月次販売予測（フォーキャスト）の策定がある。担当者達はさまざまな情報を織り込んで予測を立てる。販売実績と比較すれば、月によって予測が過小であった、あるいは過大であったとわかる。翌月の予測を立てる手順は、これまで「販売実績とのこうした比較に基づいて予測のやり方を上下に調整すべし」というものであった。読者はお気づきであろうが、この人たちは、自分たちのやり方が決してよくならないのを保証しているも同然だ。

測定機器とゲージが「統計的に管理された状態」にあることは必須

42ページで見たように、1つの測定記録は、原材料に始まるオペレーション（作業）の長い連鎖の「生産物」である。この連鎖の中で生産物（検査記録）が出来上がっていくうちには複数の測定の作業があり、その測定結果を記録する作業もある。本書で何度も強調してきた通り、個々の測定プロセスが「統計的に管理された状態」にあることは必須だ。さもなければ、意味のある測定値を得られない。

この測定機で来週100個測定したら、今日と同じ結果を与えるだろうか？　オペレータを変えたらどうなるか？　このテーマは第8章の「良い監督のあり方」についての部分で既に論じたが、第15章でも検査のコストとの関連で改めて触れる。

さらに研究したい読者はハリー・クーの著書やウェスタン・エレクトリック社による優れた書籍の「パートB」（84ページ以降）を参照されたい。両書ともに本章末尾の文献リストのなかにある。精度とバイアス（統計上の処理から生じる歪み）に関するASTM規格177は読者の役に立つはずだ（ASTMは全米材料試験協会の略称。フィラデルフィア州）。

測定機器の使用に関するもう1つのポイントは、その機器に本来の仕事をさせる機会を与えることの重要性である。友人ロイド・S・ネルソンが提供してくれた例を1つ紹介しよう。粘度を測定するためにラボに持ち込まれた液体サンプルがあった。サンプルはすぐに劣化する。液体サンプルを採取しているところに測定機器を置いたなら、結果は違ったものになるはずだ。サンプル採取された材料の性質について、より多くのことを教えてくれたであろうに、惜しいことだ。

測定機器が誤ったシグナルを発する

「統計的に管理された状態」にない測定機器は誤ったシグナルを発することがある。特殊要因が存在していないのに、存在すると伝えてくるのだ。逆に、特殊要因が存在しているのに、その存在を検出できないこともある。測定機器は、「統計的に管理された状態」にあるか否かに関わりなく、当該の目的に十分適う精度を備えていないなら、いずれ必ず誤ったシグナルを発するものなのである。したがって、測定機器の精度と、それらの機器が統計的に管理された状態にあるか否かの両方を注視していくことの重要性を理解しておきたい（ウィリアム・W・シェルケンバッハ、フォード・モーター社）。

ジェフリー・T・ルフティグに教えてもらった話である。そこでは2つのフレアの間の距離を1回しか測定していなかった。私（ルフティグ）が8回測定するように頼むと、やってくれた。8回の測定結果は仕様の許容範囲の4倍であった。

私（ルフティグ）は「どの部品がトラブルを引き起こしていたのか」というような結論付けを受け容れることもできたが、その前に、当該測定システムについてもっと知らねばならないと思った。マネジャーは「測定システムに何か悪いところがあるなんて、そんなことはあり得ません」と私に請け合った。「僕（そのマネジャー）がこの測定システムのすべてを自分で開発したのですから」

管理限界は仕様の範囲とは違う

ひとたび統計的に管理された適切な状態を達成した後は、「そのプロセスの何たるか」「そのプロセスは明日、いかなる動きをするか」ということを管理限界が教えてくれる。管理図はそれをわれわれに語りかける過程（プロセス）である。*9

統計的に管理された状態にある品質特性の分布は日次でも週次でも安定しており、予測可能だ。出来高もコストも予測できる。これを達成して初めて「かんばん方式」であるとかジャストインタイム納入といったことを考え始めることが可能になるのだ。

さらには、ウィリアム・E・コンウェイ（ナシュア・コーポレーション）が指摘した通り、エンジニアもケミスト（化学の専門家）も、統計的に管理された状態にあるプロセスを観察してこそ、当該プロセス自体の改善に向かって革新的・創造的になれる。そして彼らは、さらなる改善は自分たち次第だという事実を実感することができる（第1章を参照）。

統計的手法を欠いたままでは、プロセスを改善する取り組みは運次第、大抵は事態を悪化させる結果が付いてくる。

あるセミナーでの参加者からの質問

「仕様への適合」と「統計的プロセス管理

（SPC）」の違いについて、詳しく説明してください。私の会社のマネジメントは「仕様への適合」だけで十分だと感じているようです。

質問への答え　生産において狙うべきは、統計的に管理された状態の実現ではなく、ばらつきを小さくすることです。ばらつきが減ればコストは下がります。単に仕様に合うだけでは十分ではないのです。

さらに、そのプロセスが統計的に管理された状態に至らない限り、仕様に適合させ続けることができるか否かを知る方法はありません。特殊要因が特定され、取り除かれるまで（少なくとも、これまでに出現したことのある特殊要因のすべてが一掃されるまで）、当該プロセスが次の1時間で何を生み出すかを予測することは誰にもできません。検査に頼ることは（唯一の代替手段ですが）非常に危険である上に、高くつきます。あなたのプロセスは、いまはうまくいっているとしても、今日の午後には仕様から外れたものをつくってしまうかもしれないのです。

あなたの会社のマネジメントによる想定のせいで生じている損失の数字はどこにあるでしょうか？　マネジメントはやろうと思えばその数字をつかむことができるは

ずですが、大抵は知ろうともしません。

仕様の範囲はアクション・リミットではありません。実際、仕様に適合させるためにプロセスがあれやこれやと調整され続けると、深刻な損失が生じます（第3章の「仕様に合致すれば十分であるという前提」と「無欠陥（Zero Defect）という名の勘違い」の項を参照）。

奇妙と感じるかもしれませんが、プロセスが統計的に管理された状態にあっても、10％の不良をつくることがあります。100％不良ということさえあるのです。

管理限界は確率を与えない

管理図のどこに管理限界を設定すべきかを示す計算は確率論を基盤としている。そうであるにもかかわらず、特殊要因を探知したという統計的なシグナルが間違っている可能性、あるいは、特殊要因が存在するのに管理図がシグナルを出せない可能性に対して、特定の数字を持ってきて確率として示すのは間違っている。なぜなら、乱数を使って人為的にやって見せるなら話は別だが、現実の世界では安定していて、ゆらぎが一切ないプロセスというものは存在しないからである。

確かに、統計的品質管理に関する書籍でも、管理図を教えるための教材の多くでも、正規曲線と面積比の図を使って説明している。だが、そうした数表と図はミスリーディングであり、管理図の効果的な研究と活用のためにはかえって邪魔になる。

特殊要因を検知し、それに対して行動をとりなさいというルールは、当該システムが安定しているという仮説を検証するものではない。

仕様についてさらに論じる[*10]

ある製品の仕様に対して定められた上限と下限は、生産のワーカーにとって、それ自体が既にコストを上げる、満足できない指針なのだ。ここで、外径が1・001cmと1・002cmの間に収まるようにしなさい、という仕様の範囲が課せられていたとして、それは生産のワーカーに「外径1・0012cmは仕様に適合する」と伝えはするが、不良を減らして生産量を増やしたいワーカーにとって、仕様の範囲そのものは何の助けにもならない。統計的手法の助けがあれば、彼（ワーカー）はより少ない労力で品質と生産性を両方共に良くすることができる。

それゆえ、生産ワーカーの職務記述書は、ベストな経済性を実現するために、ワーカーが自らの仕事を統計的に管理された状態に到達させるのを助けるものでなくてはならない。彼（ワーカー）の仕事はそこで終わらない。さらに進んで、自身の品質特性の分布を経済的な水準に至らしめるとともに、継続的にばらつきを減らしていくことだ。

こうしたシステムの下でこそ、そのワーカーの仕事が常に仕様に適うようになるのだ。やがて彼の仕事は実際に仕様を超えてさらに良くなり、後続工程のコストを減らし、最終製品の品質をますます良くすることになる。統計的に管理された状態にあるのにアウトプットが期待に合致しないワーカーがいるなら、配置換えをして別の仕事の訓練を受けさせるのも一案だ（第8章を参照）。

共通要因のリスト（例）――ばらつきを引き起こし、悪い影響を広げ、システムを低水準で安定させてしまう共通要因の除去はマネジメントの責務

（読者はご自身の工場や環境に合わせて適宜共通要因の例を追加されたい）

- 製品やサービスの設計の拙さ
- 「良い仕事をする権利」と「自分の仕事に誇りを持つ権利」を時間給で働くワーカ

ーから奪っている障害物を取り除くことに失敗している

●指示の拙さ、監督の仕方の拙さ（フォアマン〈第一線監督者〉と生産ワーカーとの間の、職場の人間関係が残念ながら良くないということと、ほぼ同じ意味である）

●共通要因の悪影響を正しく評価できず、それゆえ取り除くこともできていない

●統計的な表現を用いて生産のワーカーに情報を与えていない。統計的な表現を用いた情報（管理図）は、ワーカーが自分の仕事のパフォーマンスを自ら向上させ、製品のばらつきを減らすことができる場所（改善の可能性があるところ）がどこにあるかを彼らに見せてくれるというのに、誠に残念である

●要件に合致していない材料や部品が納入されてくる

最近経験したケースだが、ある製品で、皮革の3枚に1枚が、製品設計が意図したようにはプラスチックに貼り付けられないということがあった。やがてそのトラブルは皮革に含まれる油が多すぎたからだと判明する。皮革の仕様を変更すると、この問題はなくなった。これは「システム」に1つのシンプルな変化を持ち込んだということだ（ちょうどよい頃合いであったのか、あるいは偶然かもしれないが、このマネジャーは「私がこ

の仕様変更を実行したところ、離職率が激減したのです」と言い切った）。

●要件に合っていない作業手順
●故障して動かない設備
●要件に合っていない設備
●設備の設置や設定、保守が慢性的に不適切（設備導入・保守に責任を負うべき人がしかるべく仕事をやっていないという過ち）
●不十分な照明
●振動
●当該プロセスに合わない湿度
●複数の生産ラインでつくった製品を混ぜて、同じものとして扱っている。生産ラインごとに層別すれば「ばらつき」は小さいのだが、生産ラインによってその水準が違っている（例えば、ある品質特性の平均値が生産ラインごとに明らかに違う水準にあるなど）
●不快な職場環境。例えば、騒音、混乱（ドタバタ）、余計な汚れ、モノの荷扱い・取り扱いが雑、極端に暑かったり寒かったりする、換気が悪い、カフェテリアの食事

が不味い、など

●マネジメントが強調するものが、生産量から品質へシフトしたかと思うと、すぐに元に戻る。本当に品質を良くするにはどうすべきかをマネジメントが理解しないいま、方針が質と量の間を行ったり来たりする

もう1つの共通要因は、マネジメントが「否応なく手元に届いてしまう不良」の問題に正面から取り組んでいないことだ。前工程がつくった不良品や不良のサブアセンブリが自工程に届くと、人々のやる気を挫く。1つの会社の中でもこれは起こるし、会社の外から流れ着く不良品もあるが、いずれも同じだ。そのオペレータが自分の仕事をどれほど立派にやり遂げようが、その製品は最終的に不良になってしまうのである。生産ラインの中のどこかの工程で不良がつくられ、次工程に流出するのを放置していたら、下流へ進めば進むほど影響は大きくなる。そうして、人々の心を蝕んでいくのだ（この点については、第8章で詳しく論じた）。

管理図の基本的な使い方——用途は2つ

①判定のために使う

「当該プロセスが統計的に管理された状態にあった（過去形）か否か」を見極めなければならない。[*11] そこで管理図をよく見れば、その製品のバッチをつくったプロセスが統計的に管理された状態にあったか否かが判る。統計的に管理された状態にあったなら、われわれは管理図にプロットされた品質特性について、製品1個1個の当該品質特性がどのような分布を成しているかを知ることができる。第12章の図42はその一例である。

②（いまやっている仕事の中で）為すべき1つの作業として使う

管理図は、まさに生産しているそのとき、その場所で、そして、生産している間ずっと、統計的に管理された状態を獲得し、維持するために使ってこそ、役に立つ。ここで、当該プロセスが統計的に管理された状態（あるいはそれに近い状態、特殊要因がごく稀に生じる程度の状態）に既に持ち込まれているとする。このとき、われわれは管理図（例えば$\bar{x}R$チャート）上の管理限界を未来に延長することができる。そして、さらに続けて、引き続き30分に1回とか、1時間に1回、点をプロットしていくのだ。プロットされる点の位置は上に行ったり下に行ったりしながら動いていくが、点の動きが工具の劣化等による連続した傾向を見せたり（これを一般に「連」と呼ぶ）、1つの点が管理限界の外に出てしまったりしない限り、実際に点をプロットしているワーカー（そのプロセスで作業を実際にやっている人）は個々の点の動きを特に気にしないものとする。

「ばらつき」を引き起こす特殊要因を取り除き、統計的に管理された状態に向かっていくのはもとより大切なことではあるが、それは当該プロセス自体の改善ではない。特殊要因の除去は、そのシステムを、本来あるべき状態に戻すことでしかないのだ（ジュラン博士の講義からの引用）。何度でも言おう。ジュラン博士が述べた通り、真の改善は統計的に管理された状態に到達したときに始まる。

しかる後にエンジニアによる継続的なシステム改善が本格的に実践されていく。システムの改善は、ある意味でシンプルだ。不良をつくってしまうリスクを減らすために、管理図の水準（例えば平均値）が上がるように、あるいは下がるように、また「ばらつき」の範囲が小さくなるように、何らかの「調整」を行うということなのだから。

その一方で、改善は難しく、複雑である。例えば特定の材料の使用量を減らして管理限界の幅を小さくしたいと思えば、相応の工夫と努力が要る（第1章を参照）。

作業しながらプロットしていく管理図へのアドバイス（「インプロセスコントロール」へ）

生産ワーカーが管理図にプロットするのに必要なのは単純な算数の知識だけだ。しかし彼は「これから自分の仕事に管理図を使用します」と自分で決めることはできないし、「管理図を使いましょう」と組織に働きかけるのはさらに難しい。

実際の作業をするなかで管理図にプロットし、活用していくことを働く人たちに教えるのは、マネジメントの責任だ。進行中の作業のなかで使ってこそ、管理図は効果を発揮する。しかしながら、第2章で見た通り、「時間給で働くワーカーが自ら管理図にプロットし、活用していく」というアイデアは、その人が「自分の仕事に誇りを持つ権利を奪い去っている障害物」に苦しめられていない場合に限って実効性を持ち得るのである（マネジメントの責任）。

グループのメンバー1人ひとりがそれぞれ自分の管理図を持って、プロットしていくようにすると、時に非常に役立つ。点が管理限界の外に出たのを見たワーカーは、大抵の場合、即座に特殊要因を特定し、取り除くことができる。個人別の管理図を見ることができるのは、当人が公表すると決めない限り、当人とフォアマン（第一線監督者）だけである。

グループごとの不良率の管理図は、特殊要因が生じたら即座にその存在をはっきりと伝えてくれるから、大抵は誰にとっても助けになる。

目的を欠いた管理図の増殖は避けなければならない。名古屋近くのある工場を筆者が訪れたとき、日次の$\bar{x}$–R管理図が２４１枚あった。すべての管理図が2カ月に1回レビューを受ける。レビューの結果、追加される管理図もあれば、目的を達成して一旦廃止される管理図もある。また必要になったら復活させるという。

プロセスの能力

プロセスが統計的に管理された状態に持ち込まれて初めて、そのプロセスの能力を定義できるようになる。それ（プロセスの能力）は、$\bar{x}$–R管理図の上に、長い期間にわたって安定した、満足のいくパフォーマンスを描き出す。そのプロセスがどのような仕様に適い得るかということも予測できるようになる。

「そのプロセスがどのような仕様に適い得るか」を記述する単純な方法は、$\bar{x}$管理図上の平均値$\bar{x}$からの差異を使って標準偏差σを計算し、xに対する管理限界の幅を算出することだ。後述の図36をご覧いただきたい。そのプロセスが製造・測定する製品や部品１つひとつの「ばらつき」の範囲を推定することも可能であり、$6\bar{R}/d_2$に等しい。

d_2はサンプルサイズnによって決まる数値であり、統計的品質管理の書籍ならどの本にも載っている。d_2は範囲Rの分布から算出できる。[*12] 近似値として、[*13] d_2はn=10までの間において$\sqrt{n}$にほぼ等しい。

したがって、統計的に管理された状態においてR管理図がプロセス能力を教えてくれるというのは本当だ。

$\bar{x}$−R管理図を使ってプロセス能力を計算する時によくある間違いの1つは、「範囲はランダム性を示さねばならない」ということと、「ある点における『範囲』は、必ず、$\bar{x}$管理図にプロットしたときに観察したものを用いなければならず、他のどんなソースから持ってきてもいけない」ということを理解していないことだ。

プロセスの能力に関しては、誤った慣行が多くある。キャリパスのような機器を使う測定において、8個、20個、50個、１００個といった具合に測定対象物の数を決め、その測定値の標準偏差を6倍した値を「プロセスの能力」とするのは完全な誤りだ。

最初のステップは、ランチャート（第1章を参照）または$\bar{x}$−R管理図によるデータの検証である。データの検証とは、当該の生産プロセスと測定システムが統計的に管理された状態にあるか否かを見極めることだ。統計的に管理された状態にあるなら、そのプロセスの能力は$\bar{x}-R$管理図から明らかになる。統計的に管理された状態にない時は、「プロセスの能力」は存在しない。

「安定している」即ち「統計的に管理された状態」にあることの優位性

統計的に管理された状態にある安定したプロセスは、安定していないプロセスに比べて多くのアドバンテージを与えてくれる。その優位性を以下に示す。

①当該プロセスは1つのアイデンティティを持ち（諸特性の同一性が非常に高い）、そのパフォーマンスを予測することができる。先の節で見た通り、当該プロセスが測定可能で互いに伝え合うことができる「能力」を持つということだ。生産量とその変動の範囲、さらには、不良があるとすればその件数を含む諸々の品質特性は、時間単位で見ても日次で見ても、ほぼ一定のまま推移する。

②コストは予測可能である。

③アウトプットがほぼ一定というのは、統計的管理状態の重要な副産物だ。「部品の納

入を『かんばん方式』にしましょう」というアイデアも、システム全体が統計的に管理された状態にあってこそ、しかるべく実行することができるのだ（ウィリアム・W・シェルケンバッハ）。

④このシステムの下で、生産性は最大（コストは最小）になる。

⑤統計的に管理された状態の原材料・部品のベンダーとの関係は非常にシンプルになる。品質が良くなるにつれて、コストが下がる。

⑥システム自体に変化を起こすこと（これはマネジメントの責任）の影響は、スピードと信頼性が格段に良くなることによって測定され得る。そのシステムが統計的に管理された状態になければ、1つひとつの変化の影響を測るのは困難だ。より正確に言うなら、統計的に管理された状態にないのなら、確かにその変化のせいで生じたと特定できるのは、壊滅的な影響だけだ。

⑦第14章で論じる「全か無の法則（悉無律）」は、納入されてくる部品や材料についてトータルコスト最小化を狙って適用するものだが、統計的に管理された状態にあるプロセス（ベンダーにおけるプロセス）で生産・検査されたものが納入されてきてこそ、トータルコストを最小化できるのである。

試験を行う複数のラボの間での相互検証

(測定機器・ゲージが統計的に管理された状態にあることと密接に関連づけて)

この活動は売り手と買い手の双方にとって重要だ。これを欠いては、調達したものに対して買い手が払い過ぎているか、売り手が受け取るお金が少なすぎるか、いずれかになる。両者とも公正な取引をする権利があるのだ。この活動はまた、複数の工場で同一の製品、あるいはほぼ同じ製品をつくっている1つの会社の中でも重要である。

統計的管理状態の判定のために管理図を使う、もう1つの例

既に第1章に複数の例が登場したが、ここでもう1つ、別の例を考察する。通信販売の大きな会社でのことだ。ある役員が「コストが高い」という問題に悩んでいた。彼はデータも持っている。30分ごとの出荷件数(注文に応じて出荷した件数)を示すデータだ。30分のタイムスロットの4期間分(つまり2時間分)ごとにプロットしたのが図36に示す、$n=4$ の $\bar{x}-R$ 管理図である。

この役員は、出荷件数に対する管理限界の幅を見て、「管理限界の幅が広すぎます。もっと『ばらつき』を小さくしたい」と言う。筆者は「そうですか。では、あなたはどうやってそれを実現したいと思いますか?」と問うた。彼は「新しい管理限界の線を、もっと狭くなるよ

うに引けばいいのではないでしょうか」と答える。ここで彼にきちんと指摘するのは筆者の義務だ。言わなければならない。

管理限界は単に「そのプロセスがいかなるものか」をあなたに教えてくれるだけだ。「あなたが『かくあってほしい』と願う姿」を伝えるものではない。この先どれくらい「ばらつき」を減らせるかは、ひとえにあなたにかかっている。あなたは、「ばらつき」をよく見て、可能性のある共通要因を調べて特定し、除去しなければならない。そうした取り組みのなかで1つずつ着実に（システム自体に変化を起こすことを）やり遂げれば、必ずや生産性を上げることができ、結果的に管理限界の幅が小さくなって、あなたが見たいと願っているものを見せてくれる。

やがて、大きな「ばらつき」の原因が判明した。実に単純な話であった。注文の入り具合がばらついていたのだ。注文がなくて何もすることがない時もあれば、もの凄く忙しい時もある。マネジメントが注残を均したところ（ある一定の期間の注文を「平準化」して出荷指示を出すように変えた）、アウトプットは増え、ミスは減った。顧客を含めた全員が、それまでよりもハッピーになった。

大きな利得の1つは、遅延やミスに関する顧客からの苦情が激減したことだ。それま

図36　「注文に応じて出荷した件数」の$\bar{x}$－R管理図

件数は30毎に記録されている。プロットされた各点は、30分のタイムスロット4期間分（2時間分）の記録から来ている。ここで、$\bar{x}$は4期間の平均値、Rはその4つの数値の範囲である。管理限界の計算は下記の一般的な数式に従う。

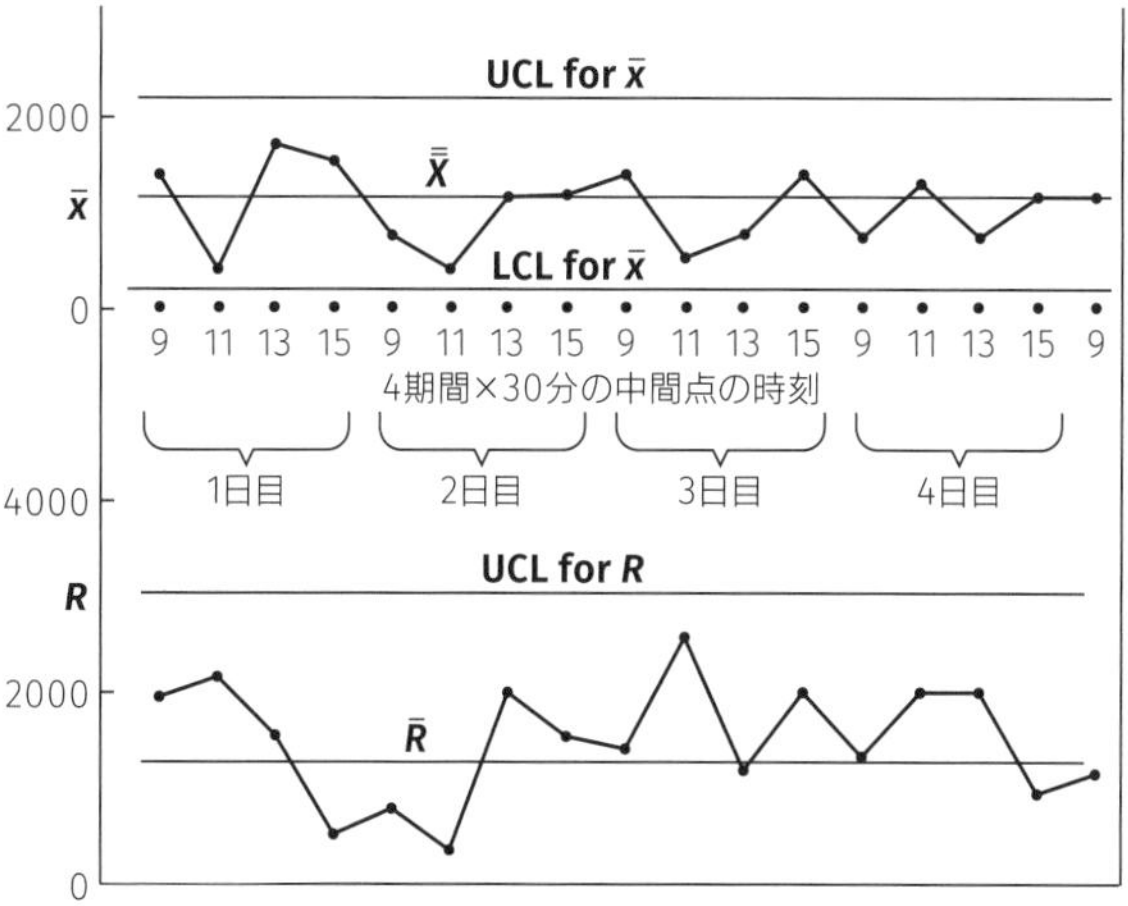

$\bar{x} = 1200$,　　$\bar{R} = 1372$

$\bar{x}$に対して

$$\left.\begin{matrix}UCL\\LCL\end{matrix}\right\} = \bar{x} \pm A_2\bar{R} = 1200 \pm 0.729 \times 1372 = \left\{\begin{matrix}2200\\200\end{matrix}\right.$$

Rに対して

$$UCL = D_4\bar{R} = 2.282 \times 1372 = 3131$$

$$LCL = D_3\bar{R} = 0$$

ここで、定数の値は以下の通り

$A_2 = 0.729$

$D_3 = 0$

$D_4 = 2.282$

統計的品質管理の標準的な教科書に載っている表から引用

では、5人の女性社員が遅れやミスを顧客に説明するために働いていた。現在、苦情の電話に応対しているのは1人だけだ。しかも、勤務時間のうち半分は別の仕事を担当している。顧客満足の向上が自然に後から付いてきたのである。並行して得られたもう1つの利得は、現有設備のままで、生産性が劇的によくなったことだ。以前より「頑張って」働いている人は誰もいない。より賢く働くようになっただけだ。

品質を良くして在庫を減らす

図37は、「仕掛品」の月次推移である。購入部品のうち、使う準備ができたもの（現場にリリースされた部品）も含まれている。縦軸の単位は100万ドルだ。品質改善活動が始まったときに3000万ドルあった在庫は、7カ月後に1500万ドルに半減した。現在の金利で計算すれば、土日休日も含め、日当たり6000ドルもの節約に相当する。

何が在庫の急減をもたらしたのか？　納入されてくる材料や部品の品質が良くなったからである。ベンダーと力を合わせて品質を改善したこと、また、そうした協力が可能なベンダーに絞り込んだことによるものだ。以前は不良発覚に備えて手元に材料・部品の在庫を持っていたのだが、もはやその必要はない。もっと重要な要因は、手直しされるのを待つ部品の停滞が減ったことだ。よく知られている通り、手直しが必要な部品はどんどん積み上がっていくものだ。好き好んで手直しをせっせとやる人はいない。

「かんばん」にせよ、「ジャストインタイム」にせよ、品質が統計的に管理された状態に至った結果として、即ち、品質の次は「生産のスピード」を統計的に管理された状態に至らしめるという意味で、しかるべくして来るものなのだ。

最も重要な数字は、チャートの上にはない

図37のようなチャートは重要だが、チャートの上に現れている数字よりも、もっとずっと大切な数字がある。そしてそれは、未知あるいは不可知だ（ロイド・S・ネルソン博士）。

図37　品質改善活動開始以降7か月の仕掛品在庫金額の推移

納入部品の品質が良くなり、生産ラインの随所で余儀なく行っていた手直しを減らすことができたおかげで、在庫金額が半減した（友人である、ゼネラルモーターズ社のアーネスト・D・シェーファーから1982年に提供されたチャート）

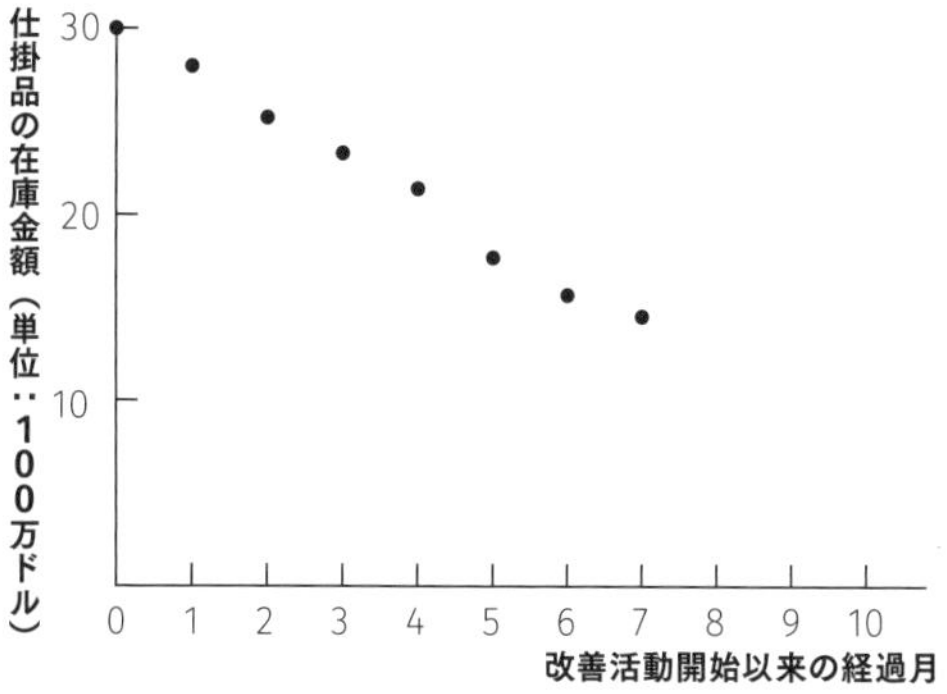

例えば、生産のワーカーは、いまや、工場のどこで働いていようと、自分たちの生産ラインの随所に改善を見て、理解している。彼らはもう、拙いところを隠そうとして時間を浪費することはない。当然ながら生産性は良くなる。

もう1つの見えざる効果は、最終的な顧客がより良い品質を手に入れること、その顧客が新たな顧客を呼び込んでくれるかもしれないことだ。品質を良くすることで生産性が良くなり、競争力を高めることができるという効果は、金銭では測り難い。

さらに、これまであまり語られることのなかった部分の効果もある。以前は、手直しを待つ部品を一時的に置いておくためのスペースと手直し作業自体のためのスペースが工場じゅう、いたるところで必要だったが、いまではそのスペースがすっかり空いて、新たな活用を追求する準備ができている。

販売への応用

その会社はセールスマンからレポートを受け取っている。フィラデルフィアのなかで、全員がそれぞれ「自分の担当区域」を1区域ずつ割り当てられ、その区域をカバーすることになっている。さて、何が問題なのだろう？　統計的に考えると、この「システム」の問題に対して提案すべきことがある。管理限界の外にいるセールスマンがいてもおかしくない。

もちろん、会社はどの製品についても市場シェアを伸ばしたいと思っている。これには本書のスコープを超える方法でのマネジメント側の行動が求められる。ただし、ここでは3つの可能性を提示したい。製造の生産性を上げることで、「より低い価格」と「より迅速な、おそらくはもっと便利で信頼性の高いデリバリー」が可能になり、「製品の品質と、たぶん信頼性も高まる」ということだ。派手に広告を打ったところで、何の助けになるだろう?

セールスマン1とセールスマン2が問題を抱えているとしよう。セールスマン1は、製品Aと製品Bの両方に関して、この集団の管理限界の外にいる。セールスマン2は、製品Bについてだけ、販売実績が低い。ここで、2人の担当区域を交換すればよいという結論に飛ぶのは賢明ではない。マネジメントが取るべき最初のステップは、2人の担当区域とその競争環境をよく見て検討することだ。場合によっては、他社の製品へのブランドロイヤルティ(強い愛着、繰り返し購入することが慣行になっている)が販売不振の原因ということもある。

販売実績が芳しくないセールスマンを適切なやり方で支援すれば、製品A、B共に成績を上向きにもっていくのは可能だ。その結果、両担当区域の売上が、大幅に、忽ち良くなるかもしれない。販売実績が特に低いセールスマンをいかにして助けるべきか、マネジメント側がよく考え、力を注ぐだけの価値は十分にある。

次のステップは、どのような特殊要因があるかを見つけるために、当人たちと話すとともに、地域担当のマネジャーとも話すことだ。当然ながら、彼らを別の職務に移動させたり、担当区域を変えたりといった結論に至ることもある。

この会社は日当たり7200ドルの販売ノルマ（ワーク・スタンダード）を課していた。1日で7200ドルを超える受注を獲得したセールスマンがそのまま正直に報告すると思う人がいるだろうか？　ノルマを超える実績を報告し続ければ、さらにノルマが増えるのだから、受注が足りない日のためにその実績を「とっておこう」と考えてもおかしくない。

赤ビーズの実験――「システム」に内在する欠陥を目の前でやって見せる

「システム」に内在する欠陥をワーカーのせいだと言って責める。非常によくあることだが、あまりにも安直に過ぎる。それがいかにおかしなことかを実証して見せるため、筆者は講義の中で1つのシンプルな実験を何度も紹介してきた。[*14] この実験からは、以上の点以外にも、教訓がいくつも得られる。

赤ビーズの実験　— システムに内在する欠陥 —

■準備

- 装置：箱に入ったビーズ

計	3750 個
白ビーズ	3000 個
赤ビーズ	750 個

- へら：10×5の50個の窪みがついており、一掬いで50個のビーズを掬うことができるようにつくられたもの。393ページの図56を参照されたい

- 黒板／ホワイトボード／スライドに、受講者の中から実験に参加してくれる人を募る右記のメッセージ（人材募集広告）を表示する（あるいは書いておく）

急募!　積極的人材
ぜひ応募されたし
募集人員10名
初心者大歓迎

■実験は以下のように進む

1. ボランティア10人に前に来てもらい、以下の「役割」のいずれかに就かせ、ボードの表に名前を記入する（図38の表を参照されたい）
   - 6名…見習い期間中の作業員
   - 2名…検査員
   - 1名…主任検査員
   - 1名…記録係

   ＊見ての通り、贅沢な人員配置である

2. 実験のファシリテーターがフォアマン役（この現場の第一線監督者）をつとめ、「部下たち」に以下のように告げる
   - われわれのお客様は「白いビーズ」だけを受け容れます。赤いビーズは許されません
   - しかし、この職場では間違ったことをいくらでもやる（赤いビーズを掬ってしまう）
   - われわれには「ワーク・スタンダード」（要するに、ノルマ）があります。作業員1人当たり、1日に50個。良品か不良品かは問いません
   - 検査員は2人いますが、1人で十分なはずです
   - ゴールは、この仕事に就いている人全員が、1人当たり、1日につくる（掬う）赤ビーズが1個を超えないようにすることです（不良件数の目標：1個以下／日・人）

3. フォアマン役の人が作業の仕方を説明している間に、「見習い」の作業員6名は、3日間練習する（つまり、各人3回、ビーズを掬ってみる。この間、約10分）。

【作業手順（フォアマンが説明する）】

①まず、誰か1人が、材料（白と赤のビーズが混ざったもの）をかき混ぜる。ビーズをよく混ぜるため、ビーズの容器を10㎝の高さに持ち上げ、別の容器にビーズを流し込む。それからもう一度、同じように容器を持ち上げ、元の容器に戻す

②よく混ぜた状態のビーズを、作業員が「へら」で掬う。これが「その日の出来高」となる。

③作業員は自分が掬ったビーズを「へら」にのせたまま、検査員1に渡す

④検査員1は、検査した後、検査員2に渡す

⑤検査員1，2とも、「へら」の上に赤ビーズがいくつあったかを紙に書く。黙って、何も言わず数を書くだけ

⑥主任検査員が、2人の検査員の計数結果を比較する（違っていたら確かめる）。カウントが確定したら、その数を全員に告げる

⑦記録係がその数を表に記録していく（図38の表を参照）

4. フォアマン役の人が全員に向かって次のことを説明する
- この6人分の職は、「やる気に溢れた」ワーカーのものであり、出来高払いだ
- その人のパフォーマンスが満足できるものであれば、この職に正式に就いてもらう
- 2人の検査員の独立性は、この職場でわれわれが行う、唯一の「正しいこと」である
- 検査員には、特に注意してほしいことがある。合意による検査は厳に慎んでいただきたい。合意による検査をやってしまうと、検査員2人の間に計数の差が出る可能性を台無しにし、この検査が「1つのシステム」として存在しているか否かを見極めることができなくなってしまうからだ

5. 実験参加者の全員が、それぞれ自分がやるべきことを理解したことを確かめる。これで、作業を始める準備はすべて整った

6. 作業を始めて1日目、フォアマンは、赤ビーズの数にびっくりして、作業員たちに「赤ビーズをよく見てください」「明日以降、赤ビーズを掬わないようにしてください」と懇願する

7. 2日目の最初に、フォアマンは、「ニールは初日に3個しか赤ビーズを掬わなかった。他の人はなぜそれができないのか」と思い、全員に次のように言う。「ニールができるのだから、皆もできるはずだ」

8. ファシリテーターがここでクラスの全員に次のように問いかける

〔ファシリテーターの問いかけ〕
さて皆さん、ニールが初日に『その日のトップ』であったこと、突出した成績だったことは明らかです。一方、ティムがこの職場の問題の原因であったことも明らかです。われわれはティムのことが大好きですが、彼を配置換えしなければならないかもしれません。どうでしょうか。

9. 2日目の終わりに、フォアマンは失望を表明する。初日に赤ビーズ3個だったニールでさえ、2日目は13個も赤ビーズを掬ってしまった。「いったい何が起きたのか?」とフォアマンは言い、次のように言葉を続ける

〔フォアマンの失望の言葉〕
- ロットごとにこれほどまで大きな「ばらつき」があるなど、到底理解できない
- 「ばらつき」は、あってはならないのだ(語気を強めて)
- 手順は決まっている。どのロットも同じ手順に従って作業しているのだから、ロットごとに違いが出るはずはないのだ
- 歩留まりの悪さにもがっくりだ。目標の不良(赤ビーズ)1個を達成した者が1人もいないではないか!

10. 3日目の終わりに、マネジメントが脅しをかけてきた。4日目に実質的な改善が見られなかったら、このビジネスはもう終わりにするというのである。作業員たちは日当たりの割り当て50個を持ち寄って相談するが、歩留まりは依然ゴールに達しない。彼らの職は風前の灯だ

11. 4日目も結果は芳しくない。フォアマンは皆に次のように告げる

〔フォアマンの言葉〕
- 皆さんはベストを尽くしてくれましたが、そのベストは目標に適わなかった
- マネジメントはこのビジネスを閉じると決めました
- 申し訳ないが、給料を受け取って、退職してください

12. 実験のファシリテーターはここで、クラスの全員に「ロットごとの赤ビーズの数を、チャートにプロットしてください」と言う(図38を参照されたい)

図38　赤ビーズの実験の実例

データは実際に作業をやってもらって得たもの。結果と管理限界を示すチャート、その解釈、過去にサンディエゴで行った実験（1982年3月30日）の結果との比較をここに示す。

作業員別の日当たり不良数の記録
ロットサイズ 50個／作業員・日

名前	日				
	1	2	3	4	4日間の計
ニール	3	13	8	9	33
トーチェ	6	9	8	10	33
ティム	13	12	7	10	42
マイク	11	8	10	15	44
トニー	9	13	8	11	41
リチャード	12	11	7	15	45
6人の計	54	66	48	70	238
累積の平均不良件数 $\bar{x}$	9.0	10.0	9.3	9.92	9.92

検　査　員：ベン & ジョー
主任検査員：ロバート
記　録　係：ウィンティ

$$\bar{x} = \frac{238}{6\times4} = 9.92$$

$$\bar{p} = \frac{238}{6\times4\times50} = 0.198$$

$$\left.\begin{matrix}UCL\\LCL\end{matrix}\right\} = \bar{x} \pm 3\sqrt{\bar{x}(1-\bar{p})}$$
$$= 9.9 \pm 3\sqrt{9.9\times0.802}$$
$$= \begin{cases}18\\1\end{cases}$$

径5mmの木製ビーズ
合計　3750個
赤　750個
白　3000個
「へら」 No.2

チャートの解釈

このプロセスは統計的に管理された状態にあることを示している。作業員による差異も、日次の差異も、統計的に管理された状態にないことを示すエビデンスはない。

作業員はこの職に就けるはずだし、そのように提案すべきだ。

不良品を減らす唯一の方法は材料の中から赤ビーズを取り除くことだ(マネジメントの責任)。

この管理限界は、近い将来に当該プロセスに期待することのできる「ばらつき」の限界の予測として、将来に延長して使うことができる。

先にサンディエゴで行った実験から得られた予測と比較して付言したい。同じビーズ、同じヘら、違う人々、同じフォアマンという条件下で以下の数字を得た。

サンディエゴでの実験の結果

$\bar{x}$ = 9.9, UCL = 18, LCL = 1

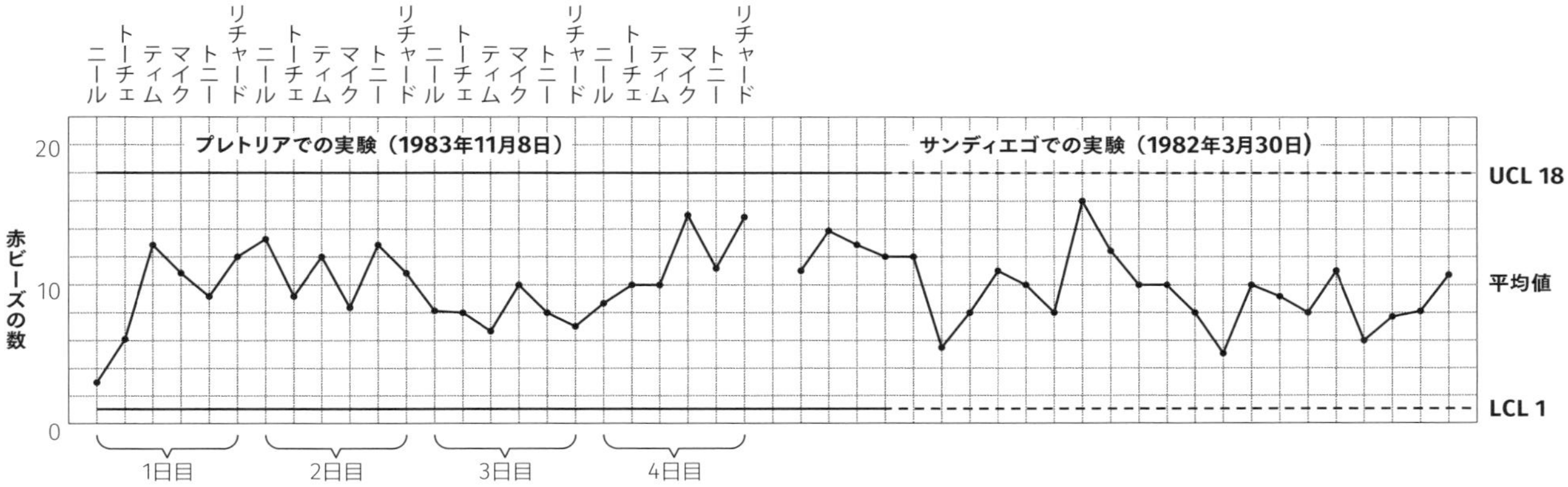

管理図（チャート）を読み解く

図38に示したチャートをご覧いただきたい。ビジネスをうまくやっていくという目的のためなら、当該プロセスは統計的に管理された状態にあり、安定していると見て、このまま事業を継続するほうが賢いと結論を下す人もいるだろう。この結論の根拠は、ⓐ意図の理解、即ち、意欲的なワーカー及び検査員にフォアマンが仕事のやり方をきちんと指示していたこと、ⓑ作業員への信頼、ⓒ図38に示された、結果の数表及び管理図である。

当該プロセスが「安定している」のなら、なぜニールは初日に3個しか不良（赤ビーズ）をつくらなかったのか、2日目に13個不良をつくったのはなぜか、リチャードが4日目に15個の不良をつくったのはなぜかといったことを知ろうとしても意味はない。これらを含め、図38の表中のすべての「ばらつき」は、もっぱら「このシステム」から生じているのであり、作業をしている人たちのせいで起きていることではないからだ。

ここで学んだことは何か？

①低い歩留まりの原因は、購入品である材料の中に赤ビーズが混じっていることだ。当該システムから不良の真因たる赤ビーズを除去せよ。品質を良くしたいと思っても、作業

員にはどうすることもできない。材料の中に赤ビーズが存在している限り、作業員は不良（赤ビーズ）をつくり続けることになる。

この実験は馬鹿馬鹿しいくらい単純だが、鋭い点を突いている。この実験を見た者は、自らの組織のいたるところに赤ビーズ（トラブルの真因）を見出すようになる。

②ロットごとの「ばらつき」も作業員の間の「ばらつき」も、システム自体から生じているのであって、作業員から生じるのではない。

③どの日のどの作業員のパフォーマンスであっても、当人の将来のパフォーマンスの予測の基盤として使うことはできない。

④われわれはまた、機械を使った標本抽出は乱数を用いる標本抽出と同じではないこと、結果も大きく違うことを認識しておかねばならない（後述）。

「ばらつき」の予測

当該プロセスが統計的に非常によく管理された状態にあり、十分に使えることを示していると意見が一致したなら、いまの管理限界を延長し、以後の生産の「ばらつき」の範囲の予測として使うことができる。今後の４日分のデータが手元になくても、管理図の上にプロットされた過去のデータ（同じビーズ、同じ「へら」、同じフォアマン、異なる作業員によって得たデータ）から情報を得られる。

ここで、統計的に管理された状態に関する重要事を再び言おう。「統計的に管理された状態」にあり、「安定している」プロセスは、当該プロセスを明日機能させるときの結果を予測する上で、合理的な基盤を与える。

実験のデータとは何か？

産業においても科学においても、実験というものは、将来の実験結果を予測するために行うのである。シューハート博士が強調したように、1回の実験から得られるデータは、予測を支持する可能性のある情報を含んでいる。当該の実験を、将来の実験に向けての予測を支持するものにしたいなら、どのようなデータが記録されねばならないか？

生憎、将来の実験（将来の試験や明日の生産）は、環境条件（温度・材料・人など）による影響を受ける。そして、その「将来の環境条件」は、今回の実験に影響を及ぼしている環境条件とは違う。将来の環境条件が今回の実験の環境条件と十分に同じであるか、手元にある実験結果を使ってよいかを見極めるのに、当該のテーマの知識のみに拠って判断したのでは、間違いを犯すリスクがある。できれば、さらに広範な条件をカバーすべく実験を重ねることによって助けを得るのが望ましい。

念のため、一部の教科書や講義とは逆のことを付言しておく。予測において間違いを犯すリスクは確率では表現できない。実験から得られるエビデンスは決して完璧ではない。*15

赤ビーズの実験でわれわれが記録したのは、日時、意欲的なワーカーの名前、主任検査員の名前、ビーズの仕様、「へら」の識別番号（No.2）だ。他に何か重要なものはあっただろうか？

時間給ワーカー6人は統計的に管理された状態にあるシステムを成していると見做せるから（管理限界の外に出ている人は誰もいない）、われわれが今後この実験を再び行うときは、作業員の名前は「必要な記録」から外してよい。しかし、「へら」の識別番号は重要であるから、記録を省略することはできない（後述）。

この実験で他に記録すべきデータは、フォアマンと、彼の熱心さだろう。材料（白と赤のビーズ）を徹底的に混ぜ合わせるルールをしっかり守らせるのにフォアマンがどれだけ熱意を注いだかが実験の結果に影響を与える可能性があるからだ。

累積の平均値

問い 箱の中のビーズの20％が赤ビーズであるとする。もっと長く、何日も同じプロセスでロットを生産し続けたときの累積の平均値、つまり統計的な極限値はいくつになると考えるか？

受講生から自然に出てくる答えは、「平均値は10個になるに違いない。ロットサイズの50個の20％は10個なのだから」というものだ。だが、これは間違っている。

そのようなことを言えるだけの根拠をわれわれは持っていない。実際、これまで何度も何度も実験してきて、「へら」No.2の累積の平均値は、1ロット50個当たり赤ビーズ9・4個に落ち着いてきた。「へら」No.1を私は既に30年以上も使ってきたが、その累積の平均値は11・3個を示している。

「へら」は、当該プロセスに関する情報の中の重要なピースだ。先に挙げた「へら」ごとの平均値を見る前に、これに思い至っていた読者はいただろうか？

同じ質問を違う表現で問うこともできる。例えばこうだ。

「累積の平均値が10個になると期待できない理由を述べよ。」

答え1 赤い色は、一目で白とは違うとわかる。指で触ってもその感触の違いはわかるのだから「へら」に接触したときのビーズの挙動が赤と白で違っているのは当然だ。

答え2 赤ビーズと白ビーズのサイズが違う可能性がある。重さも違うかもしれない。赤ビーズは白ビーズを赤い染料に浸して作るのか、またはその逆か?

累積の平均値 $\bar{x}$ と、10個との間の差異について、セミナーの参加者たちは「バイアス（統計上の処理から生じる歪み）ではないか」と示唆する。いや、この差異はバイアスではない。2つの標本抽出方法の違いから来るものだ。即ち、①機械的サンプリング（赤ビーズの実験で用いた方法）と、②乱数を用いたサンプリングの違いである[*16]（機械的サンプリングに関しては後述する）。

演習1

ロットごとの白ビーズの数の管理限界の幅は、既に計算した赤ビーズの数の管理限界の幅とまったく同じであることを示せ。さらに、われわれは白ビーズの管理図を既に作成済みであることを示せ。白ビーズの管理図は、赤ビーズの管理図の縦軸を逆にするだけでよい。すなわち、50→0、40→10、30→20、20→30、10→40、0→50とする。白ビーズの管理限界の線はそのまま動かさず、上方管理限界（UCL）が49、下方管理限界（LCL）が33となる。

演習2

データを集める前は、リチャードが4日間でティムより多い不良品をつくる確率は50対50であった。データを集めた後はこれを疑うべくもない。この実験をさらに連続4日間続けるとしよう。6人の作業員の間の差異はそのまま統計的に十分に管理された状態を維持していると仮定する。新たな4日間で、リチャードとティムが逆の結果を出す確率は50対50である。そこで、合計8日間で、リチャードの累積の不良件数が再びティムの不良件数を上回る確率が50対50であることを示せ。

乱数を用いたサンプリング

乱数を用いてロットを形成すれば、累積の平均値$\bar{x}$、$\bar{x}$の統計的極限値は10になる。この理由は、乱数は、ビーズの色・サイズ・その他の物理的特性、「へら」、作業員に対して一切注意を払わないからである。統計理論（確率論）は、サンプリング理論や分布の理論に関して書物が教える通り、乱数を使う場合に当てはまるが、現実の経験（実務）には当てはまらない。統計的に管理された状態に至ってこそ、分布が存在し、予測可能になるのである。

機械的サンプリングがプロセス平均を歪める

検査員が抽出したサンプルの検査を基に算出する累積平均不良率は、丁寧に検査したとしても、プロセス平均のよい推定値とならない可能性があるのは事実だ。検査のために抽出されるサンプルは、誠実な検査員の手で当該ロットの上部・下部・中間部から抜き取られたものかもしれない。上・下・中から抜き取るのは、当該ロットを横断してよいサンプルを抽出しようとしてやっていることではあるが、その検査員の抜き取り方が乱数を使った抜き取りと大体同じになるだろうという保証はまったくない。唯一の安全な方法は1つのロットから乱数を用いてサンプルを抽出することだが、乱数の使用が多くのケースで実用に適さないことも認めねばならない。機械的サンプリングによって生じ得る歪みを小さくしたいなら、複数のロットをランダムに選び、選んだロットを全数検査するほかない。もちろん、全ロットを全数検査にすることもあるだろう（プレトリアでのセミナーにおけるデイブ・ウェスト氏の言葉、1982年6月）。

機械的抽出には不可避的に「判断」が入り込む。機械的抽出を使っているところで抽出方法を変更すると、点（検査結果）が管理限界の外に出てしまうことがよくある。これは1つの「作為の結果」であり、管理図を解釈する際に胸に刻んでおくべきことだ（同じくデイブ・ウェスト氏）。

統計的に管理された状態に関するさらなる考察

統計的に管理された状態は「そのプロセスは不良をつくらない」と示唆するものではない

「統計的に管理された」とはランダムなばらつきの状態であり、ばらつきの限界が予測可能であるという意味において「安定して」いる。プロセスが統計的に管理された状態にあったとしても、そのプロセスが不良をつくる可能性はある。実際、高い不良率を生むこともあるのだ。われわれはそれを赤と白のビーズの実験で既に見た。

プロセスが統計的に管理された状態にあることは、それ自体が最終目的なのではない。その状態に至ればこそ、品質を良くして生産性を上げるための真剣な仕事を本格的に始められるということだ。

当該システムに変化を起こす（システムの中から赤ビーズという真因を取り除く）ための介入は、シンプルな場合もあれば、複雑で時間がかかることもある（第1章で紹介したロール紙へのコーティングのケースを想起されたい）。ばらつきの範囲を小さくするのは、通常は水準の変更よりも難しい。どの問題もそれぞれに違っているから、一般的なルールを当てはめようとしてはならない。これはその仕事（そのプロセスを良くする仕事）に就いている技術者が為すべきことだ。

「混ぜられたもの」を調べていたのでは、改善のチャンスが見えにくい

生産ラインが3本あって、出来上がったものを1本のチャンネルに流し込んでいるとしよう。筆者は、3本の小川が1本の川に合流して混ざり合う様子を思い描くことがよくある（図39）。この「混ざり合った状態」が最終製品だ。3本の生産ラインがそれぞれ統計的に管理された状態にあるなら、合流して「混ざり合った状態のもの」も、やはり統計的に管理された状態になる。各生産ラインの平均値が大きく違っていたとしても、そうなのだ。

最初のステップはソースAのばらつきを減らすことである。同時並行で、3つの流れを同じ水準に持っていくよう努めよ。

実際、「混ざり合った状態のもの」が問題を起こしても起こさなくても、「ソースをよく研究せよ」はグッド・アドバイスだ。「3つの流れを同じ水準に持っていけ。それぞれの流れのばらつきを減らせ。とりわけ、ばらつきが大きい流れにまず着目せよ」ということだ。この研究（各ラインの改善）は、それぞれのソースを統計的に管理された状態に持ち込むことから始めなければならない。

上流のプロセスの研究は、「混ざり合った状態のもの」の改善に大いに役立つ（ウィリアム・W・シェルケンバッハ）。

1つの集団の仕事を全体として見たときに統計的に十分に管理された状態にあるとしても、個人別の管理図をプロットしていくことで、さらに訓練を重ねる必要がある者や別の仕事に配置換えしたほうがよい者が、1人か2人、あるいはもっと多く、存在していると判明することがある（258ページの例を参照）。

フロントアクスル（前車軸）の最終仕上げを研磨機9台でやっている。9台の研磨機が仕上げたフロントアクスルは「混ざり合った状態」となり、平均3％の不良品を含んでいる。各研磨機のデータを集めてすぐに判ったのは、2号機と3号機が不良をつくっていて、微調整が必要ということだった。この2台が精密な調整を受けたおかげで調子が良くなると9台の研磨機軍団が作り出す不良は急減し、ゼロになった。9台全部のマシンの個別のデータがなかったら、

図39　製品が3つのソースから流れてくる

3つのソースとも統計的に管理された状態にある。3つのソースから来て「混ざり合った状態のもの」は統計的に管理された状態を示すが、ばらつきの範囲は大きい。

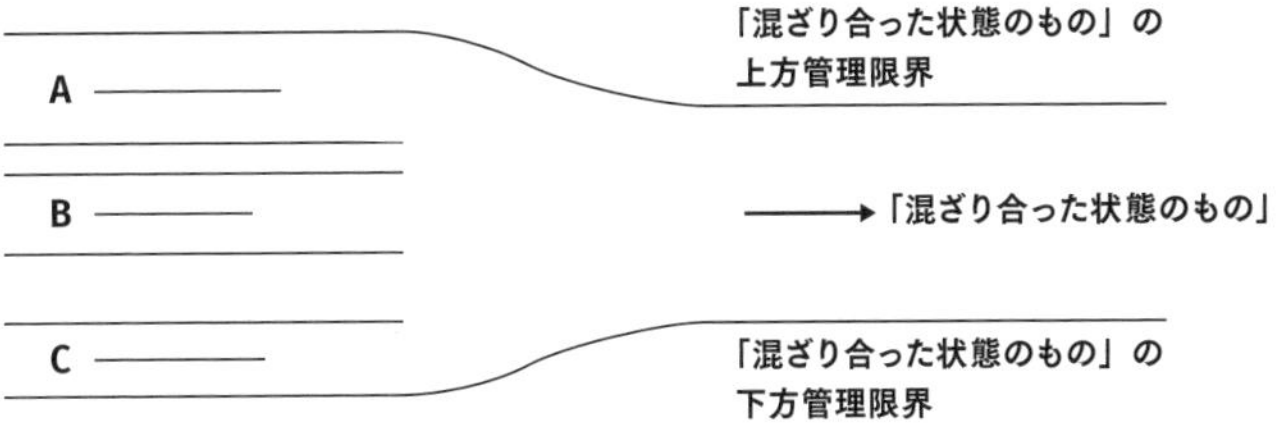

実際、3本の生産ラインから来るものが完璧に混ぜ合わされていたら、「混ぜられたもの」のばらつきは、全生産ラインがつくったものすべての分散（全分散）になる。統計学を学ぶ者ならこの計算式は既に知っているか、いずれ知ることになるはずだ。

$$\sigma^2 = \sigma_b^2 + \sigma_w^2$$

ここで、σ^2は「混ぜられたもの」の製品の分散（全分散）、σ_b^2は3本の生産ラインの平均の間の分散（外分散）、σ_w^2は3本の生産ラインそれぞれにおける分散の平均（内分散）である。

このプロセス改善は実現できなかったはずだ。

第8章の図20において「混ざり合った状態のもの」は11人の溶接工である。11人の溶接工のそれぞれをよく調べることで、6番の溶接工が「自分の不良のシェア」（管理限界）よりも不良を多くつくっているとわかった。

デービッド・S・チェンバーズが提供してくれたストッキングの編立工程のケースでは、47人の編立作業員のアウトプットを「まとめて、全体として」見たときには、統計的にかなり良く管理された状態にあって、「グレード落ち・廃棄」は4・8％だった。編立作業員全員に対して個人別の管理図をプロットするように変えたことによって、「自分の不良のシェア」よりもはるかに多くの不良をつくっている編立作業員が複数存在しているという事実が明らかになったのである（次章で詳しく述べる）。

高くつく誤解の例*[17]

例1　計算ではなく、判断によって管理図の上に引いた「アクション・ライン」

これまで学んできた通り、管理図上の管理限界は「現在のありのままの状態の当該プロセスが何を生むと期待できるか」を伝えるものであり、「かくあってほしいと願う姿」を伝えるものではない。１人のワーカーが日次の不良率を示す管理図の上に一本の線を引くとしよう。彼は、例えば４％の位置に線を引く。彼にとってその線は合理的な目標と見えている。その彼が私に１つの点を差しながら管理図を見せてくれた。その点は、彼が引いた「目標線」よりもかなり上にプロットされている。「見てください。ほら、これは、管理限界を外れています」と彼。

筆者が「管理限界の計算はありますか？」と問うと、彼は「私たちは、計算はしません。自分たちがあるべきと考える位置に線を引くだけです」と答えた。

情けないことに、管理限界を仕様や他の諸要件に基づいて設定することによって読者をミスリードしている教科書が存在する。ある書籍は管理限界をＯＣ曲線（Operating Characteristic Curve、ここでは詳しく述べない）に基づいて設定している。管理限界に関するこうした誤解はいずれもコストを増やすだけで品質を良くすることはない。

管理限界の代替物として別の線を引いたが最後、「調整のやり過ぎ」か「調整の不足」のいずれかに繋がり、いま存在しているトラブルがどのようなものであれ、それをそのまま永続させることになる。誠に嘆かわしいことに、人々は、このように間違った使い方をされている管理図を「品質管理はここでは機能しない」というコメントをもって捨て去る。

無理もない。彼らはそれを実際にやってみたことは一度もないのだ。

仕様の範囲は決して管理図上に示されてはならない。統計的品質管理の最近の書籍も似たような間違いを犯している。顧客が求める要件が管理限界の計算の基盤を成すと述べているのだ。そのような助言は初心者に壊滅的な打撃を与え、誤った方向にどこまでも導いていく。

再び言おう。初心者への指導は、お金目当ての半人前の教師によってではなく、本物の「先生（マスター）」によって為されなければならない。

例2　同じ過ち：設備メーカーが出してくる設備性能評価を基に設定した「アクション・リミット」

アクション・リミットの線を引きたいがために「人の判断を使うという罠」に嵌るのは、想像以上に簡単だ。ここで、ある会社の副社長からもらった手紙を引用する。彼は自身の努力の結果を喜んでいるが、自分のやり方が品質と生産性を自分自身から奪っているのに気づいていない。人と機械が本来の能力を発揮できるより良い機会を与えられたなら、同じ設備と同じ社員で、もっと良い品質ともっと高い生産性を実現できたはずだ。設備メーカーにしても、自社の設備は、機会が与えられさえすれば、決められた仕様を超えるパフォーマンスを発揮するかもしれないと分かって喜ぶに違いない。彼からの手紙には、次のように書かれていた。

1980年の直近の四半期に私たちは活動の進め方と組織を一新し、実効性の高い監督の諸原則を、フォーマルな指導と現場への実践的応用を通して教育・訓練すると決めて、そのためにコンサルタントを1人雇いました。また、事務・技術職の仕事と時間給ワーカーの仕事の両方において非常に多くの職種を統合しました。さらに、生産部門の人々に対して課されていたすべての「標準」を廃止し、設備メーカーが仕様として定めている各設備の最大スピードに基づいて職場ごとの新たな「標準」を設定したのです。新たに設定されたこの標準に対して実績が100%に達しないときは、その職場の監督者はパフォーマンスが最大値より低い理由を特定しなければなりません。そのようにして特定された問題に対して、保全と技術、そして設備メーカーのメンテナンスサービスの人々が協力して取り組みます。

これは間違ったやり方だ。彼の部下のエキスパートは、彼らが言うところの管理限界（実はアクション・リミット）を決めるのに設備メーカーが出してきた性能仕様を使っている。これでは特殊要因と共通要因を見分けられず、トラブルがいつまでも続くのを保証しているようなものだ。

もっと賢いやり方は、まずは現在の環境で、設備を統計的に管理された状態に持っていくことだ。しかる後にこそ、その設備のパフォーマンスを知ることができる。設備メーカーが仕様として出してきた最大スピードの90%かもしれないし、100%かもしれない。110%ということもあるだろう。これが分かって初めて2つ目のステップ、つまり、設備そのものとその使い方の継続的改善へと進むことができるのである。

例3　あまりにも明白、あまりにも無駄

その会社の副社長には大きな悩みごとがあった。最終製品の検査スケジュールが非常に厳しいという。「皆さんはデータをどのように活用していますか?」という筆者の問いに、彼はこう応じた。「データはコンピュータの中にあります。コンピュータは、発見された不良1件ごとに記録と説明を提供してくれます。すべての不良1つひとつの原因を特定するまで、『我が社の技術者は絶対に手を緩めません』」

そこで聞きたい。チューブの不良の水準が約4・5から5・5%の間で比較的安定したままなのはなぜか?　2年間もだ。それは、技術者が共通要因を特殊要因と混同してきたからだ。彼らにとって、どの不良もすべて特殊要因であり、追跡し、特定し、取り除くべきものだった。「安定したシステム」における変動の原因を見つけようとして彼らは努力していたのだ。だがそ

れは事態をより悪化させ、彼らの目的を打ち砕いていただけだ（第Ⅰ巻52ページのロイド・S・ネルソン博士のガイドを参照）。

顧客にとって、メーカーの努力は訴求力がある。そのメーカーは誠実だ、今後とも不良チューブの削減にあらゆる努力を傾けるはずだと顧客には見える。これはその通りだ。ただし、そのメーカーがそれを実践できたならの話である。運悪くそうした努力の数々が見当違いの方向に向けられていたら、効果はなくて当然だ。顧客とメーカー、どちらか一方でもそのことに気づいてもらいたいものだが、一体どうしたらそれを知ることができるだろう。

明らかな例外は、不良が規則的に起きている環境から生じる。不良の規則的な発生は、統計的に管理された状態にないと告げる1つのパターンと見るべきだ。同じアドバイスは、散発的に発生する1つの重要な要因によってのみ不良が起きていると考えられる環境にも当てはまる。こうしたケースでは、不良品自体をよく調べることでトラブルの原因が判明することがある。

例4

筆者は、タイヤメーカーのある工場で、その日につくられた不良のタイヤがずらりと並べられて、エンジニアによる調査を待っているのを見た。先の例3で見たのと同じことが、もっと大規模に起きている。トラブルがずっと続くのを保証しているようなものだということもまた同じである。

例5　分布の使い方の間違い：人を排したコンピュータでは、なおのことそうなる

銅のインゴットが、ぱちぱちと音を立てながら赤熱した状態で押し出されてくる。1台の機械がインゴットを切断していく。決められた重さは326kg。すべてのインゴットが自動的に重さを測定され、データも自動的にコンピュータに入力される。

次の工程は銅の電解析出で、インゴットが陽極を形成する。軽いインゴットは電解槽内のスペースのムダとなるが、重いインゴットはそのままでよろしい。

オペレータの仕事は、インゴットの重さを見て、軽ければ切断を調整して次のインゴットの重量を増やすことだ。重すぎれば逆の手を打つ。自動計量のために開発されたこの装置は、その日の終わりに、当日作られたインゴットの重さの分布を印刷する。オペレータは毎朝、その装置の前で、前日に作られたインゴットの重さの分布（ヒストグラム）を手にする（図40）。まさに「人を排したコンピュータ」の例だ。

「このヒストグラムの目的は何ですか?」と筆者は尋ねた。

「これは我が社の品質管理のシステムです。ヒストグラムは、自分の仕事ぶりがどうであるかをオペレータ当人に見せるためのものです。それを見たオペレータは自分の仕事ぶりを自分でよくすることができます」という答えであった。

筆者は重ねて問う。

「インゴットの重さがばらつくという問題はどのくらい前からあるのですか?」

「生産開始以来、ずっとです」

オペレータは、1つ切断する度に毎回マシンを調整してインゴットを重くしたり軽くしたりしている。そして、そのことが当人を不本意な気持ちにさせるのみならず、重さのばらつきを広げているのだ。このオペレータは155ページのルール2、ルール3、ルール4のいずれかに従っており、そのせいで事態を悪化させているのだが、彼は自分にできるベストなことをやっているに過ぎない。一体、どうして彼がそれを知ることができようか。図40のヒストグラムに現れた分布はまったく役に立たないばかりか、フラストレーションの源の1つになるだけだ。

図40　前日に生産したインゴットの重さのヒストグラム
インゴット毎の自動計量・自動記録から作成されたもの。このヒストグラムは当該オペレーターの「昨日の仕事ぶり」を示すが、平均重量を中心とした「ばらつき」をこのオペレーターが小さくする上では、何の役にも立たない。
このコンピュータは、分布の平均値、標準偏差、歪度、4次モーメントの係数も印字していたが、このオペレーターにとっては全く役に立たない。

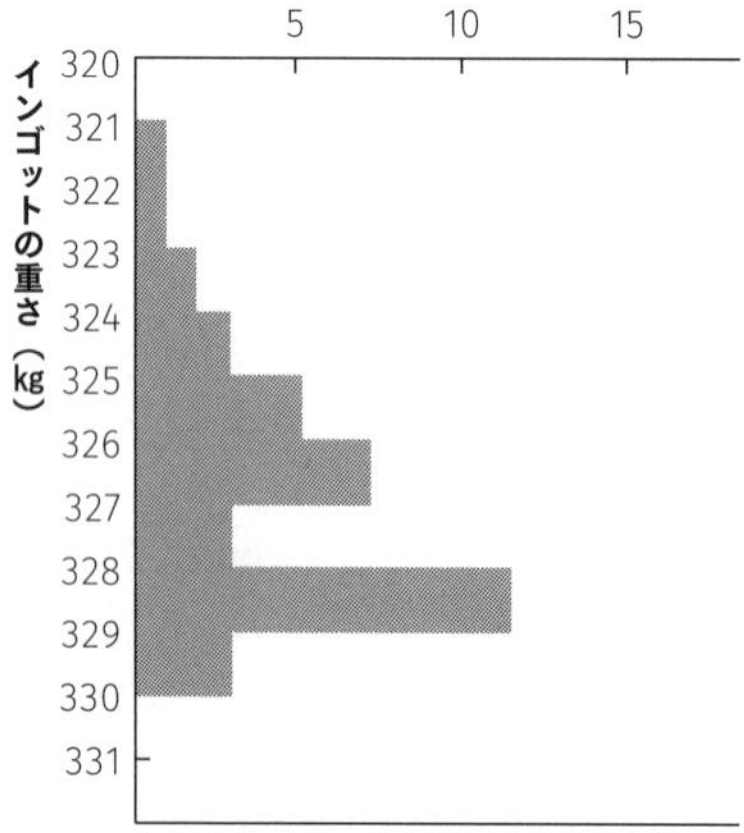

図40の分布を使うことの何がいけないのか？

このヒストグラムの分布を見ても、ⓐシステムに起因する要因と、ⓑオペレータが自分で直せる要因の違いは判らない。オペレータには何の助けにもならず、不満を抱かせるのみだ。何度も述べてきた通り、ⓐとⓑの区別は必須である。管理図はその必要な区別をひと目で判るように教えてくれるから、オペレータの助けになるのだ。

このプロセスを担当するエンジニアは筆者に次のように説明した。「ここでは統計的品質管理は要りません。全数計量して、個々のインゴットの重さの記録も持っていますから。したがってオペレータは切断したインゴットの重さの数字を見て、次のインゴットの切断のためにマシンを調整するだけでよいのです」。このエンジニアは、この仕事について、「何が重要か」ということ以外は、すべてをよく知っていた。一体どうして彼がそれを知ることができようか。

ここで、インゴットのベストな重さ（最も利益が出る重さ）は平均値よりも上にある。ベストな重さを超えぬように切断すればその分だけ銅の節約になるということを考えると、また別の興味深い統計的な問題が浮上する。これはかなり素直な問題だ。ここでは詳しく論じないが、取り組むに際しては、重さの分布と、余分な重さにならぬよう銅をうまく切断するためのコストに加え、次工程である電解析出プロセスまで視野に入れたコストも含めて検討する必要があるだろう。電解槽の中で重いインゴットの析出を完了するには相応の時間がかかるからだ。

筆者はラボ（検査室）の壁に何枚も円グラフが貼ってあるのを見たことがある。その円グラフは、ラボのメンバー全員の、前週の個人別ミスの件数をミスのタイプ別に表わしたものであった。銅のインゴットの工場と同じ間違いをしている。間違いの理由も同じだ。マネジメントが「そこで働いている人々は、自分が犯したミスをすべて自分で矯正することができるし、そうすべきだ。即ち、実際に仕事をしている人たちは『自分たちがどのようなミスを犯しているか』を知りさえすれば、完璧な仕事をすることができる。そして、自分の仕事をもっとうまくやるために、ひたすら励もうとするはずだ」という想定を置いていたから、間違いに嵌り込んだのだ。

例6　パフォーマンスの評価指標のせいで損失が生まれる

ある会社で一般貨物輸送に関わっているエンジニアがいわゆる「標準」を開発した。その「標準」を使って70カ所ある各ターミナルのマネジャーのパフォーマンスを測定する。「標準」に対して実績が100％を下回ったマネジャーは何かしら怠けているに違いなく、100％を上回ったマネジャーは自分の仕事をよくやっているというわけだ。

彼らは、将来の製品を良くするための改善活動において不良品だけに着目して吟味するマネジャーと同じ間違いを犯している。マネジメントが調査すべきは、評価指標の数字の「ばらつき」だ。その「ばらつき」は「1つのシステム」を形成しているか、アウトライヤー（管理限界の外にいる人）はいないないか？

それぞれのマネジャーが取り扱っているビジネス（貨物）の種類とパフォーマンスの間の相互の関係をよく調べていたら、際立って良いパフォーマンスの理由も、際立って悪いパフォーマンスの理由も判明したかもしれないのである。例えば、利益の実績が芳しくないターミナルがいくつか存在するのは、出発便に対して到着便の割合が高いことで説明がつく可能性がある。その通り、フロリダのほとんどの拠点では、出発便に比べて非常に多くの到着便がやってくる。そして荷物を降ろし、鉄道の貨車もトラックも空のまま北へ向かうのだ。ターミナルのマネジャーは、到着便と出発便のこの割合に対して、自分の力だけでできることは何もない。

この会社でマネジメントがやっていたのは、自分たちが抱えている諸問題を永続させる行為に他ならない。

例7　生産の早い段階でやり方を間違えると、取り返しがつかない

この例はすでに学んだ教訓を再び説くものだが、もう一度おさらいしてもムダになることはない。

当該プロセスがその仕事の要件に適うか否かを知るために、まずは、一定の数、例えば10個、30個、40個、１００個といった具合に測定し、その測定値を検証する。次のステップは(これが間違っているから困るのだが)、不適合となったものをよく調べて、そのトラブルの原因を探し出そうとすることだ。

これは不具合解析の典型的な失敗例である。もっと良いやり方は、統計的な手法を使って、「統計的に見て問題であるもの」を探し出し、理解することである。即ち、以下のように進めるのがよろしい。

①測定結果を使って、ランチャート(管理図)に「つくった順序で」プロットせよ。他の形の統計的チャートにプロットするのもよい(データが十分にあるなら、$\bar{x}$−R管理図のようなチャートにプロットせよ)。これは、当該プロセスが統計的に管理された状態にあるか否かを見極めるために行うのである。

②当該プロセスが統計的によく管理された状態にあることをランチャートが合理的に示し

ているなら、このプロセスがつくった不良品は、良品をつくったのと同じ「1つのシステム」がつくったと結論付けることが可能だ。この先、不良の数を減らすには、「そのシステム」に変更を加えるしかない。それは設計変更かもしれないし、工法の変更かもしれない。最初に取るべきステップの1つは、当該の測定システムをよく調べて、十分に標準化されているか、統計的に管理された状態にあるかを確かめることだ。

測定する部品の数が15個以下、あるいは20個以下しかないと、合理的な手順を用いてもプロセスの能力についての問いに論理的に答えるのが難しいということがしばしばある。測定値の数が少なければ少ないほど、確固たる結論に至りがちだ。例えば、最初につくった6個ないし7個がすべて不良であったなら、当該プロセスはその仕様に合致するだけの能力がない、または、当該測定システムが壊れている、あるいはまた、仕様を緩めるべきだといった結論を下したとしてもおかしくない。

部品の数が7個ないし8個で、すべてが一方的な上昇傾向あるいは下降傾向を示して一切の逆転がないとしたら、これはもう当該プロセスか当該測定システムの中に、どこか決定的に悪いところがあるということだと考えるだろう。

「ばらつき」の中には情報が潜んでいる。あなたが測定を5回か6回で止めてしまえば、さらなる測定が与えたはずの「ばらつき」から学べる可能性の大半を、あなたは失うことになる（この部分は、１９８４年6月7日のロイド・S・ネルソン博士との対話から来ている）。

③管理図が統計的に管理された状態を示していないなら、特殊要因を探すことが次のステップになる。再び言おう。その際、当該測定システムも検証するのが賢いやり方だ。そのデータの中にエラーがないか、まずはデータをよく見よ。

例8

筆者は、ワシントンのさる郵便局の局長に、私の住所に間違って届けられる郵便物について苦情を伝えたことがある。筆者のみならず近所に住む人々は皆、他の人に宛てた郵便物が間違って届くことがあるらしい。あるとき、そう遠くもないからと思い、誤配されてきた郵便物を宛名の人に届けに行くと、その家の玄関ドアの前で1人の女性にばったり出会った。彼女の手には私宛の封筒があり、私にそれを届けるために彼女は玄関を出たところだった。平等な取引だったというわけだ。郵便局長への筆者の苦情には以下の回答が返ってきた。

お客様からご指摘いただいたような配達ミスは郵便システムの問題でございまして、皆様にとってそうであるのと同じように、私共にとっても悩みの種です。この問題は長年にわたって続いてきました。私共は、ご指摘のようなミスが起きる度に郵便配達員に対し、確実に注意を喚起しているところであります。

「長年にわたって続いてきました」という書き方は、このシステムには欠陥がありますという告白だ。このトラブルが特定の地域や特定の日時だけのものではなく、特定の配達員にだけ起きているのでもないのは明らかだ。筆者が寄せた苦情のようなミスが起きる可能性を減らす抜本的な改革にこのシステムが至らぬ限り、こうしたトラブルはいつまでも続く。その間にもマネジメントは配達員を責めている。私からの苦情は配達員に辛い思いをさせただけだった。

さらなる応用

管理図を使ってシステムの複合的欠陥を測定する

図41は作業員20人が前月につくった不良の割合（不良率）を示している。20人の作業員は実質的に同じ作業をしている。このチャートからは、以下のことが明らかに見て取れる。

①作業員20人の生産高は「安定した、定義可能な1つのプロセス」を成し、したがって「プロセスの能力」を持っている。

②このプロセスの能力は2％の不良である。

作業員は仕事に全力を注いでいる。この状態での改善はマネジメントからのみ来る。誰の責任であるか明らかだ。即ち、問題の原因である共通要因、環境要因を見つけ出して除去せよ（または可能な限り減らせ）ということである。さもなければ、2％の不良率を不可避的にずっと続くものとして受け容れるほかない。

システムをよく研究してシステム自体を変えることによって得られる恩恵の例

ここで「デイリー・ニュース」の記事を引用する（1980年5月29日付、ブダペスト）。

図41　オペレータ20人の不良率

オペレータが作業している作業場所の順にプロットしたもの（同じ単位生産量当たりの不良率）。

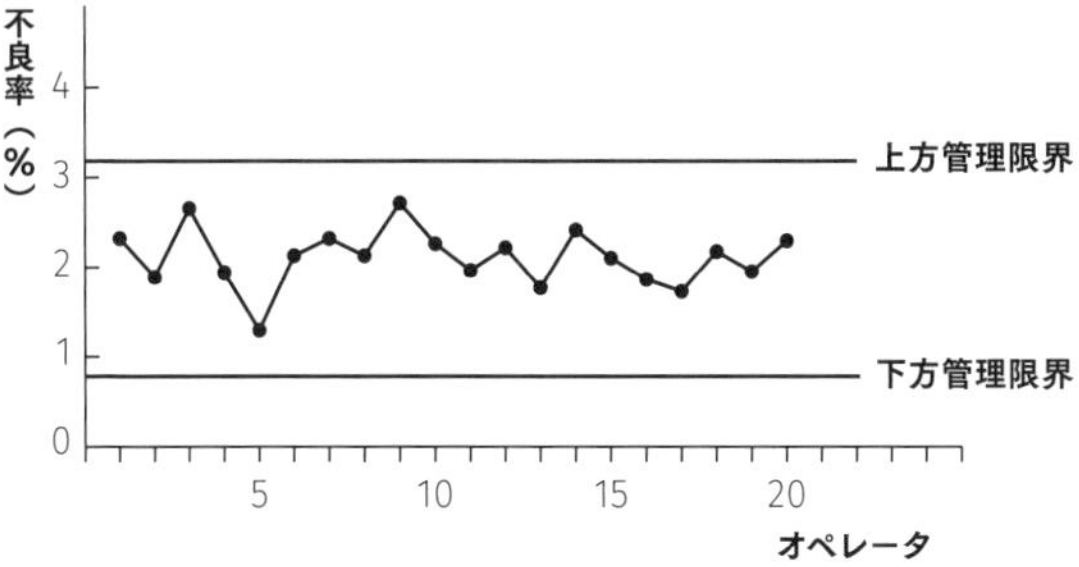

管理限界の計算：

$n=1225$, 平均生産数量／月・人

$$\left.\begin{matrix}UCL\\LCL\end{matrix}\right\}=0.02\pm3\sqrt{\bar{p}\bar{q}/n}\qquad \text{ここで、}\bar{q}=1-\bar{p}$$

$$=0.02\pm3\sqrt{0.02\times0.98/1225}$$

$$=0.02\pm0.012$$

$$=\begin{cases}0.032\\0.008\end{cases}$$

マネジメント革命

「ロンドン発AP」ロンドンの有名な赤いバスは、この半年で大幅な生産性向上を果たした。当局幹部は「『マネジメント革命』が主な要因だ」という。

公共交通を所管するロンドン交通局は、この改善は集中管理を止めたおかげだと見ている。それまで300路線を走る5500台のバスは8つの地区に分けて管理され、資金、車両の保守・修理、苦情対応はそれぞれの地区が責任を持っていた。

この改善により、計画走行距離（路線をカバーするバスの走行マイル数）は10％増えた。バス停での待ち時間は短縮され、以前は500台以上あった「路線を走っていないバスと修理待ちのバス」の台数は150台まで減った。

現在運行中のバスには地区幹部職員の名前付きのラベルが貼られている。不満を感じた乗客はその担当幹部に苦情を伝えることができる。

翌日の「デイリー・ニュース」には、ハンガリーの第一書記ヤーノシュ・カダル閣下の演説の解説が以下の見出しのもとに掲載された。

生活水準はワークパフォーマンスに依存する
品質への要求を更に高めねばならない。適切なワークパフォーマンスが国民1人ひとり、全員によって求められるべきなのだ。

ハンガリー第一書記閣下は正しい考えを持っていた。つまり、より良い暮らしは、より良い生産にかかっている。ハンガリーのトップマネジメントは筆者の講義に参加し、自らの責任について学んだ。彼らはまた、マネジメントが助けもせずに、生産性の大幅な向上が労働者の努力から得られると期待してはならないことも理解した。

人はシステムの一部だ。システムから外れているなら、助けが要る。
マネジメントは「そのシステム」に責任を負っている。あるいは、「システムがない」としたら、その責任もマネジメントにある。そうであるにも関わらず、筆者のこれまでの経験では、何が「1つのシステム」をつくり上げるのかを理解している人は、産業界にほとんどいない。私が「システム」と言うとき、多くの人が機械やデータ処理のことだと考える。人の採用に始まり、訓練、監督、生産ワーカーへの支援がシステムの一部であると知る人はごくごくわずかだ。マネジメントの他に、一体誰がこうした活動に責任を持てようか。

1人の男性がロンドンからやって来た。彼は困りごとをいくつも抱えていたが、問題は主に請求書発行部門にあるという。彼の会社は2つの理由から手持ちの現金が少ない。①主として大口顧客への毎月の請求書発送が遅い。過去に請求ミスが多発し、それも特に大口顧客宛の請求ミスが多くあったために、心配のあまり、何度も検証しないと請求書を発送できない。②顧客、とりわけ大口顧客のなかに、過去の請求間違いをすっかり清算しない限り支払いはできないと言い、この2、3カ月の請求書に対する支払いを拒絶している顧客が何社かある。

彼は、こうした問題は請求書発行部門の不注意な仕事ぶりに原因があると断言した。出荷から請求までの間に、以下の間違いが数多く起きているという。

①商品相違：往復の送料を払わねばならない。顧客は我慢できない。

②商品誤配送：これも往復の送料を払わねばならない。顧客は我慢できない。

③請求書が正しくない。例えば、累積購入量に応じた割引価格の計算において誤差を一切認めていないせいで顧客側が認識している価格と違う価格で請求するといったこと。

こうしたエラーが間違いのまま計上されて、会計上の大量の齟齬を生み出している。輸送費の支払いも増える一方だ。彼はクリスマスシーズン向けの商品の配送ミスによる損失被害で小売店から告訴されていることには触れなかったが、それは別としても、ありとあらゆる種類の問題を抱えていると言い募った。「私の会社で働いている人々は、ロンドンで採用できる人のなかで最悪の人たちです」とまで彼は言う。

銀行から金を借りようと思えば借りることはできるが、彼はそうはしない。銀行から見れば、彼の会社には問題はあるものの、良いリスク（良い金利が取れる相手）だ。しかし、借りるからには利息（当時、年利18％）を払わなければならない。うまい手ではない。

「しかし、すべての問題は解消します」と彼は言い、「いまから2年後に、最新のデータ処理システムが稼働しますから」と言葉を続けた。「その間にも何かできることがあるはずでしょう。システムが稼働するまで、あなたは何もしないつもりですか」と私。

さらに私は「きちんとしたステップを踏んで手を打たない限り、最新のデータ処理システムが稼働した途端、まったく新しい数々の問題に必ず直面することになりますよ」と彼に言った。きちんとしたステップとは、以下のことだ。

①商品請求の「いまのシステム」を単純にする。現行システムはあまりにも複雑だ。例えば、「あらかじめ決めた一定の期間（半年）の購入量を積算して、一定の数量に達したら割引する」というやり方は廃止すべきだ。

②もっと良い訓練と、もっと良い継続的な再訓練を社員に与える。どのような重大なミスが発生しているのか、その頻度がどれほどか、あなたは把握しなければならない。どこでミスが起きているのか、その原因は何か、当該システムの一部ではないワーカー（管理限界から外れている人）はいないか、知らなければならない。彼はこれらの問いへの答えを1つも持っていなかった。彼はマネジャーなのに。

彼の会社で働いている人々は「そのシステム」の重要な部分であり、彼にはその人々に対する責任がある。その責任を果たすために、こうした問いのすべてに彼は答えなければならない。彼にとって、これは思いもよらなかった見方であり、もちろん実践したこともない。これまで、彼が考える「システム」は、ハードウェアや倉庫の立地、財務といったものだったのだ。閃きを得た彼は「必ずやロンドンで統計学者を見つけ、自分を助けてもらいます」と私に約束して帰っていった。

帰国して5カ月、彼は大いに喜んでいた。最も重大なミスが39%から6%に激減し、2番目に重大なミスも27%から4%になったという。さらなるミス削減に向かう道を着実に歩んでいる。

優れた文献・書籍を厳選してお勧めする

「ばらつき」とその意味について、読者の皆さんが段階を踏んで着実に知識を深めていかれるよう願っている。良い先生の代わりになるものはない。

推奨文献

American National Standards Institute, *Guides for Quality Control* (Identified as A.S.Q.C. B1 and B2, published by the American National Standards Institute, 1430 Broadway, New York 10018)

Kaoru Ishikawa, *Guide to Quality Control* (Asian Productivity ,Organization, 1976. 入手先は、Unipub, P.O. Box 433, Murray Hill Station, New York 10157)

（原書は、石川馨著『品質管理入門』日科技連出版社、１９８９年）

Kaoru Ishikawa, What Is Total Quality Control?Prentice-Hall, 1985.（原書は、石川馨著『日本的品質管理—ＴＱＣとは何か』日科技連出版社、１９８１年）

ナンシー・Ｒ・マン著『デミングの品質管理哲学　ＱＣの原点から新たな展開へ』（石川馨監訳、中村定訳、ダイヤモンド社。原題は、*The Keys to Excellence: The Story of the Deming Philosophy*, Prestwick Books, Los Angeles）

William W..Scherkenbach, *The Deming Route to Quality and Productivity,* CEEP Press, The George Washington University Washington 20052, 1986.

ウォルター・Ａ・シューハート著『工業製品の経済的品質管理』（白崎文雄訳、日本規格協会。原題は、*Economic Control of Quality Manufactured Product*）

ウォルター・Ａ・シューハート著『品質管理の基礎概念—品質管理の観点からみた統計的方法』（坂元平八訳、岩波書店、原題は、*Statistical Method from the Viewpoint of Quality Control*）

Western Electric Company, Bonnie B. Small, Chairman of the Writing Committee, *Statistical Quality Handbook* Indianapolis 1956. 入手先は、AT&T Customer Information center (specify Code 700-444), P.O. Box 19901, Indianapolis 46219.

いわゆる「品質管理」に関する書籍はこの他にも数多くある。どの本にもそれぞれに良いところがあり、著者のほとんどは私の友人か仕事仲間だ。そうであるにも関わらず、仕様への適合・不適合を決める限界値であるとか、管理限界を（意図をもって勝手に）修正したもの、正規分布を前提とした予測、受入検査における標本抽出の方法といった落とし穴に多くの書籍が嵌っている。ある書籍は管理限界をＯＣ曲線（Operating Characteristic Curve、ここでは詳しく述べない）に基づいて設定すると言う。仕様に合わせて管理限界を設定すると述べている本もある。そのプロセスが統計的に管理された状態にあるか否かを問わぬままに「仮説を検証するために管理図を使いなさい」と教えている書籍もある。本の中に潜むこうした間違いは、独学で学ぶ人達の道を誤らせる可能性がある。

学ぶ者もまた、信頼区間や有意性検定を扱う書籍に書かれている手順に嵌り込むのを避けるよう努めなければならない。そうした計算は、自然科学でも産業応用でも、解析問題に応用されることはない（第Ｉ巻２７６ページの「産業界における統計的手法の教え方の拙さ」（第３章）を参照）。

基礎統計学とその手法に関する文献

A. Hald, *Statistical Theory with Engineering Applications,* Wiley, 1952.

Harry H. Ku et al., The Measurement Process, National Bureau of Standards, Special Publication No. 300, U.S. Government Printing Office, Washington 20402, 1969.

Ernest J. Kurnow, Gerald J. Glasser, and Fred R. Ottman, *Statistics for Business Decision,* Irwin, 1959.

Eugene H. Mac Niece, *Industrial Specifications,* Wiley, 1953.

Alexander M. Mood, *Introduction to the Theory of Statistics,* McGraw-Hill, 1950.

Frederik Mosteller and John W. Turkey, *Data Analysis and Regression,* Addison-Wesley, 1977.

Ellis R. Ott, *Process Quality Control,* McGraw-Hill, 1975.

L. H. C. Tippett, *The Methods of Statistics,* Wiley, 1952.

L・H・C・ティペット著『統計学』（三瀦信邦、野村良樹共訳、東京大学出版会、原題は、Statistics）

John W. Turkey, *Exploratory Data Analysis,* Addison-Wesley, 1977.

W. Allen Wallis and Harry V. Roberts, *Statistics: A New Approach,* Free Press, 1956.

W. J. Youden, *Experimentation and Measurement,* National Science Teachers Association,

Washington, 1962. W. J. Youden, *Statistical Methods for Chemists*, Wiley, 1951.

第12章

流れの下流への改善の展開

NIKKEI BP CLASSICS / OUT OF THE CRISIS I / W. Edwards Deming/ 1. Chain Reaction: Quality, Productivity, Lower Costs, Capture the Market / 2. Principles for Transformation of Western Management / 3. Diseases and Obstacles / 4. When? How Long? / 5. Questions to Help Managers / 6. Quality and the Consumer / 7. Quality and Productivity in Service Organizations // NIKKEI BP CLASSICS / OUT OF THE CRISIS II / W. Edwards Deming // 8. Some New Principles of Training and Leadership / 9. Operational Definitions, Conformance, Performance / 10. Standards and Regulations / 11. Common Causes and Special Causes of Improvement. Stable System /

12. More Examples of Improvement Downstream

/ 13. Some Disappointments in Great Ideas / 14. Two Reports to Management / 15. Plan for Minimum Average Total Cost for Test of Incoming Materials and Final Product / 16. Organization for Improvement of Quality and Productivity / 17. Some Illustrations for Improvement of Living / Appendix: Transformation in Japan

「知恵が深まれば悩みも深まり
知識が増せば痛みも増す」

『旧約聖書』コヘレトの言葉1―18

本章の狙い

「システム」自体を改善していく例を既に数多く紹介してきたが、それらはいずれも非常にシンプルなものだった。後続の章ではさらに多くの例が登場する。本章の狙いは、流れの上流であれ下流であれ、「システム」自体を改善するのはマネジメントの責務であることをマネジメントが自らよく理解し、「システム」の改善に正面から向き合って実際に行動しなければならないと再び強調することにある。

短評　本章や他の章に登場する数々の事例を見て、「システム」自体の改善はどれも単純過ぎてつまらないと思うのは正しくない。改善は、統計学的に正しい実験計画をもって複数の要因を同時並行で検証することを求める。一度に1つの要因だけを検証するやり方には、２つの要因の相互作用を観察できないというリスクがある。よく知られた例がアルコールと抗鬱剤を一緒に摂取してはいけないというものだ。両者の相乗効果で危険が増大する可能性がある。よく知られた例をもう１つ挙げるなら、石鹸と洗剤を一緒に使うことだ。互いに効果を打ち消し合うことがある。

例１　ホイールのユニフォーミティ（均一性）試験

「システム」にシンプルな変更を加えた例である。その単純な変更がどのように不良発生の可能性を実質的にゼロにしたかを教えてくれる。

図42の縦軸はサンプル $n=3$ のホイールのユニフォーミティ試験の平均値（$\bar{x}$）である。この試験はホイールのバランスを見るために行うものだ。チャートから次のことがわかる。*1

①この生産ワーカーは自分自身の仕事に関して（当人が自ら責任を負うべき仕事に関してのみ）統計的に管理された状態にある。管理限界を超えたことは一度もない。

②このワーカーは当該「システム」の制約の下にある。彼は「システム」や「プロセス」を叩く（変える）ことはできない。つまり、彼は優秀な作業員であり、統計的に管理され

た状態にあるけれども、それでも時に不良ホイールをつくってしまうことがある。

③彼はこの仕事の職務要件に適っている。しかしそれ以上のことはできない。やってほしいと頼まれてもいない。

④主な問題はこの「システム」にある。

この生産ラインの監督者がある行動（この仕事にもっとよく合致する納入資材に変える、設備の保全をもっとしっかりやる、さらに注意深く段取りを行う）をとったおかげで、推移と分布が全体として安定した。その後、仕様の限界値を超えたホイールはなく、不良が生じたことはない。

図42　ある1人の生産ワーカーがつくったホイールのユニフォーミティ試験の$\bar{x}$チャート（サンプル試験）

このワーカーがつくったホイールを全数試験した場合の「ノンユニフォーミティ」試験の結果は平均値$\bar{\bar{x}}$を中心に分布するはずだ。その範囲は$\bar{x}$の管理限界の幅の$\sqrt{3}$=1.73倍となる。

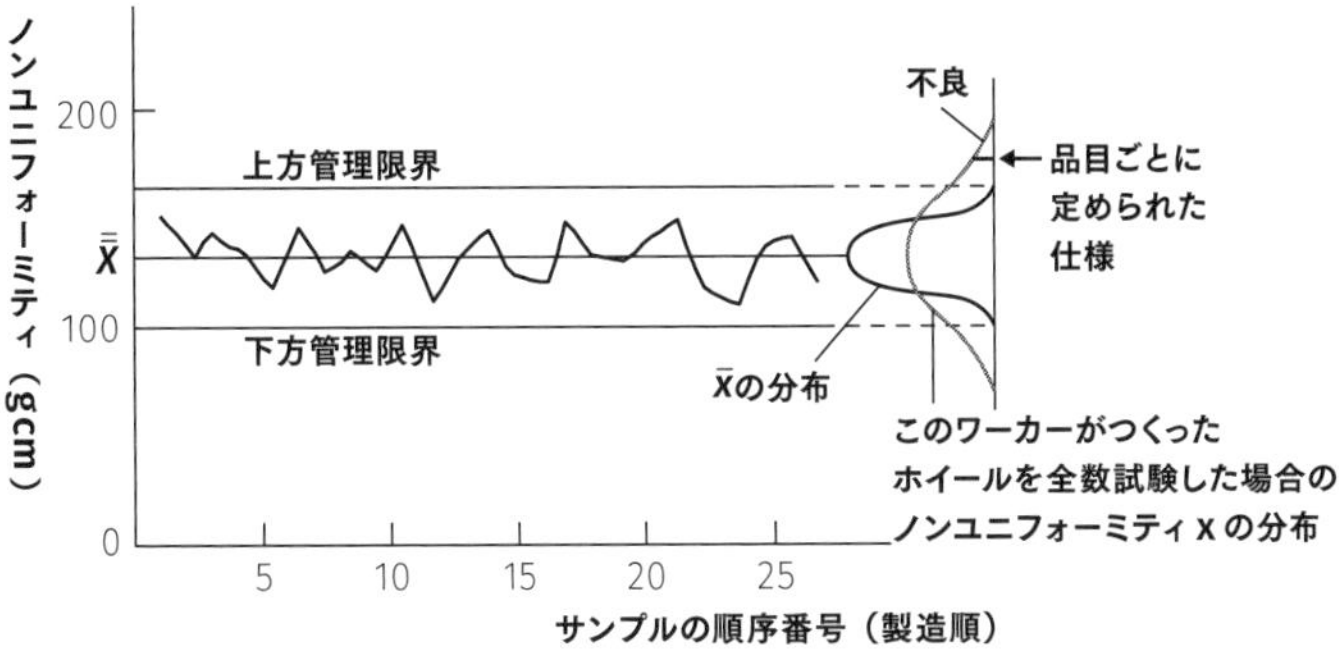

例2 運送会社におけるミス

2つ目の例はサービス業を扱う。運送業だ。トラックのドライバーは出荷するものを引き取り、物流ターミナルへ運び込んで積み替え、さらに先の搬送先へ進む者もいれば、デリバリーを担当している者もいる。大きな運送業者は大都市の市内あるいは近郊に10カ所から40カ所の物流ターミナルを持っている。この仕事のオペレーション・チェーンは長い。出荷元が運送業者に(通常は電話で)依頼するところから始まって、荷物を引き取り、物流ターミナルのプラットフォームに荷物を置き、積み替えてから、配送先の区域を担当する別のターミナルまで長い距離を運び、そこから配送先に届いてようやく完了する。どの作業にもドライバーがミスを犯してしまう可能性はある。240ページの表に「6つのタイプのミス」と「その他のミス」を示す。頻繁に起きることはあまりないが、荷物の紛失・全損は相当なものだ。

タイプ①のミスは、出荷の注文書に例えば「段ボール箱10箱」とあってドライバーがサインしたのだが、後になってから実は9箱しかないとオペレーション・チェーン沿いの誰かが見つけ、1箱足りないことがわかったといったミスだ。消えた箱はどこにあるのだろう? 最初から9箱しかなかった可能性もある。出荷の注文書が間違っていたのかもしれない。あるいは、もっとありがちなのだが、ドライバーが出荷元に残してきてしまったのか。タイプ1のミスから生じる損失を列挙してみよう。

①消えた1箱を求めてプラットフォームを探し回ったり、トラックを追跡（このときまでに既に道路に出ている）したりするコストが25ドル。
②ドライバーを再び出荷元へ送り、荷物を引き取らせるのにかかるコストが平均15ドル。
③消えた1箱を探す間、他の荷物からこの9箱を分けて保管しておくのにかかるコストが10ドル。
④消えた箱が見つからなければ、出荷元は紛失に対して法的な損害賠償を求めるだろう。運送会社は10箱目の荷物に対して責任を取らなければならない。その額は10ドルから1000ドルの間、あるいはそれ以上。

タイプ①のミスが高くつくのは明らかだ。表の7種のミスはいずれも平均で1件当たり50ドルに達する。記録によると全部で617件のミスがある。こうしたミスのせいで、クレーム対応だけでもトータルで3万1000ドルもの損失が出ているのだ。ターミナルが20カ所あれば、20倍。7つのミスを原因とするトータルのロスは62万ドルにもなる（この金額はこれでも最小の推定だ。探す費用や管理の費用は含まれていない)。

常勤のドライバーは150人。図43にドライバーごとのミスの件数の分布を示す。7種のミスの合計だ。

ここで、ミスはどのドライバーにも満遍なく、ランダムに生じると仮定しよう。白と黒のビーズがよく混ぜられて大きなボウルに入っているところを想像していただきたい。ドライバーはそのボウルからビーズを1000粒掬って(ドライバーの年平均の運転回数)、ボウルに戻し、再びよく混ぜる。図43のミスの合計は617件、ドライバーは150人いる。そこで、ドライバー1人当たりの平均のミス件数を次のように見積もることができる。

$$\bar{x}=\frac{617}{150}=4.1$$

上方及び下方の管理限界は以下のように計算できる。

表

ミスのタイプ	ミスの内容
1	荷物引き取り時に過少
2	荷物引き取り時に過多
3	荷物のお届け時に、過多、過少、損傷があると(電話で)顧客に知らせることができなかった
4	不完全な積荷リスト
5	段ボール箱に貼り付ける情報が不適切
6	納品書への受領の署名が不完全
7	その他

$4.1+3\sqrt{4.1}=11$（上方管理限界）

$4.1-3\sqrt{4.1}$　は0とみなす（下方管理限界）

この上方管理限界の意味は、年に11回超のミスをしてしまうドライバーはこの「システム」の一部ではない（この「システム」の中にいる限り、しかるべくして起こることの範囲の外側にその人たちはいる）。そのドライバーは「ミスの分け前」以上にミスの発生に貢献しているということだ。したがって、その人たちは損失を引き起こす「特殊要因」である。

ドライバーを2つのグループに分けて考えよう。

グループA：年に11件を超えるミスをする

図43　ミスの件数（x）ごとの運転手の人数の分布（ミス全種類の合計）

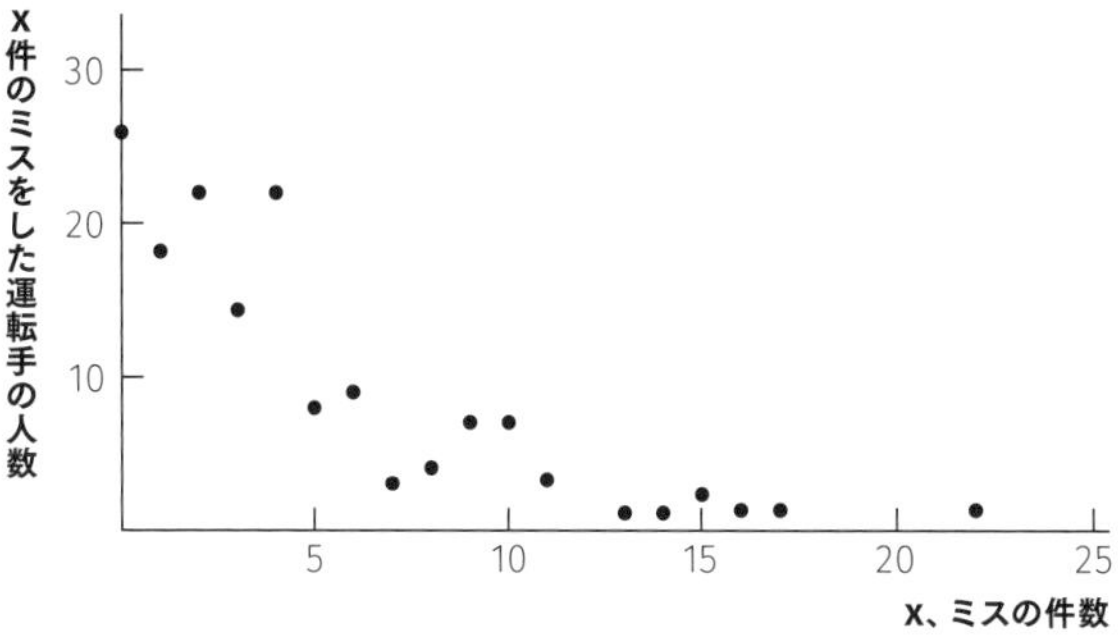

ドライバー

グループB：年に11件以下のミスをするドライバー

シンプルなこの統計的モデルからわれわれは何を学べるだろうか？

①11件を超えるミスをするドライバーは7人。112÷617、即ち総ミス件数の18％がこの7人によるものだ。

②11件以下のミスをするドライバーは、この「システム」自体から生ずる損失を発現させているに過ぎないと見ることができる。この人たちが「当該システム」を構成しているのであり、決められた仕事のやり方のなかにミスを引き起こす何かが内包されているから、ミスはしかるべくして起きているということだ。この人たちは、ミスのうち、100−18=82％を起こしている。

人が関わる問題でシンプルなものはない。マネジメントは、グループAの人たちを責めるのをしばし保留するのが賢明である。まず、このグループAのドライバーが非常に面倒なルートを任せられていたか否か、あるいは、超長距離のルートを担当させられてはいなかったか、よく確かめるべきだ。実際に調べてみると、そのドライバーたちは確かに難しい仕事をしていた。

ここでわれわれは1つの重要な教訓に出逢う。それまでこの運送会社はドライバーがミスを起こすたびに毎回警告レターを送っていた。年に1件しかミスをしないドライバーでも年に15件のドライバーでも違いはなく、まったく同じ文面のレターが送られていたのである。グループⒷのドライバーにレターを送ると士気を削ぐ。レターを送られたドライバーは、「本当は『システム』が悪いのに、それを私のせいにしている」と受け止める可能性がある。

ここで、「既に15件の警告レターを受け取っているドライバーならどう思うのか？やはり同じようにマネジメントのせいだと思うだろうか？」と質問したくなった人もいると思うが、すこし待ってほしい。

この研究を行った対象の期間を通して、起こしたミスは1件か2件だけで、しかもそれ以前の6カ月のミスはゼロあるいは1件だけだったドライバーにとってはどうだろう？　そのドライバーは、対象期間に既に15件もミスをしたドライバーとまったく同じ警告レターを受け取るのである。彼はマネジメントのことをどう思うだろうか？

筆者のセミナーの参加者がよく似た話を引き合いに出して説明してくれた。彼が住む市の警官は皆、苦情が1件寄せられるたびに同じ警告レターを受け取るそうだ。何年も苦情ゼロだった警官も、数週間で10回目の警官も同じ扱い。これは良いマネジメントなのだろうか？

私が思うに、この運送会社の顧客は、事態を改善するのに何か良いアイデアがあれば、運送会社と協力してそれをやり、ミスを減らしたいと強く願っているはずだ。顧客にとって、配送のミスは運送会社以上に高くつく。ここで筆者の提案を述べる。

ビル、きみはいろいろと調べることが好きな人物を2人選び、ドライバーの後を付けて記録を取らせるのがよいと思う。ドライバーがどういうルートを走ったか、トラックを駐車するためのスペースを見つけるのにどのくらい時間がかかっているか、コーヒー休憩は何分か、すべて記録する。次に、この2人に新たな任務を与える。役に立つ仕事になる。雨ざらしのドックもあれば、仕切りカーテンの付いたドックもある。風・雨・雪の中、薄暗いライトの下、ドライバーは出荷の注文書を正しく読み取るべく努めているに違いない。その2人を顧客のところへ行かせて、ドックに仕切りカーテンを付けるよう、照明を付けるよう、説得させるのだ。この提案を受けた顧客は、テープで仕切ったり、荷物の間を開けたり、床に線を引いたりといった方法で出荷の荷物を仕向先ごとに分けて、ドライバーが間違いなくすべての出荷品を引き取れるようにするだろう。引き取り漏れも、他の出荷の分を持って行ってしまうこともなくなる。顧客は出荷の注文書についても、もっと読みやすく書こうと気を遣うようになると私は思う。

例3　靴メーカーにおける縫製マシンの困りごと

靴をつくる小さなメーカーが縫製マシンに関する困りごとを抱えていた。この機械の賃料は高い。作業員は縫製マシンに糸を通すのに随分時間をかけている。大きなロスだ。

よく観察すると、重要なことがわかった。この困りごとはすべての縫製マシンに共通で、全作業員にも共通だ。結論は明白である。この問題はいずれにせよ共通に起きていることで、環境によるものであり、それが全マシンと全作業員に影響を及ぼしているのだ。何度かテストを行った結果、糸が原因だとわかった。それまで工場のオーナーは劣悪な糸をバーゲン価格で買っていた。良い糸とオーナーが買っている安物の糸とを比べたら、マシンタイムのロスは彼に何百倍ものコストをかけさせてきたことになる。糸のバーゲン価格は高くつく罠であったことが明らかになった。

これは最安値を提示する者に惑わされて、品質や性能を考慮することなく価格だけで取り込まれてしまう一例だ。

良い糸を使ったところ、この問題は取り除かれた。これはマネジメントだけが変えられることなのだ。問題がどこにあるかを作業員が知っていたとしても、彼らは勝手に外に出て良い糸を買ってくることなどできない。作業員はこの「システム」の中で働いている。糸はその「システム」の一部なのである。

原因を見つけるのは簡単な調査でできることだ。ありきたりだが、よく効く。しかしこの調査を行うまで、オーナーはすべてのトラブルは作業員の熟練不足と不注意のせいだと考えていた。

例4　工作機械室には機械技師が何人必要か

工作機械室の仕事は機械工具をつくること（特にプロトタイプ）、既存設備を改造すること、工場内のどこであれ設備が故障したら応急措置をとることだ。この職場のフォアマンは応急措置をとるのに十分な機械技師がいない事態に時折見舞われる。通常、緊急事態はほとんど発生せず、部下たちは設備開発の仕事に専心している。

さて、平均で日当たり何件の緊急事態が起きているのだろうか？

フォアマンは数字をつかんでいなかったが、起きるときは起きる。36件、いや、たぶん40件だという。

設備の故障が独立事象で、連鎖的に故障が起こることはないと仮定すれば、日当たり故障件数はポアソン分布をなす。平均発生件数が36なら、ポアソン分布の標準偏差は $\sqrt{36}=6$ である。

$$36+3\sqrt{36}=54$$

したがって、日当たり最大54件の故障発生を想定して備えるのが合理的と推察される。さらに事象を集めてプロットすれば、この推察が正しいか、それとも修正する必要があるのかわかるはずだ。

日当たりの平均故障件数が40件だった場合、このフォアマンは58件の故障に備える必要がある。54件ではない。上方管理限界は平均値に対して敏感であり、また想定する緊急事態発生頻度にも敏感である。

例えば2カ月に1回程度なら人手不足に見舞われてもよしとするなら、彼は2シグマ（標準偏差の2倍）を上方限界として使うこともできる。

$$36+2\sqrt{36}=48$$

この上限も平均値と発生傾向に対して敏感であり、日当たり発生件数の平均が36件でなく40なら4件増える。

次のステップは数週間、毎日故障発生件数を記録し、ランチャートをプロットしてランダムな分布で発生しているか否か（故障発生が統計的に管理された状態にあるか否か）を検証することだ。

例5　鉄鉱石ペレットを運搬する軌道貨車

時速約4マイル（約6・4㎞／時）で動く軌道貨車がローダーを通り過ぎる間に鉄鉱石のペレットが積載される。

望ましい姿 できるだけ均一に積載する（貨車1台当たりの実質積載重量の均一化）

積載の作業員が1人いる。この作業員はどの貨車もだいたい同じ重さになるように機械をうまく操作しなければならない。均一性を求めるのにはいくつかの理由がある。1つは週に貨車100台分を超えるような大量注文を出す顧客にとって、現実的だからだ。顧客は貨車10台ないし15台を抜き取りサンプルとして用いて自分が注文した鉄鉱石ペレットの総重量と運搬コストを計算することができる。貨車ごとに1台ずつ重さを測るのに比べたら抜き取り検査でコストを減らせるし、ヤードでの貨車の移動速度も上がる。個々の貨車の積載能力を最大限有効に

図44　移動する軌道貨車に熱い鉄鉱石のペレットが積み込まれていく。

ペレットを積んだ貨車が進むにつれてAの金属板がペレットのてっぺんの山谷を均していく。この結果、どの貨車の積載重量もだいたい同じになり、貨車1台当たりの積載量も増えた。

貨車にはできるだけ沢山載せたいが、その一方で、どの貨車も重さがだいたい同じになるように積載したい。この2つの要件をともに満たすのは、Aの位置に頑丈な鋼鉄製の板を設置するまで難しかった

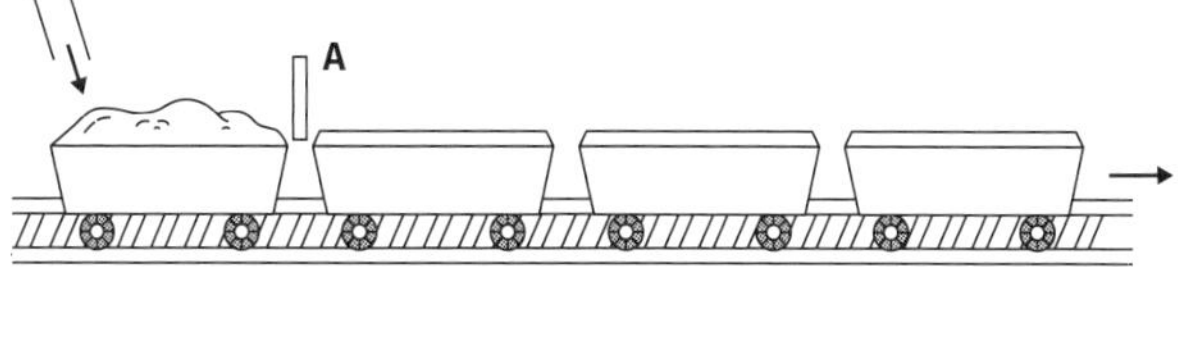

使いたいが、過積載は避けなければならない。ペレットの山が高すぎるとカーブを曲がるときに山が崩れて貨車からこぼれ落ち、鉄鉱石が失われてしまう。そのせいで1台の貨車から半トン分のペレットが失われることも珍しくなかった。

そこで、ある解決策が見つかった(図44)。水平に渡した頑丈な鋼鉄製の横板(図44のA)が山を均して適切な高さにするのである。エンジニアはなぜいままでこれを思いつかなかったのだろう?「積載の作業員が頑張れば積載の『ばらつき』を減らせる、それでよいではないか」とエンジニアは考えていたのだ。「システム」は変えることができるものだと明らかになるまで、彼らがそこに思い至ることはなかった。

例6 ストッキング生産の改善

その会社ではマネジメントが先を見て、このままでは近い将来コストが収入を上回り、すぐに手を打たなければ赤字会社の仲間入りになると考えていた。[*2]「第1グレード」に仕分けされるストッキングの比率をなんらかの方法で増やすことができたら、いまの生産量のままでも純収入増となって、会社の競争力を高めることにもつながるはずだ。生産をよくしたい理由は他にもあった。作業員は出来高払いで給料を支払われており、不良品1つにつき出来高から2つ分が差し引かれるペナルティがある。ペナルティのせいで作業員の週給が最低賃金に達しないと、会社は差額を支給しなければならない。生産の改善は作業員にも会社にも良い助けになるはずだ。最初の数ステップは以下の通り。

①マネジメントが問題を見越して統計学者（デビッド・S・チェンバーズ）に支援を求めたのは最初の大きな一歩だった。
②2つ目のステップはマネジメントの意識改革
③そしてチェンバーズ博士のアドバイスによって、会社は20人の監督者をテネシー大学に送り、週に2時間半の10週間の研修コースを受講させた。たまたまそうなったに過ぎないのだが、この研修はその20人が互いに親しく接し、自分たちの問題について話し合う初めての機会を与えることになった。
④トレーニングを修了した監督者は学んだ原則を当てはめて実践し、得られた成果を報告するようマネジメントから求められた。

結果は監督者の週次ミーティングで発表された。この監督者ミーティング自体、監督者たちの研修受講中に始められたものであった。マネジメントはこうしたミーティングが現場で働く人々の間で意見を交換するフォーラムのような場になってほしいと願い、事実うまくいっていた。週次ミーティングの創設は、自分たちの仕事がマネジメントにとっても工場にとっても重要なのだということを監督者たちに実感させる最初の兆しであった。監督者らはこれ以降、チームワークを育み、積極的に取り組む姿勢をチームの中に育てていくのだが、それは従来のこの工場にはまるで欠けていたものだ。それまで監督者はこのような能力の発揮を期待されたことはなかったが、実際、このグループは監督者たちで構成される一種のQCサークルとして機能するようになった。

⑤数回の監督者ミーティングを経てコンサルタント（チェンバーズ）が提案したのは、「まず編立部門の諸問題を研究しましょう」ということだった。なぜ編立部門を選ぶのかといえば、1どうもそこに問題があるらしい、2その部門の監督者は「良い監督とは何か」を既に学んでいる、3その部門の監督者は機械のオペレーターとも他の監督者とも協力してうまく仕事を進める能力がある、という理由からだ。

第1ステップ

ストッキングは生産ラインの最後でグレード別に仕分けされる。第1グレード、ムラ有り品、第2グレード、第3グレード、そしてラグ（ぼろ屑の意）だ。ここで進取の気性に富む1人の男性がそのラグを購入し、ラグの中には吟味次第で第3グレードとして売れるものがあり、ムラ有り品のグレードで売れるものまであることを発見した。彼は修正専門の人を雇い、残りのラグのほとんどを第1グレード品に引き上げてみせた。

ラグをつくるのも、第1グレード品をつくるのも、生産コストは同じという事実を意識するのは大切なことだ。しかしながら、利益は第1グレードから来る。ムラ有り品のグレードや第2、第3のグレードも売れるには売れるが、値段は安い。ラグに至ってはタダ同然の価格でしか売れない。

改善の最初の数ステップのうちの1つが、編立工程で検査を行うよう取り計らい、編立の「システム」が統計的に管理された状態にあるか否か、あるいは、管理された状態にないとすれば特殊要因によって大きな「ばらつき」が生じている証拠があるか否かを見極めることであった。

この職場は日勤と夜勤の2シフト制である。6月の最初の稼働日、編立の各作業員がつくったストッキングの中からそれぞれ日当たり16本を抜き取って行うサンプル検査が始まった。6月・7月の2カ月がテスト期間だ。47人いる編立の作業員はこのテスト期間中、ほぼ毎日働いていた。47人全員の日次の合計不良率（グレード落ちしたストッキングの割合）をチャートにしたものを図45に示す。平均すると4・8％が不良だとわかる。管理限界は次のように計算される。

$$\bar{p}=0.048,\ \bar{q}=1-\bar{p},\ n=47\times16=752$$

$$\left.\begin{matrix}\mathrm{UCL}\\\mathrm{LCL}\end{matrix}\right\}=\bar{p}\pm3\sqrt{\bar{p}\,\bar{q}/n}$$

$$=0.048\pm3\sqrt{0.048\times0.952/752}$$

$$=\begin{cases}0.071\\0.025\end{cases}$$

テスト期間中に2点（2日）が管理限界を外れている。1点目は、この職場にはそれまで検査員がいなかったため、検査員の存在が編立の作業員を慌てさせてしまったという事情で説明できる。管理限界から外れた2点目の理由は、7月4日の独立記念日を含む週の週明けの月曜日だったことだ。この工場は独立記念日の週はまる1週間休止していた。いわゆる「月曜の朝の問題」が亢進したケースだ。

マネジメントが衝撃を受けた

その頃たまたま、オペレーション担当のバイスプレジデントが「第1グレード品であるべきものが、4・8%もグレード落ちしている」というこの数字を見てパニックになりかけていた。自社が何をつくっているのか、このときまでバイスプレジデントはまったく理解していなかったのである。彼は「第1グレード品であってしかるべきはずのものが4・8%もグレード落ちしているようでは、当社はこの事業を続けていくことはできない。こんなビジネスはとうの昔

図45　グレード落ちしたストッキングの比率を示すチャート。

6月と7月がテスト期間。7月末近くになって対策がとられた。

8月と9月のデータで一目瞭然、改善の効果がすぐに出て、その後もずっと効果が続いていることがわかる（本文の改善効果の数値を参照されたい）

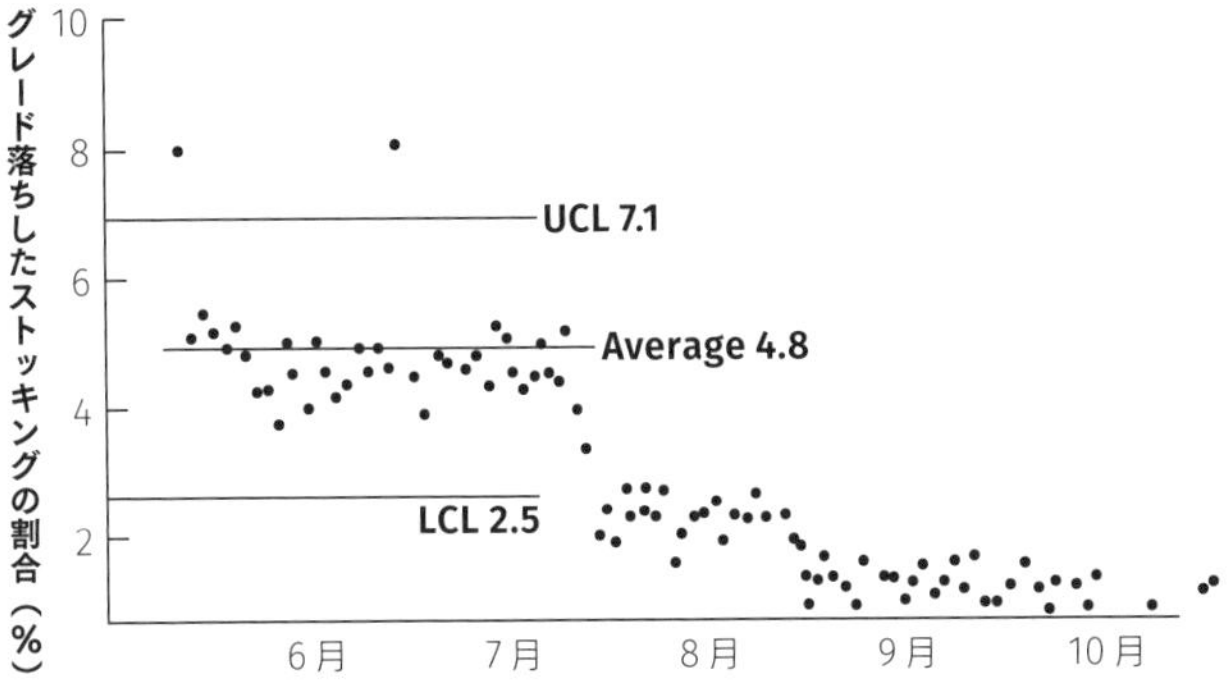

にやめていてもよかったのだ」と言い出した。当工場は操業開始以来65年にもなるのだが、彼はそんなこともすっかり忘れていた。

それまで唯一記録がとられていたのは、ペアリングと箱詰めの工程でグレード落ちした数だけであった。この以前にも、やろうと思えば、この最終工程（ペアリングと箱詰め）から上流工程へさかのぼって追跡し問題の原因を突き止めることはできたはずだが、彼らはそうはしなかった。言い換えると、マネジメントは自分たちがどこにいるのか、まるでわかっていなかったのである。

編立の作業員ごとのチャート（図46）

続くステップは、編立の作業員1人ひとりにそれぞれのコントロールチャート（管理図）を提供することである。これによって彼女たちは毎週毎週、自分がどのくらいうまく仕事をやっているかを把握することができるようになった。作業員個々のチャートについて以下に所見を述べる。読者の皆さんにとっても興味深いと思う。

75番の編立作業員について

優秀な作業員である。監督者は彼女が持つ技能の多くを職場共通のルーティンに入れ込み、皆の利益につなげることができるはずだ。

22番の編立作業員について

6月よりも7月のほうが悪くなっている。監督者は8月に彼女の仕事ぶりを研究した後、人事部門に彼女の件を話し、目の検査を受けさせたいと提案した。前回の彼女の目の検査の記録を調べたところ、8年前に受けたきり、その後は検査していないとわかったのだ。医師の診察により、彼女は左目が見えず、右目も視力0・3しかないと判明する。医師は彼女の右目が視力1・0になるよう矯正した。彼女の仕事は忽ちよくなり、時給も19セント増えた。

22番の作業員に起きたこの出来事は、マネジメントに「目の検査の重視を当社の方針に組み込んではどうか」と考えさせることになった。ここでマネジメントは「実際、自分たちはまともな方針など何も持っていなかったのだ」という事実に直面する。例外は新たに従業員を雇うと

図46　3人の編立作業員のチャート

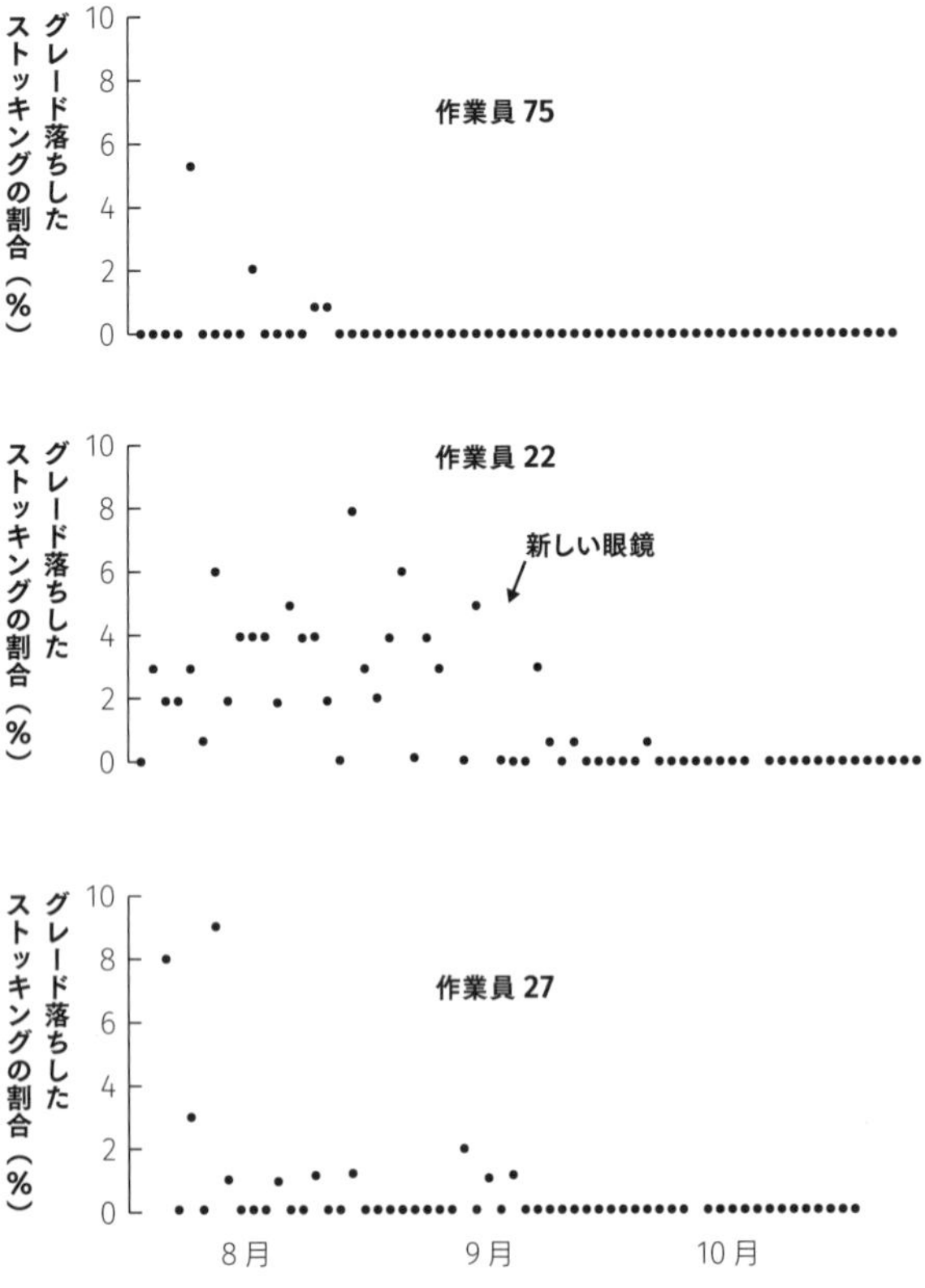

きで、学校で編立の技能を習得してきた人以外は会社が6週間のトレーニングコースを受けさせると決まっている。しかし、「編立の経験があります」と言って求人に応募してきた人に対するこの会社の手続きは、その人に実際に編立をやらせてみて、その仕事に就けるかどうか、監督者が判断するというものだった。既に雇われている常勤の社員を対象とする技能検定はなく、そうした検定が必要であると認識されることもなかった。

新たな方針は編立の全従業員に目の検査を受けさせること、定期的な再検定のしくみをつくることであった。

最初の目の検査で12人の作業員が手元を見るのに支障があると判った。

27番の編立作業員について

この作業員は、テスト期間中はおそらく全員のなかで最も仕事ぶりがよろしくない1人だったと思われる。監督者がやったのは、彼女自身のチャートを当人に見せたことだけだ。彼女の反応は「私はここで5年働いていますが、注意して作業することが大切だなんて誰かから言われたのは、これが初めてです。よく注意して作業すれば違いが出るのなら、私はもっと仕事をうまくやれるかもしれない」というものであった。

8月以降の彼女の記録は目覚ましい改善を見せた。

この集団の管理限界を超えて大量のミスをしている別の編立作業者（チャートはない）は「この仕事に就いて5年になりますが、編立とは何かを説明してくれた人は1人もいませんでした」と言った。彼女は他の作業員を観察してきたという。他の作業員はよかれと思って彼女を助けようとするのだけれど、その結果、この仕事がどうあるべきか、未だにわからないまま、自分は悪い習慣を多く身につけてしまったのではないかと思うと言うのだった。

成果のまとめ

このように記録を取ることは、当時進められていた改善活動の1つに過ぎない。8月初めに、最初の1カ月の改善成果が表れた。グレード落ちの平均値は2・4%まで減り、以降、月を追うごとに1・4、1・3、1・2、1・1と減って、翌年2月にはとうとう0・8%になった。たった7カ月で劇的に変わったのである。以前は毎週1万1500枚のストッキングをグレード落ちさせるためにつくっていたのだが、2月までにグレード落ちは2000に減った。結果は以下の通り。

●第1グレード品の生産数量が増えた
●コストが減って、利益が増えた
●生産性の向上（結果的により少ない労力で生産できるようになったこと）によって、従業員の給料が増えた
●顧客の目に映る品質が維持されていることには確たる証拠があり、売上拡大に一役買っている
●顧客からの苦情が激減した

この活動にかかったコストは実質的にゼロに近い。検査員を数人増やしたものの、検査だけを専門にやらせることはなくなった。その必要がなくなったからだ。チャートにプロットするのはいまでは職場の事務員が1人ですべてやっている。職位を増やすこともなかった。

読者に想起していただきたいのは、この改善はそれまでそこで働いていた人たちによって行われたのであり、新たな設備の導入も一切しなかったことだ。

第13章 良い発想なのに、実行が残念な例

NIKKEI BP CLASSICS / OUT OF THE CRISIS I / W. Edwards Deming/ 1. Chain Reaction: Quality, Productivity, Lower Costs, Capture the Market / 2. Principles for Transformation of Western Management / 3. Diseases and Obstacles / 4. When? How Long? / 5. Questions to Help Managers / 6. Quality and the Consumer / 7. Quality and Productivity in Service Organizations // NIKKEI BP CLASSICS / OUT OF THE CRISIS II / W. Edwards Deming // 8. Some New Principles of Training and Leadership / 9. Operational Definitions, Conformance, Performance / 10. Standards and Regulations / 11. Common Causes and Special Causes of Improvement. Stable System / 12. More Examples of Improvement Downstream / **13. Some Disappointments in Great Ideas** / 14. Two Reports to Management / 15. Plan for Minimum Average Total Cost for Test of Incoming Materials and Final Product / 16. Organization for Improvement of Quality and Productivity / 17. Some Illustrations for Improvement of Living / Appendix: Transformation in Japan

狙いは素晴らしいが、実現手段は狂気の沙汰――これは（共和党の）経済合同委員会の反対意見書の特徴である。

ウォールストリート・ジャーナル1977年3月15日付

どんな問題にもソリューションが存在する。シンプルで恰好がよいが、間違っている。――1972年のモービル石油の宣伝である（おそらくH・L・メンケンの言葉から借りたものだ。彼は「どんな複雑な問いにも、よりシンプルな答えが存在するが、それは間違いだ」と言っている）。

ビジネスウィーク1980年4月21日号

本章で用いる基本原則

本章で論じる事例は失敗から浮かび上がったものだ。事例を通して次の4つの基本原則を理解していただきたい。

- 集団の中には必ず集団の平均を超える点がある。
- すべての点が平均に集まることはない（ごく稀に生じる偶然を除けば）
- 統計的に管理された理想の状態においても品質と生産量には「ばらつき」が存在するが、その変動はランダム性の基準を満たす。言い換えると、「ばらつき」は安定しているということだ。統計的に管理された状態にある「品質 - 特性」は安定しており、一貫性がある。いつでも再現可能だ（第11章）。「ばらつき」を減らし、より良いレベルを追求する責任はひとえにマネジメントにある。

●「ばらつき」やロスを引き起こすのは特殊要因だけではない。そこに「システム」があるからには、「システム」そのものから生じる共通要因がロスを引き起こすこともある（第11章）。

最初の2つの基本原則は受け狙いのジョークなのではと思われるかもしれないが、そうではない。残念ながら、実のところ、米国の組織運営やマネジメントにおける行動の仕方の多くがこの4つの基本原則のすべてを無視している。

例1　平均値を超える人たちがいる

専門家の意見を聞きたいと招かれてその会社へ行くと、社長が自社のデータ処理機を筆者に見せたがっている。彼が構築したしくみの中で、約60人の女性がカード穿孔作業をしている。カード穿孔作業におけるエラー発生率はどのくらいかと尋ねたところ、私にはうれしい驚きだったが、彼はその数字を知っていた。彼は多くの人の一歩先を行っていたのだ。普通なら「エラーはありません」とか「ここはエラーが発生するような場所ではありません」と言うところだ。

平均するとカード100枚当たり3件のエラーが発生していると彼は言った。毎週水曜日にレポートを受け取る。カード穿孔の照合記録を基にまとめたそのレポートを見ると、前の週にカード穿孔の担当者ごとに何件のエラーが発生したかがわかるようになっている。

そしてここから彼は良い監督のための素晴らしいアイデアを思いついたという。前の週に平均のエラー件数を超えた作業員1人ひとりと話すことにしたのだ。

「そうしますと、あなたは毎週毎週必ず約30人の作業員と話すということですか？」と筆者は聞く。

「そうです」と彼は応じ、「ほぼそのくらいの人数です。しかしあなたは、どうして私が毎週話している人の数がわかったのですか？」と質問してきた。

そこで筆者は、ロンドンのタイムズ紙の編集者宛に最近届いた1通の手紙の話をする。手紙の発信者はこう書いてきたという。「保健省発行のレポートを研究してわかったことがある、英国の子供の半数が平均の体重以下であるのは明らかだ。国にとって由々しき事態である。われわれは子供たちの栄養状態改善のために対策を講じなければならない」。

私の話に耳を傾けていた彼はこのジョークを笑ったが、それについて深く理解したのではなかったから、自分の監督のやり方が同じ罠にはまっており、入力間違いを減らすどころか、増やす原因になっていると気づくことはなかった。

それに気づかぬまま、毎週毎週、その60人の作業員の中からランダムに選んでいるのと同じなのだから、彼のやり方は危うい。単純な統計の手法を使うだけで、どの作業員がどんな助け（例えば、もっとよい訓練であるとか、他の仕事に配置換えしたほうがよいといったこと）を必要としているかわかるのに、実に惜しい。

「それで、どのくらい効果がありましたか？」と尋ねると、答えは予想通り。「がっかりしている、まったく良くなっていない」と彼は言った。いや、彼が知っているかどうかに関わらず、事態は悪くなっているはずだ。というのも、彼の努力は働いている人々の中に不満と面倒をつくりだしているのだから。

例2

最終製品は精糖である。素材はほぼ粗糖と海水だけだ。水は重要なコスト要因の1つである。入江に面して立つその工場には、精糖に使える淡水の供給はない。海水から塩分や他の物質を除去して淡水をつくることが必要なのだ。

目的　最終製品1トン当たりの海水使用量を3・5トンまで減らす

方法（間違っている） 海水使用量が3・5トンを超えた日の状況を調べる

「3・5トンはどこから来た数字ですか?」と私は尋ねた。

「会議を開いて、それならやれるだろうと決めたのです」

この会社のマネジメントから招かれて当地の工場を訪れた際に筆者が見たのは、当月の実績を示す掲示板だ。うち1行が海水使用量の日次の実績を表しており、緑と赤で色分けされている。緑は3・5トン以下、赤は3・5トン超を意味する。製造の作業員は毎日、前日の実績を知らされる。赤なら集まって自分たちが昨日やってしまった不適切な何かを見つけ出さねばならない。当然、彼らはあらゆる可能性を調べ上げて適切な対策を打とうとするのだが、こうした行動のすべてが間違っている。翌日緑になったら、自分たちは海水浪費の原因を見つけたと思い、喜ぶ。しかし、1日か2日のうちにまた赤になるのを見るだけだ。次は、おそらく赤が2、3日は続くことになる。

「精糖1トン当たりの海水使用量3・5トン」は定量的なゴールの1つに過ぎない。関係者全員が合意した数字であったとしても、依然単なる数値目標であって、目標を達成できなかった日があれば直ちに何が間違っていたのかを見つけ出しましょうというだけのこと。それ以上のプランは欠けたままだ。そこで、きちんとしたプランをつくってやってみたところ、128

ページで見たのと同じ過ちを犯していたことが明らかになった。135~136ページで論じたように、「調整のやり過ぎ」(1つ目の間違い)からも、「調整の不足」(2つ目の間違い)からも、大きな損失が生じる。対象が何であれ、何かを改善したいなら険しく不確かで予測の効かない道を進まなければならないが、その道が最適な仕事のやり方に確実に繋がっているとは限らない。

その過程ではきちんとしたプランを持たなければならない。つまり、プロセス自体をよく研究していくということだ。それにはまず、仲間が集まって、化学の知識とシューハートのサイクルの助けを借りて発案した何らかの仮説を、しっかりした実験計画に注意深く沿いながら、実際にやってみるに尽きる(第1章の「日本の覚醒」を参照)。

精糖のための日次の海水消費量をチャートにすれば、特殊要因によるものか否かを即座に判別できる上に、実際に改善されているか否かも一目瞭然だ。

ここで注意しておきたいのは、プロセスそのものを理解し、良くしていくためには、必ずしも改めて実験し、新規にデータを多く集める必要はないということだ。当然だが、温度は普段から変化している。変わらぬものなどないのだ。温度推移の記録はあるだろう。それ自体が、目下取り組んでいるさまざまな対策と、そうした対策によって変化していくプロセスの相互作用の結果なのである。圧力の推移の記録もあると思う。流速の推移の記録もあるだろう。記録の中に間欠的に生じている何らかの事象を見つけたらしめたものだ。温度が高ければどうなるか、低ければどうか、圧力が高ければ、低ければ等々、といった具合にそれらが生産にどういう影響を与えているか、製品のしかるべき価値にどのような影響を与えているか、よく観察した上で技術的な判断を下していく。それがプロセスそのものを良くしていく手掛かりに通じるのだ。このように、まず現有のデータをよく調べてみるのは、何の手掛かりもなく「こういう目的でこれから実験をやります」と宣言し、温度を変え、圧力を変え、流速を変えて実験するプランを新たに立てて進めるより、安くて賢い方法である。東京の友人、西堀栄三郎博士は最初に私にこう言った。

「まずそのままの状態で『ばらつき』をよく観察し、『実験』は単純な観察で解決できなかった問題のためにとっておく。そのほうが経済的でムダがない」

友人のヒュー・ハマカー博士はオランダのアイントホーヘンのフィリップス社と何年も一緒に仕事をした人で、当時からいまに至るまでずっと、声を大にして同じことを主張してきた。
換言すれば、本書の随所で繰り返し主張している通り、既に存在している情報を有効活用せよということだ。

例3

クライアントとの会議に出席するために移動していたらファンベルトの調子が悪くなり、ランカスターの近くで車を降りた。どうやら交換する必要があるらしい。修理してもらう間、私は壁の掲示を見ていた。

今月のトップ整備士
最高の顧客満足を獲得
トム・ジョーンズ

私は修理工場のフォアマンに「『最高の顧客満足』とはどういう意味ですか?」と尋ねた。
「お客さんからの苦情が一番少なかった、その月の再修理が最も少なかったという意味です」

さらに問答は続く。

質問　「いままでにゼロだった整備士はいますか？」

答え　「ええ、しょっちゅうですよ」

質問　「1人当たり、月当たりの平均はどのくらいですか？　記録はありますか？」

答え　「ないです。しかし平均についてなら良いアイデアがあります。ときに応じて若干の自由裁量権を行使する必要はありますが。例えばこれです。新しいキャブレター。これは調整が難しい。そこで、この新しいキャブレターに関する苦情はカウントしないようにする」

質問　「すると、整備士は全員、どの月も平均と同じくらいの苦情数ということでしょうか？」

答え　「そうです。もちろん月によって変動はありますが、全体で見たら全員が同じくらいです」

（私はここで「あなたはいかにしてそれを知るのか？」と問うべきであったが、そうはしなかった）

質問　「壁に名前を貼り出されたことのない整備士はいますか？」

答え　「いいえ、そんなことはありません。皆よくやっていて、代わる代わるトップを取っています」
質問　「その月のトップの整備士が2人いたらどうしますか？」
答え　「2人とも壁に名前を貼り出します」
質問　「その2人が本当に同点トップかどうか、どうやって知るのですか？　記録は取っていないんでしょう？」
答え　「私にはその2人がよくやっているとわかりますから」
質問　「1年か2年のスパンで見て、貼り出される回数がちょっと多すぎるのではと思われる整備士はいますか？」
答え　「いません。代わる代わる貼り出されます。自然にそうなりますね」
質問　「連続2カ月苦情ゼロの整備士はいますか？」
答え　「はい、そういうこともありますよ」
質問　「功績を褒めるためのこのしくみは実効性があると思いますか？」
答え　「そうですね。始めた頃は効いたと思います。まだ数年しかやっていないのですが。いまはもう、あまりワクワクすることもないですね」

なぜ私がそこまで興味を持つのか、フォアマンは私に質問するだろうと思ったのだが、彼は何も聞いてこない。私は自分の結論を彼に言ってあげたかったが、そうはしなかった。彼の答えから察するに、この功績顕彰システムは一種の「くじ引き」に過ぎない。彼の話はランダム・パターンにきれいに適合する。記録を取っていたらランダム性を検証できたと思われる。ここでランダム性（つまり、統計的に管理された状態にある）の持つ意味を考えたい。

整備士1人当たり、月に平均2件の苦情が寄せられると仮定すれば、任意の月に1人の整備士が苦情ゼロである確率はe^{-2}=1/7.4になる（この計算は苦情が独立事象であるという前提に基づく）。整備士1人当たり、月に平均3件の苦情なら、月間苦情ゼロの確率はe^{-3}=1/20だ。こうした確率は「ある整備士がその仕事において統計的に管理された状態に達していて、月間苦情件数の平均が1件ないし2件であるなら、待っているだけで優秀賞を貰える」と教えてくれる。実際、「当月のトップ整備士賞」のみならず「2カ月連続トップ整備士賞」を貰って本人もちょっと驚くということもあるはずだ。あるとき月間トップ賞を取ったら、次の月も取れる可能性がある。その一方で、しばらくトップ賞を取れないこともあるのだが、両方ともまったくの「偶然」なのだから仕方がない。

要約すると、ここにはサービスの質の向上に繋がるはずと考えて創設した「システム」があるのだが、実際には（そこで働く人がいずれその「システム」に関心を持たなくなると仮定すれば）それで何かが達成されることはないということだ。もちろん別の仮定（人々がその「システム」に関心を持ち続け、賞を取ろうと頑張り続けるという仮定）を置くこともできるが、もとよりその「システム」は運任せなのだから、現実には人々の士気を挫き、サービスの質を低下させることに繋がる。

道徳的教訓を統計学で再考すると

ニューヨーク大学での本章の内容に関する講義を聴いた後で、1人の学生が「これからは、偉大な将軍たちへ贈られる賞の数々を違った目で見ます」というメッセージを送ってきた。

偉大な将軍たちの影響力と天賦の才について、エンリコ・フェルミがレズリー・グローブス将軍に「『偉大な』と呼べる将軍は何人いますか?」と質問したという話がある。グローブスは「100人いたら、まあ3人くらいだろう」と答えた。次にフェルミは「どうすれば偉大な将軍になれますか?」と訊き、グローブスは「5回連続で戦闘に勝って生きていたら、どんな将軍でも『偉大な』と呼ばれるようになる」と応じた。時は第2次世界大戦の最中である。そこでフェルミはこう言った。ほとんどの戦場で敵味方の戦力が拮抗していると仮定すれば、将軍が1回の戦闘で勝つ確率は2分の1、2回の戦闘で連続して勝つ確率は4分の1、3回連続勝利なら8分の1、4回連続勝利は16分の1、5回連続勝利する確率は32分の1。「ですから、グローブス将軍、あなたは正しい。将軍が100人いたら偉大な将軍は3人。数学的な確率です。天賦の才ではないですね」

(John Keegan, *The Face of Battle*, Viking, 1977. 邦訳は、ジョン・キーガン『戦場の素顔 アジャンクール、ワーテルロー、ソンム川の戦い』高橋均訳、中央公論新社)

例4

時折、経済誌に記事が載るから読んだことのある人はいると思う。一部の製品あるいは製品ライン全体の売上が2年連続で減少したら、広告代理店に「別の代理店に切り替える」と言って脅すという方針を採るメーカーが現れた、製造業にとって由々しき事態なり、といった記事だ。

いまではだんだんと明らかになって実に痛々しいのだが、これまで統計的手法を不適切に使って宣伝効果を測定しようとしてきた者は皆、それが却って売上減少やシェア低下につながりかねない強烈な負の力を持つことに気づいている。宣伝は武器の1つとなり得る。宣伝の失敗もまたしかり。しかし、他にもさまざまな原因があるはずなのに己の不幸を広告代理店のせいにするとは、ひどい当て推量である。こういうやり方は「くじ引き」と呼ぶのが一番わかりやすい。くじ引きだから、広告代理店には勝つチャンスもあれば負けるチャンスもある。

そして世間にはそういった「素敵な」アイデアを思いついて昇進する人がいる。同僚たちはうっかり騙されて「彼の昇進は実績によるものだ」と思い込むかもしれない。昇進した彼自身、それ以外の理由では納得しないだろう。

例5　コスト／利益分析における誤謬

コスト／利益分析は$\Delta C/\Delta B$を使う。ΔCは「あるプランのコスト増分」であり、実績または想定。ΔBは「利益の増分」である。この考えはよさそうだ、やってみようと思うだろう。しかし多くの場合、ここには深刻な問題がある。

①コストは時につかまえにくい。見積もるにしても精緻な算出は困難だ。例を挙げれ

ば、顧客に届いてしまった不良品（例えばテレビのブラウン管）のコストを知る者はいない。コストが小さい製品（例えばトースター）であっても、そのメーカーの製品の不良に不満を感じた顧客が実は大きな契約を決める上で強い影響力を持つ人物で、契約に際して別のメーカーが受注するよう取り計らうかもしれない。

②利益も同様だ。利益はお金で測るのがさらに難しくさえある。しかし、片方の利益がもう一方の利益に反すという「トレードオフ」の考え方を使って利益の出方を見積もる尺度を得られる場合がある。*1

コスト／利益分析において分子と分母をうまく見積もれないなら、分数式の値を算出することは不可能だ。コスト／利益分析はしばしばわれわれを置いてけぼりにするが、これがその場所である。

筆者自身は、怪我をする虞《おそ》れや生命の危険がある製品の設計のためにコスト／利益分析を使ういかなる試みにも参加するつもりはない。

第14章 マネジメントへの2つの提言レポート

NIKKEI BP CLASSICS / OUT OF
THE CRISIS I / W. Edwards
Deming/ 1. Chain Reaction:
Quality, Productivity,
Lower Costs, Capture the
Market / 2. Principles for
Transformation of Western
Management / 3. Diseases
and Obstacles / 4. When?
How Long? / 5. Questions to
Help Managers / 6. Quality
and the Consumer / 7.
Quality and Productivity in
Service Organizations //
NIKKEI BP CLASSICS / OUT OF
THE CRISIS II / W. Edwards
Deming // 8. Some New
Principles of Training and
Leadership / 9. Operational
Definitions, Conformance,
Performance / 10. Standards
and Regulations / 11. Common
Causes and Special Causes
of Improvement. Stable
System / 12. More Examples
of Improvement Downstream
/ 13. Some Disappointments
in Great Ideas / **14. T**
wo Reports to M
anagement / 15. Plan
for Minimum Average Total
Cost for Test of Incoming
Materials and Final Product
/ 16. Organization for
Improvement of Quality
and Productivity / 17.
Some Illustrations for
Improvement of Living /
Appendix: Transformation in
Japan

ゲーテの賢察の通り、考えが足りないと、常にそれを埋める言葉が見つかる。

サイエンス誌1977年9月号所収のアシュレイ・モンタギューのレビューから引用

本章の狙い

本章の2件の「マネジメントへの提言レポート」（再録）は現実に出会った問題を描き、解決策を提案するものだ。非常に優れた例として、あるいは規格外の例として、選んだのではない。実際は真逆である。典型的な環境と問題を如実に描き出しているから選んだのだ。

ある工場への方針転換の提案

以下に示すレポートは、ある大企業が所有する工場へ出かけて問題を調べた後、筆者とデビッド・S・チェンバーズによって書かれたものだ。2人の統計学者は仕事を終え、約3週間でこのレポートを書いた。経営陣はこの工場が赤字転落の瀬戸際でジタバタしていることを何年も前から知っており、新鋭設備を入れるしかないと考えていた。

品質監査の記録（これを見ると主要不具合の不良率は7・5%とわかる）は毎日作成されていたが、それが目的に適ったことはこれまでなかった。

①ⓐ当社のナイチンゲール工場（仮名）は、毎日操業し製品を送り出しているが、そのうち平均7・5%の製品に1つないしそれ以上の主要不具合点が含まれている。当然ながら日ごとに「ばらつき」があり、この平均値を上回ったり下回ったりする。日次の不良率が11%、12%に達する日が数日あってもおかしくない。これらの数字は主要不具合項目だけに関するもので、小さな不具合項目は除かれている。

ⓑ主要不具合点を内包する不良品が顧客に流出している。

ⓒ主要不具合の不良率はきちんと文書化されている。会社が品質監査を通して集め、記録させているものだ。

ⓓ製品の主要不具合の不良率は、当社の販売と利益の問題をつぶさに解き明かしてくれる。

②ⓐ当ナイチンゲール工場は、検査によって品質をつくり込もうとする典型例だ。その考えがうまくいくことは決してない。行き着くところは常に低品質・高コストだ。

ⓑそれが当社の狙いであるなら、不良率7・5%のまま、もっと安くつくる方法はある。

③ⓐ生産ラインのあちこちでやっている手直しの量が当社の利益を左右している。それが非効率なのは言うまでもない。

④ⓐ問題はこんなふうに始まる。いずれかの場所で検査員が不具合を見つけると、これはマイナーな不具合だと勝手に決めつけて自分で直してしまう。換言すれば、検査員が不具合を見つけることができて、手直しする時間がある場合にだけ、そうしているという意味だ。ルールの上では、主要不具合は、それをつくった作業員のところへすぐに戻るべきなのである。モノが足りなくなるのだから、生産を預かる監督者はその問題に正面から取り組むべきなのだが、そうした面倒を避けたいがために不良をつくったところへ戻すのを妨害する監督者もいる。ルールをきちんと定めれば、監督者がそういうことをするのを防げる。

ⓑ主要不具合点を含む不良であれ、マイナーな不良であれ、不良品が生産ラインに戻ってきたら、不良をつくってしまった当該工程以降のほぼすべての工程でやっかい事を起こす。不良はどこまで行っても不良なのだ。不良が不良を生む。

[c]生産の作業員が作業を終えたら、出来栄えを自分で確認するように変える。主要不具合点を見つけたら自分で手直しする。主要不具合点とは、生産の作業員にしてみれば、自分のところへ返される可能性を孕むモノという意味だ。下流にいる検査員が見つけて自ら手直ししてしまうと、その不良をつくった人のところへは、戻ってこない。

　あるいは検査員が不具合点を見逃すこともある。検査員が不良を見つけたら、監督者が必ず生産ラインへ不良品を戻すようにすべきだ。このチャンスを活かさぬ手はない。生産の作業員が失うものはなく、むしろ自分の生産の記録から、何らかの手掛かりを見出せる可能性があるからだ。

[d]マイナーな不具合点をなぜ面倒がるのか？「検査員が対処すればよろしい、対処したら次のピースに取り掛かれ」というのが今のやり方だ。

[c]検査よりも監督が優位に立つと、作業員にも検査員にも不満を抱かせることになる。

⑤[a]当社の検査員は、実際には検査員の本来の役割をまったく果していない。当社の検査員達の今の仕事は、生産ラインの一部としての手直しだ。それでも手直しが追いつかない。

[b]別の言い方をするなら、当社の生産の作業員の仕事は不良をつくることであり、彼らはそ

れに対して給料を貰っている。そういう「システム」なのだ。生産の作業員はこの「システム」に責任はない。

⑥当社の品質監査は、最終製品が最終検査を全て通り抜けた後に行われている。この「最終検査」は明らかに一種のジョークだ。われわれは「検査で品質を確保するというやり方は、うまくいかない」と考えるべきなのだ。当社の品質監査はその理念をもってマネジメントを説得しなければならない。「うまくいくことは決してない」とわれわれが言った通り、いまのやり方は現実に当社のためになっていない。

⑦会社として検討していただきたい選択肢が3つある。

ⅰ何も変えずに、このまま続ける

ⅱ主要不具合点を含む不良率7・5%のまま生産を続けるが、コスト減と利益増をめざす

ⅲ不良を減らし、コストを下げ、利益を増やす。われわれが興味を持つのはこの道だけだ。

⑧徹底的なオーバーホールが必要である。生産量を増やし、品質を劇的に良くする。その結

果、否が応でも利益が増え、働く人の満足度も向上するとわれわれが確信する提案をここに示す。

⑨ⓐ当社の工場は細かい分業で動いている。欠陥を抱えたままのワークマンシップで、良い品質を保証する方法などない。

ⓑ細切れにされた仕事は、間違いなく社員の不満に繋がる。良い仕事をしてそのことに誇りを持つのは社員の権利だ。細かく分業させていたら、社員からその権利を奪うことになる。

ⓒわれわれの提案は分業をやめることだ。そのためには、良い訓練と、新たな監督の仕方が必要になる。

⑩ⓐ主要不具合点とマイナーな不具合の区別は撤廃する。不良はあくまでも不良だ。ただし、品質監査の中で両者を区別することはあってもよい。

ⓑ各作業の進め方をきちんと定義する。それによって作業員が正否を正しく理解できるようになる。これを行うことは8月8日の会議で既に決まった。われわれが明確にしたいのは、これは会社が担うべき責任であるということだ。「統計的な数字の話」ではないのだ。もちろ

ん、当社がこれから定めていくオペレーショナル・デフィニション（作業手順と基準）が当社の狙いに適うか否かを判断するのも、統計的手法を正しく用いてこそ出来る。

c当然ながら統計学者としてのわれわれの仕事は、新たなオペレーショナル・デフィニションに従って実際にやってみて、成否と効き具合を検証するため、テストの設計・実行をサポートすることだ。

⑪a並行して、検査での手直しをやめさせる。手直しが必要なモノは、i生産の作業員に戻るべきであるが、これはその作業員が統計的に管理された状態に達している場合であり、その人が管理された状態に達していない場合は、ii特別に編成したグループに不良品を戻すことにする。

b生産の監督者にプレッシャーをかけるのをやめる。監督者の役割は部下を助けて部下が品質をつくり込めるようにすることだと自覚させる。グループごとに管理図をつくると役立つ。個人別チャートをつくったほうがよい工程もある。

⑫a最終的には、いまより少ない検査員でより良い検査ができるようになり、検査からの役立

つ情報を用いて品質・顧客満足・利益を改善することができる。
[b]検査員の仕事の内容は本来の検査が主となり、彼らが生産の仕事をすることはなくなる。検査員の仕事は文字通り検査をすることになるはずだ。

⑬[a]製品の容器をランダムに取る方法、その容器からランダムに検査アイテムを選ぶ方法をルールとして定める（ランダムとは、乱数を使うという意味だ）。
[b]改訂された新たな検査の「システム」は、不良を作業員ごとに層別したり、不具合の項目ごとに層別したり、品種ごとに層別したりといった、新たな見方をもたらすはずだ。検査員ごと、生産作業員ごとに仕事ぶりや出来栄えを定量的に把握し、上方限界・下方限界を超えている者を特定することもできる。非常に優れた者もいれば、非常によくない仕事ぶりの者もいるとわかるはずだ。

⑭[a]統計学者としてわれわれの仕事は適切な手法を提供することである。当社はその手法をもって、問題の真因、高コストの真因を特定することができる。
[b]われわれは当社に必要な変革に関して、なすべきかなさざるべきか、あるいは、いかにし

てなすか、といったことをあれこれ言うつもりはない。

⑮皆さん方は、当社の現場で働く時給払いの社員たちからワークマンシップの誇りを奪っている障害物を見つけ出し、取り除かねばならない。

⑯新鋭設備の導入が改善をもたらすという考えにわれわれは疑念を持っている。実際、われわれは、マネジメントが今の環境下で何が間違っているのかを理解し、改善を進める上で自分たちの役割は何かを深く自覚する前に新規に設備を導入すれば、さまざまな新たな問題を引き起こしかねないと危惧している。

経営陣へのもう1つの提言レポートからの引用

①このレポートは、低い生産性、高いコスト、品質の「ばらつき」と共に貴社が抱えている問題をいくつか調べた後に、あなたの要請によって書かれた。私があなたの会社を理解するにつれ、こうした問題のすべてが相俟って、あなたの会社の競争力に関してあなたを深く悩ませる原因になってきたと考えるに至った。

②まず申し上げたい。トップマネジメントが自身の責任を果たさぬ限り、品質改善において永続的な影響が確立されることは決してない。マネジメントの責任に終わりはない。永遠に続くのだ。近道は見つからないと肝に銘じていただきたい。以下で詳述する通り、マネジメント自身が品質への責任を引き受け、その責任を果たすために自ら行動することができないなら、私の考えでは、それがあなたの問題の第1の原因だ。

③私があなたの会社への関与を始めたとき、あなたは私に「当社には品質管理があります」と断言した。そして私はそのいくつかを見る機会を得た。見ていくうちに確信したのは、あなたが自社にあると言っているものは品質管理ではなく、ゲリラ戦だということだ。組織立った「システム」がなく、1つの「システム」として品質をコントロールするための規定も評価もない。あなたはこれまでずっと、火消し部隊と一緒になって、どうか火が燃え広がらぬうちに現地に到着できますようにと祈りながら走り回ってきたに過ぎない。出荷便に積み込んだ完成品がそのまま出荷されたら問題を引き起こす可能性がある（訴訟になるかもしれない）と判明したというような事態に際してなら、貴社の品質管理部門は自分たちの義務をよく果

たしてきたと思われる。それはそれで重要だが、私の助言は品質管理を1つの「システム」として構築することだ。そうすれば、火事の発生を元から減らせるのである。あなたは品質をコントロールするためにお金を使っているが、効き目の悪い使い方だ。

④[a]あなたはスローガンを定め、いたるところに貼り出して、「完璧に仕事をやれ、他になすべきことはない」と皆を急き立てている。それに応えられる人はいるのだろうかと私は思う。全員が自分の仕事をよくしようと努めているかもしれない。しかし、自身の仕事の何たるかを知るすべもなく、どうしてその仕事を良くすることができようか。そもそも、材料に欠陥があり、材料の供給元がしばしば変更になる、設備は故障するといった制約があるなかで、一体どうしたらそんなことができるのか。国境を越えた競争に伍していかねばならない今の時代に、言葉だけで激励したところで実効性の高い改善の手段にはなり得ない。
[b]もっと違う何かが必要なのだ。あなたは、時給で働く社員たちが自分の仕事を自分で良くしていくための方法を与えることで彼らを助け、あなたの励ましが彼らの良い仕事に結実するしくみを確立しなければならない。その間にも現場で働く社員はあなたの励ましを悪い冗談だと感じ、マネジメントは品質への責任を引き受けようとしないと見ているのである。

⑤多くの場所でいつも立ちはだかる障害物は、「品質管理はインストールするものだ」というマネジメントの思い込みである。外部の人を雇って新しい部長に据えるとか、新しいカーペットに交換するとかいった具合にやれるものではないのだ。それなのにマネジメントは依然として「インストールせよ、さすればそれが手に入る」と言う。あなたの会社のケースで言うなら、マネジメントが品質のマネジャーの仕事を誰かに委ねた後は、特段の関心を払うこともないということがこれに相当する。

⑥道を塞ぐもう1つの障害物は「生産の作業員はすべての問題に対して責任がある」というマネジメントの心得違いである。作業員はそれぞれの仕事を正しくやる方法を知っており、それに従って仕事をしている限り、生産に問題が起こるはずはないと仮定してしまう。それゆえ生産ラインで何かトラブルに遭遇した時、反射的に作業員を責める。しかし、私の経験では、生産における問題の多くは、元をたどれば共通要因から来ている。共通要因を減らしたりなくしたりできるのはマネジメントだけだ。

⑦ⓐ幸いにも、問題の2つの原因（共通要因あるいは環境要因と、特殊要因）の混同はほぼ間違いのない正確さをもって解消できる。単純な統計的チャートを描いただけでも、2つのタイプの原因から来る事象の違いは一目瞭然となる。問題の根源を指し示すと共に、どの階層の人が責任を持って行動をとるべきかも教えてくれる。これらのチャートは、作業員に自ら手を打つべきときを知らせてその仕事の安定化に繋げることを可能にする一方で、作業員が何もせずに放置してよいのはどういう場合かも教えてくれる。さらに、同じくシンプルな統計的手法は、材料の不良のうちどのくらいが共通要因（環境要因）に帰すのかをマネジメントに知らせるのに使うことができる。なにしろ、そうした原因を修正できるのはマネジメントだけなのだから。

ここで以下のことに注意されたい。統計的手法を特殊要因の検知に使うだけでは効き目が弱く、控えめなその効果さえも、マネジメントが「システム」の改善に踏み出すことがなければ泡と消えてしまう。生産の作業員が良い仕事をするのを妨げている共通要因（環境要因）を、会社は断固除去しなくてはならない。会社はまた、自分の仕事に誇りを持つ可能性から作業員を遠ざけている障害物を除去しなければならない。マネジメントがこの最初のステップを踏み違えたままでは、生産の作業員に自らに起因する特殊要因の見つけ方を教え込もうとしても、新たな問題を増やすだけだと私は確信する。

「これは、『作業員にその仕事の何たるかをしっかり教えて、作業員1人ひとりが責任を持って自らの仕事を全うできるようになってもらいたい』という経営者側の本気の取り組みであって、経営陣の責任逃れではない」と作業員が気づくようになれば、作業員とこうしたコミュニケーションを続けることの有難味は計り知れないものとなる。

[b]こうなれば、どのような仕事に対しても、比較的単純なデータを使って、さまざまな共通要因が組み合わさった影響を見極められるようになる。しかも簡単にだ。

⑧[a]「私たちは自らの経験を信頼しています」とは、ある大企業で先日私が2つの種類のトラブル（特殊要因と環境要因）を、どのような原則に基づいて、どのように見分けているかと尋ねたときに、品質管理のマネジャーから返ってきた答えだ。あなたの部下たちも私に同じ答えを返した。

[b]この答えは自分で自分の首を絞めている――つまり、あなたの会社がこれからもずっと、いまと同じくらい、数々の問題を抱え続けることになると保証しているようなものだ。しかし今やあなたらは別のやり方が存在すると知っている。経験は蓄積することができるが、そ

れを活かすのは統計理論を応用してこそ可能になるのだ。統計的手法の1つに、実験をデザインしその問題に関係する過去の経験を実効性の高いやり方で活用することがある。「経験を活かしましょう」とあれこれ唱えても、理論に基づくプランがなければ、既に下した判断を後付けの理屈でもっともらしくお化粧する偽装に過ぎない。

⑨特殊要因との関係において私が発見したことを申し上げる。作業員がどんな時に、どんな行動をとれば自分の仕事を自分で良くしていくのに役立つかを目に見える形で作業員自身にフィードバックすることが非常に重要なのだが、あなたの会社にはそうしたフィードバックの原資たる情報が何もない。特殊要因は適切な統計的手法の助けがあって初めて検知し得るのである。

⑩ⓐ生産の作業員への統計的な助けを実効あるものにするには、かなりの訓練が必要となる。あなたの会社は組織を挙げて、時給で働く何百人もの社員たちにシンプルな管理図をうまく使う方法を身につけさせる訓練を行うべきだ。

ⓑその訓練を誰が行うか？　私からの助言は、トレーニングに対する適切なアドバイスと助

力を求めることから始めるのがよいということだ。そこから段々と広げていくのだが、その際、社内の各階層の人材をよく見て、しかるべき統計学の知識と素質を持ち合わせた人を選ぶことだ。そうした人たちが適時適切な導きの下に教育を受け、育っていけば、他の人に教えることができるようになる。

⑪現場で働く人が生産性の目標を達成できないのはその人自身の能力のせいだと見たり、なぜそうなのか本人にも説明できないのに追い詰めたりすることに、いまや言い訳は通用しない。しかし、情けないことにあなたの会社はいまもそうなのだ。

⑫ⓐプロセスが統計的に管理された状態（特殊要因が取り除かれた状態）に至ってこそ、当該プロセスの品質水準を合理的に説明できる、確かな「プロセスの能力」を持てるのだ。ⓑ統計的管理なしには、そのようなプロセスも、能力も、意味のある良品条件も存在し得ない。ⓒ良品条件を段々と狭めてより良いものにしていくのは、問題事象の共通要因を着実に減らし、除去し続けてこそ合理的に実現されるのであり、これ即ち経営側のなすべきことである。

その良品条件に対応して生産現場で働く作業員が統計的に管理された状態に到達すれば、その人はそのプロセスを構成する一部として、自身がなすべき仕事をきちんとやれるようになる。そのためには、納品される材料や部品の均一性を高め、上流の工程を安定させ、設備の段取りと保守をしっかりやり、プロセス自体を改良し、仕事の着手順の決め方を変え、あるいはその他にも基盤的な部分で変化を起こすことが必要となるが、それをやるかやらないかは、すべてマネジメント次第だ。

⑬右記のことに関して言えば、あなたの会社は多くの数字を集めているのに、品質が良くないのはなぜか、主な原因をつかんでいないと私は見ている。これではお金をかけて膨大な記録をコンピュータで処理してレポートをつくっても、品質を良くすることには繋がらない。

⑭私の見るところ、あなたが自社の生産の数字、つまりあなた方が「情報システム」と称しているものをよく調べてみることが重要な一歩となるであろう。会社のプロセス自体をよく観察し、各プロセスの能力を見極め、厳選された良質な情報を活かすことによって、プロセスを安定させ、製品1単位当たりのコストを削減しながら生産量を上げることができるように

なるはずだ。

⑮ここで、もう1つ言わなければならないことがある。コンサルタントはプロセスを正しく機能させるには何をどうするべきか、何もかも知っているはずだと経営層の人の多くが信じているが、それは間違った考えであり、高い代償を払うことになるということだ。事実はまさに逆だ。経営トップから第一線の作業員まで、どのような地位にあろうと、有能な人というものは自身の仕事について知るべきことがあるならすべて知っている。ただし、どうしたらもっと良くできるかは別だ。改善していくための助けは外部の知見からのみ、もたらされる。

⑯品質管理部門を創設したのだから、これで品質問題（市場の需要に合わせてムダなく製品をつくるという意味での品質問題）は解決したと思い込むマネジメントがあまりに多い。しかも、部門を設置したら後は知らぬ存ぜぬだ。

⑰加えて、組織に関する諸問題の解決は品質の向上に欠かせないのだが、それをマネジメントが工場長に任せきりにしているのも非常によくあることだ。工場長の身になって考えてみて

いただきたい。彼は会社のために献身的に働きながら、毎日毎日、自分の仕事は一体何かと思っているのである。生産量か、品質か。両方について責められる。品質とは何か、どうしたら品質目標を達成できるかを「君が理解していないからだ」と追い詰められる。衛生、公害、健康、離職、抗議といった諸問題に工場長は日々悩まされている。それに、彼は外から来た人、とりわけ統計学者に対して懐疑的だ。外から来た、馴染みのない言葉で話す人。中には製造業の出身でない人もいる。馬鹿げたことに付き合う暇はない。そんなにも権威あるご託宣なら、すぐに結果を出してくれと思う。思い込みを排してよく考えるという統計学者の学究的アプローチに慣れろなんて無理だ。工場長は工場を悩ます諸問題のかなりの部分に責任があり、この環境に変化を起こすことができるのは自分か、もっと上の人だけだと考えるとぞっとする。当然だが、彼には真っ先に本社で意識改革コースを経験してもらわなければならない。これを、品質管理とは何か、その中での自身の役割はどういうものになるのかを工場長が理解するよい機会にすべきなのだ。

⑱競争力のある良い組織なら、品質や生産性の向上のための予算を必ずしも増やす必要はない。多くの場合、マネジメントは既に十分にお金を使っているか、あるいは、競争力のある良い

組織をつくるためなら、もっとお金を使っても構わないと考えているはずだ。しかし、それを口にする間にも、コンピュータから意味のない数字を山ほど出力している。言うならば、幻想に満足しているのだ。あなたの会社も例外ではない。

⑲ⓐあなたの次のステップは、経営トップからマネジメントの階層にいるすべての人、技術、化学、経理、給与支払事務、法務部、消費者調査といった各部門で働く人々を、あなたが主催する4日間のセミナーに参加させ、自分たちの責任について意識を深めてもらうことだ。ⓑあなたはしっかりしたコンサルタントと長期にわたる深い関係を築くことになる。そのコンサルタントは貴殿のセミナーの企画運営に関与し、品質管理の14原則を真に活かし、重篤な病を克服するあなたの仕事を導いていく。

⑳そこから、品質を良くすることができる優れた組織を、あなたが自ら築いていかねばならない（詳細は第16章を参照）。

第15章

受入検査と製品検査の平均トータルコストを最小にするプラン

NIKKEI BP CLASSICS / OUT OF THE CRISIS I / W. Edwards Deming/ 1. Chain Reaction: Quality, Productivity, Lower Costs, Capture the Market / 2. Principles for Transformation of Western Management / 3. Diseases and Obstacles / 4. When? How Long? / 5. Questions to Help Managers / 6. Quality and the Consumer / 7. Quality and Productivity in Service Organizations // NIKKEI BP CLASSICS / OUT OF THE CRISIS II / W. Edwards Deming // 8. Some New Principles of Training and Leadership / 9. Operational Definitions, Conformance, Performance / 10. Standards and Regulations / 11. Common Causes and Special Causes of Improvement. Stable System / 12. More Examples of Improvement Downstream / 13. Some Disappointments in Great Ideas / 14. Two Reports to Management / **15. Plan for Minimum Average Total Cost for Test of Incoming Materials and Final Product** / 16. Organization for Improvement of Quality and Productivity

わたしは深い沼にはまり込み
足がかりもありません。
大水の深い底にまで沈み
奔流がわたしを押し流します。

『旧約聖書』詩編69－3

本章のはじめに

本章の内容[*1]

納品業者と購買担当者が力を合わせて部品の不良率を減らしているとしても、ベストな経済性を追求するからには、納入される材料や部品をどう扱うべきかを定めるために理論を持つことが依然として必要である。納入ロットの中の不良品を、抜き取り検査でふるい落とすべきか、それとも全数検査をするべきなのか？　あるいは、納入時に不良品と良品が混在していたらどのロットもそのまま丸ごと製造元へ送り返すべきなのか？

われわれは、さまざまな環境で実際に役立つ原則を示したい。その原則に拠れば、どうすれば受入検査のコストを減らせるかということだけでなく、平均のトータルコストを最小にすることができる。なぜなら、受入検査が不良品を見逃して生産にまで流失してしまえば生産ラインの中で手直しせざるを得ず、再検査にもコストがかかるのであり、そうしたコストも減らせるからだ。

本章は多数のセクションから成る。次のセクションでは、平均トータルコスト最小化のため、受入検査でどのように「全か無の法則(悉無律)」を使うべきかを説明する。「実務で出逢うさまざまな状況」のセクションでは、管理状態が良くないが、カオスとまではいかない生産工程から届くモノに「全か無の法則」を適用する方法を論じる。その次に、納入されてくる材料や部品の品質がまるで予測がつかないようなカオス状態を扱う。続いて、「全か無の法則」の適用事例を3つ紹介しよう。その後、手直しが効かない最終製品で、製品のグレードを落とすか、廃棄処分にするしかない環境でのやり方に議論を進める。それから複数の部品を扱う方法について述べ、さらに現在標準的と考えられている受入検査のやり方を捨てよと提言したい。従来のやり方は平均トータルコストを最小化するという狙いに合致しないからだ。「測定と対象物に関する追加的諸問題」のセクションでは、「本来の検査方法に比べて安く検査できるものの、不良品が生産ラインへ流出しかねない検査方法であるがゆえに、生産でのトラブル防止のためには材料や部品を多めに持たざるを得ず、結果的に大量に廃棄することになる」といった付随的諸問題や環境について論じる。続いて、測定方法の検証と比較のヒントを述べるつもりだ。特に、コンセンサスは社内委員会や経営陣にとって大切なものと思われているが、目視検査においてこそ、死活的に重要なものだ。同意したように見えても、それは他の検査員が怖いから、あるいは不承不承だけれども他の人に合わせていることを示しているだけかもしれないのである。続くセクションでは演習を通して、統計的によく管理された状態においてはサンプルと残りの間に相関がないという事実を「全か無の法則」の基本理論を用いて強調する。そして、本章の仕上げとして、先に述べた「へらとビーズ」の実験の含意を再考し、さらなる研究のための参考書籍や論文を挙げる。

シンプルなルールを幅広く応用する

前提

まず、単一の部品だけを扱う。複数の部品を扱う際の問題については後述する（338ページと377ページの演習4）。

出荷の前に最終製品を検査するものとする。

納入部品に欠陥があり、それがアセンブリに組み込まれると、アセンブリの検査で不適合となる。納入部品に欠陥がなければアセンブリが不適合になることはない。

ベンダーは不良品が見つかったら必ず代わりの部品（Sと呼ぶことにする）を納品することになっている。

当然ながらベンダーは代替品として納入した部品のコストを自社の会計に計上するが、これは間接費である。ここでは変動費だけを扱う。我々がこれから論じていく検査のプランの如何によらず間接費の増分はいずれ賦課されるのだが、ここでそれを議論に持ち込んでも意味がない。

欠陥部品とは、それがアセンブリ不適合の原因となることによって定義される。始めに欠陥があると宣言された部品がその後生産ラインを進む間に問題を起こしたり顧客を悩ませたりすることがないのなら、「欠陥部品」とは何であるのか、まだ定まっていないということだ。この環境での次のステップは、その部品に欠陥があるか否かを見極める検査の方法を試しにやってみて、検証することだ。

工場内で納入部品の中に1つでも欠陥が発見されると、それだけでも経費が嵩むのに、顧客まで届いた後に、それも数カ月後、いや数年後に発見されるということがしばしばあって、大変な費用がかかる。そういう例はたくさんある。いわゆる「潜在的欠陥」だ。クロムめっきはその一例である。この問題への一番の解決策はプロセスそのものを良くして問題が起きないようにすることだ。これは破壊試験の問題への解決策でもある。破壊試験とは製品を壊すことになる検査のことだ。

ここで以下の仮定を置く。

p = 納入されたロットの平均不良率（当該日に受領したモノの不良率でも可）

q = $1-p$

k_1 = 部品1個当たりの検査コスト

k_2 = 1個の不良部品が生産ラインまで流出した結果、
アセンブリを分解し、修理し、検査するコスト

k = 代わりの良品Sを見つけるために、しかるべき数量の部品を検査するコスト
（kは後述の演習7で示す通り、k_1/qと見積もることができる）

k_1/k_2 = 損益分岐品質、
または損益分岐点（k_2は常にk_1よりも大きい。したがって、k_1/k_2は0から1の間である）

読者の皆さんは後述326ページからの3つの例へ飛んでこの点を確認し、当ページへ戻って

くるとよいかもしれない。

全か無の法則

トータルコストを最小にするためのルールは、以下のケース1とケース2のような特定の条件の下では非常に単純であることがわかる。

ケース1

最悪のロットが納品されてきても、そのロットに含まれる不良の比率は k_1/k_2 よりも小さい。このケースでは、**検査を行わない**

ケース2

最良のロットが納品されてきても、そのロットに含まれる不良の比率は k_1/k_2 よりも大きい。このケースでは、**全数検査を行う**

ケース1とケース2のルールの正しさを証明するのは非常に簡単である。後続のセクションの演習4を参照されたい。

ケース1であることが明らかなのにケース2として扱えば、平均トータルコストを最大化することになる。逆もまたしかり。

無検査は無知のまま進めと指示するものではない。過去の実績に基づいて決めるのだ。ケース1では、最悪のロット（ロットでなくとも、その週に納品されたモノすべてでもよい）が納品されてきても、不良率は損益分岐点のk_1/k_2よりも小さい。ケース2では、最良のロットが納品されてきても、不良率は損益分岐点よりも大きい。望ましいのは、できるだけベンダーと購買の担当者が協力して管理図にプロットしていくことだ。管理図を描いていけば、納入されたモノがケース1なのかケース2なのか、あるいは両方に跨《またが》っているのか、判明するまでそれほど長くはかからない。

カオス状態は、もしそれが存在しているのなら、隠すまでもない。いずれ誰もが知るところとなるはずだ。購買担当者は納入されるモノを常によく見て、納品書と照合し注文したものに相違ないかを確かめているからだ。「情報なしではいけない」（324ページ）のセクションを参照されたい。

ケース1とケース2は、実務で出逢う数々の問題に対して平均トータルコストの最小化を実現するものだ。実例を後述する。

二項分布

統計的に管理された状態にあるプロセス（製造元の工程）が複数のロットを納品しており、その中には不良品が平均pを中心に二項分布していると仮定しよう。すると、平均トータルコストを最小化するためのルールは、やはりシンプルになる。

ケース1　$p < k_1/k_2$であるならば、検査を行わない
ケース2　$k_1/k_2 < p$であるならば、全数検査を行う

ここで、ロット単位の不良率は損益分岐点k_1/k_2を跨いで分布するが、それでもこのルールは有効だ。

したがって、統計的に管理された状態は、頑張って取り組むだけの価値がある、有意なア

ドバンテージなのである。次々と納入されてくるロットがケース1なのかケース2なのか、あるいはカオスに近い状態なのかを判別するために必要なのは、統計的に管理された状態にあるか、不良率はいくつかということに常に注意を払うことだけだ。こうしたことは、通常の検査の一環としていくつかのサンプルを管理図にプロットすれば（これはいずれにせよ普段からやるべきことだ）明らかになる。可能ならサプライヤーと協力して、サプライヤーの工場内で管理図をプロットしていくのが望ましい。

ここで留意すべき重要事は、統計的に管理された状態において、ロットから抜き取った「サンプル」と抜き取られた「残り」の間には因果関係がないということだ。即ち、統計的に管理された状態において、「サンプル」は「残り」に関して何の情報も与えない（信じ難いかもしれないが、370ページの演習1、と395〜396ページの図57〜60を参照されたい）。

実務で出逢うさまざまな状況

統計的に管理された状態から若干の逸脱がある場合

納入されるロットの不良率がどのように分布しているか、シンプルな2つの分布を検討していく。まず、ベンダー自身が、または買い手のわれわれが、あるいは両者の協力の下で、不良率を管理図にプロットしており、幸いなことに損益分岐点の右側（損益分岐点より大きい領域）の分布はほんの少しだけであると判断したとしよう。そして、この状況に対して検査をしないというルールを適用する。このルールは、損益分岐点の右側の領域の分布が大きくなく、厄介なテイルを形成する離散型でもない場合に、最小コストに近づく。

次に逆の場合を考える。損益分岐点の左側（損益分岐点より小さい領域）の分布はほんのわずかだと判断したとする。手持ちのこの情報をもって、全数検査のルールを適用する人もいるだろう。

316ページの図47はこの状況を描いたもので、後述する「カオス状態」（一番下のチャート）も含まれている。

納入されるロットの不良率を時系列で見て、傾向をとらえる

不良率が上昇傾向にあると仮定しよう。現在、我々はケース1にいる、つまり検査は行っていないのだが、平均値pはその時々で変化するものであり、今は増加している。おそらく着実な増加傾向で、多分特殊事情によるものだ。今から2日後、ケース2になるだろう。われわれは警告を受けているのだ。ベンダーがプロットしているにせよ、あなたがプロットしているにせよ、管理図は何らかの傾向があればそれを教えてくれる。問題は十分に単純である。

サプライヤーを切り替えることで生じる問題

どのような仕事であれ、部品や材料のソース（サプライヤー）の切り替えによって問題が生じることがあるとわれわれは第2章で学んだ。ここで、2カ所のソースから供給を受けていると想定しよう。両者が統計的に管理された状態にあるか、それに近い状態にあって、数日に1回の頻度でソースを切り替えているなら、原則通り各ソースの不良率の平均が損益分岐点の左側にあればケース1として、右側にあればケース2として、扱うことができる。しかし、このようなアイデアは言うのは容易《たやす》いが、実際にやるのは難しい工場もある。

2つのソースから納入された材料や部品が一定の比率で均一に混ぜられ、使う時には混ぜ

図47　納入されてくるロットの損益分岐点品質

不良の分布における点Bが$p=k_1/k_2$となる損益分岐点品質である

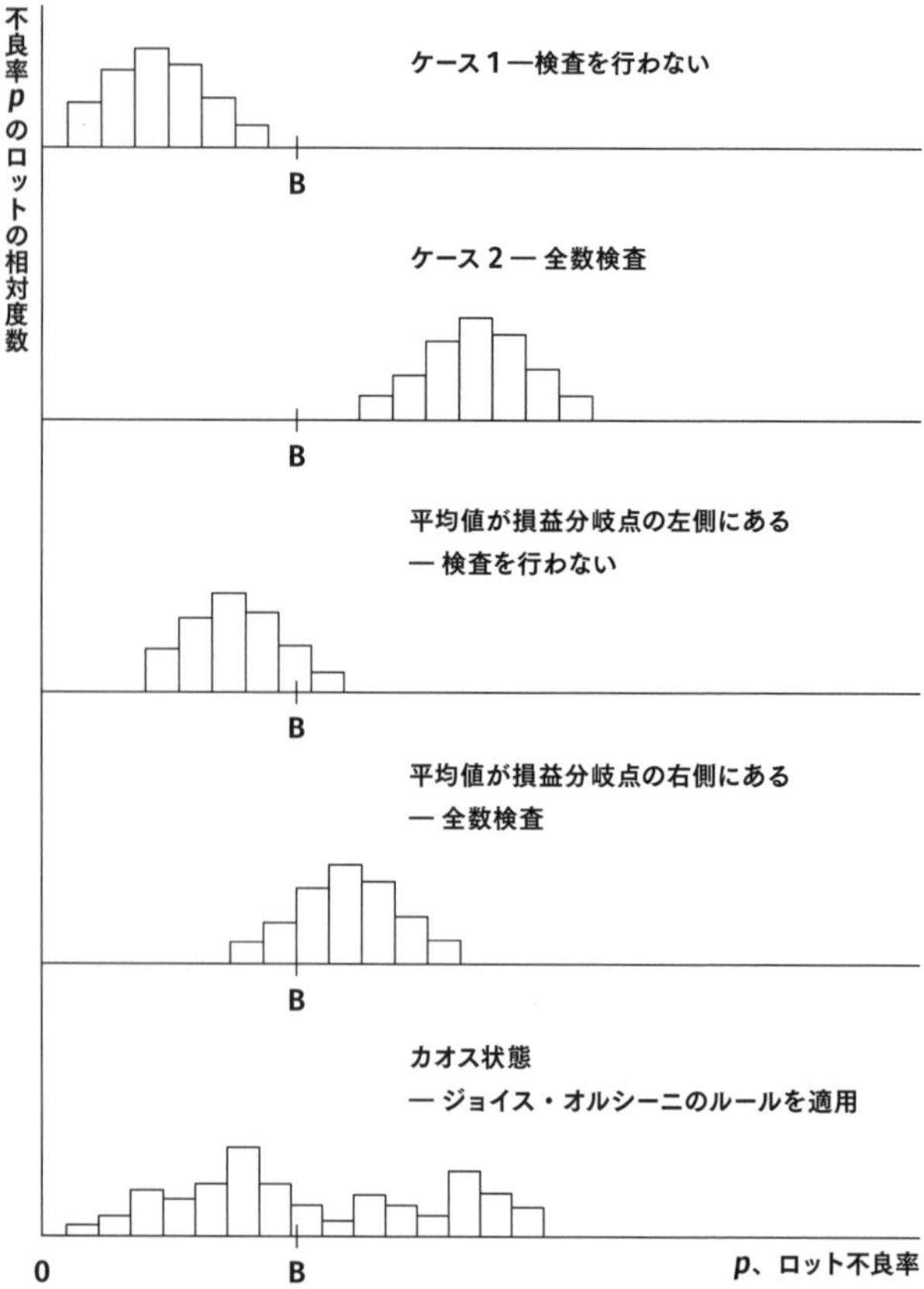

られた状態のものからロットを形成して扱うとしたら、実際に使われるものがいずれのソースから供給されたものであるかは、二項分布を成すはずだ。したがって、そこには「全か無の法則」で平均トータルコストを最小化する新たな方法があるかもしれない。第2章で述べたように、2つのソースから供給を受けているせいで生産上のトラブルを引き起こす場合がある。2つのソースから来るものを均一に混ぜると、工場長にとって最悪の事態を招来することまであるのだ。

まずは可能なら、ソースをサプライヤー1社に絞ることだ（サプライヤーを1品目1社に絞り込む利点は第2章で述べた通り）。

品質に「ばらつき」があるとしても、サプライヤーが1社だけなら、そのサプライヤーと顧客（納入先）は協力してケース1になれるよう、さらに究極的には不良ゼロをめざして、取り組む必要がある。

カオス状態

損益分岐点の両側を頻繁に行ったり来たりしている場合は、決定は簡単である。無検査か全数検査かの分岐点の近傍をうろうろしているなら、どちらを選んでもほとんど違いはないのだ。

私なら全数検査を選択し、できるだけ素早く情報を蓄積しようとする。納入されてくる材料や部品の品質が損益分岐点の両側いずれかの一方に圧倒的に偏っているのか、損益分岐点の近傍に集中しているのか、あるいは損益分岐点を跨いで大きな振れがあるのか、まったく予見できない場合を、「カオス状態にある」と言う。こうした容認できない事態は、ソースを1社に絞っていたとしても起きてしまうものだ。そのサプライヤーが納めている材料や部品の品質に大きな「ばらつき」があって予見できないなら、そうなってしまう。ましてや、損益分岐点を跨いで品質水準が大きく異なる2つ以上のソースを使い、うち1社をしばらく使った後、特段の周期や理由もなしに別のサプライヤーに切り替えるといったことを繰り返していたら、ますますそうなる。当然ながらサプライヤーはそれぞれが可及的速やかに自らこの状態を脱し、ケース1になれるよう励まなければならない。しかし、その間にも続々とモノは納入されてくるのである。不良は排除しなければならない。どうしたらよいのだろう?

どのロットもそれぞれ不良率を表示したタグを付けて納品されてくるなら問題は生じない。当該ロットの不良率が損益分岐点の右側か左側かに応じてロットを分け、「全か無の法則」を各ロットに当てはめれば平均トータルコストを最小にすることができるからだ。

しかし、目下のところ、不良率のタグなど付けられずに納品されている。その一方で、カオス状態においては、抜き取り検査の「サンプル」とサンプルを抜き取った「残り」の間には何らかの相関関係が存在する。そこで、カオス状態にあったとしても、抜き取り検査を行って、抜き取った「残り」をそのまま生産現場へ送ってよいか、それとも、「残り」にさらなる選別をかけるべきか、判断したいと考える人もいるだろう。検査に際してどのようなルールを定めようと、抜き取り検査というものは、損益分岐点の右側か左側かの判断を誤らせる可能性を孕んでいる。1つのロットからサンプルを抜き取り、検査しても、不幸にして誤った結果でしかなかったら、そのロットについてはトータルコストを最大化してしまうのだ。

あるいは、カオス状態において全数検査をやろうとする人もいるだろう。実際、この判断は考えてみる価値はあるが、別のやり方を「ジョイス・オルシーニのルール」が教えてくれる。これを見ていこう。

ジョイス・オルシーニのルール

カオス状態において、全数検査とは違うシンプルな方法の1つが「ジョイス・オルシーニのルール」[*2]だ。このルールは運用が単純で、平均トータルコストを全数検査のコストよりもかなり少ない水準まで減らせる可能性がある。ご存知の通り、全数検査のコストの平均値は1個当たりk_1+pkで表すことができるから、これを用いて全数検査と比較すれば理解しやすい。彼女のルールは次の通りだ。

$k_2 \geq 1000k_1$ の場合：　全数検査を行う

$1000k_1 > k_2 \geq 10k_1$ の場合：$n=200$ のサンプルを抜き取り、検査する
サンプルの中に不良が見つからなかったら
残りは受け入れる。サンプルの中に不良を
見つけた時は、残りを選別する。

$k_2 < 10k_1$ の場合：　無検査

$n=200$ の抜き取り検査を行いながら逐次データを記録していけば、納入されてくる材料や部品の品質の継続的な記録が積み重なっていく。サンプルごとに、見つかった不良品の数を逐次チャートにプロットしていくのが望ましい。複数のサンプルの不良品の数をチャートにしていくと、不良品の数が3から4の近辺に集中しているといったことが見て取れ、平均値はおそらくこの辺りだろうと見当をつけることができる。継続的な記録は日ごとの品質の振れについて

も教えてくれるはずだ。こうした情報は、自社にとってもベンダーにとっても、今抱えている問題の種類を特定するのに役立つ。また、このルールは、納入されてくる材料や部品の品質が本当にカオス状態にあるのか、意外にもケース1ないしケース2としてムダなく扱うことができるようになるのかということも教えてくれる。

無論、先週使った「ジョイス・オルシーニのルール」を今週は叩くということも起こり得る。しかも、ルールのせいにすれば楽である。われわれは、やろうと思えば、納入された材料や部品の中に存在していたこの不良率の分布が何であった（過去形）のかということを振り返り、探究することもできる。しかし残念ながらこの提言はほとんど関心を集めない。カオス状態においては特定の分布の存在を期待することはできないというのがその理由だ。もしも納入されてくるロットの分布を知っていたなら、カオス状態にあったと見るべきではない。

簡単に記述できて、さまざまな環境下で平均トータルコストをほぼ最小化できる1つの手順が「アンスコムの逐次検定プラン」[*3]だ。アンスコムの提案は、前述の仮定がすべてうまくいかない場合に、ロットから逐次サンプルを抜き取って検査を行うべきというものだ。まず、1つ目のサンプルをサンプルサイズ、

$$n=0.375\sqrt{N(k_2/k_1)}$$

で抜き取る。Nはロットのサイズである。続く2つ目以降はサンプルサイズ $n=k_2/k_1$ で抜き取って検査を行う。そうして、「発見した不良の合計数が検査したサンプルの数より1つ少なくなるまで、あるいは当該ロット全体の検査が完了するまで」この抜き取り検査を続ける。

残念なことに、アンスコムのルールは運用がやや難しい。

以上の理論と、理論に基づいて選ぶルールは、顧客の元に流出してしまった部品の修理や交換（あるいは修理工場での修理・交換）にかかるコストを把握しているのなら、そうしたコストも含めて応用することができる。唯一の懸念は、製品が顧客の元へ届いた後に顧客の自己負担で修理や交換を行った場合に、そのコストが不良1件当たりのコストで見れば小さな部分になってしまうことだ。事業の将来を考えるとき、1人の顧客が不満を感じたことによる損失に加え、自身の不満な体験に学んだ潜在的な顧客から生じる損失は莫大で、残念だが推計も不可能だ。

運用をシンプルにすることが欠かせない

どのようなルールであれ、実務に供するためには、運用をシンプルにすることが不可欠だ。トータルコストは、運用の難しさと、落とし穴に嵌る損失を考慮に入れねばならない。落とし穴はどんなプランにも潜在し、獲物がかかるのを待っている。統計学者が折々に訪れて注意を払うことになっているプランであってもそうなのだ。ジョイス・オルシーニのルールにはシンプルという優位性がある。

作業の負荷変動から生じる現場の苦しみ

サンプルを抜き取った残りを選別するかしないかを決めるルールは、押し並べて共通の欠陥を持っている。ルールを適用する目的が何であっても同じだ。こうしたルールはすべて、検査の作業負荷を変動させ、苦しみを引き起こす。さらに、ただでさえ苦しい生産のマネジャーは、部品が届いたり届かなかったりして先が読めないという余計な災禍に対処しなければならなくなる。彼は部品が必要で、検査をしたか否か、不良であるか否かに関わらず部品を要求し、手に入れてしまうかもしれない。こうして、よくできた検査プランであっても終焉させてしまう。

例外と言えるかもしれないのは、納入量が非常に多い上に品質水準が非常に悪く、おかげで検査部隊は抜き取り検査とサンプルを抜き取った残りの選別で常に能力の上限一杯まで忙しく働いている場合だ。それ以上負荷を積むことはできない。

情報なしではいけない

無検査と判定するルールは、暗闇の中をライトなしで進めという意味ではない。納入されるすべての材料や部品を見てみるべきだ。ロットを飛び飛びに見るだけでもよい。これは情報を得るためであり、ベンダーの納品書と照合するためであり、また、ベンダーが実施した検査結果や作成したチャートと比較するためである。

同一品目に対しサプライヤーが2社であるなら、それぞれに対して別個に記録するべきだ。既に第2章の原則4でアドバイスしたが、さらに付け加えるなら、長期的なパートナーシップという考え方に基づいて、どの品目についても単一サプライヤーに近づけていくこと、そのサプライヤーと力を合わせて納入品の品質を良くしていくことが望ましい。

サービス分野の組織におけるミスと修正

ここまでに紹介した理論は、さまざまな仕事のなかで起きるミスにも当てはめることができる。

銀行で、百貨店で、企業の給与支払い担当部門で、そして他にも多くの状況で、ミスは起きている（後述の例3を参照）。サービスの仕事はさまざまなステージを経て進み、最終的に顧客宛の請求書に結実したり、小切手や取引明細書の数字として表出したりする。ミスが発見されないまま、いくつかのステージを通り過ぎてしまうこともあるだろう。ミスを修正するコストは、ステージをいくつも通り過ぎる間に、発生地点で発見し修正するコストの20倍、50倍、100倍になってしまう可能性がある。アーヴィング・トラスト・カンパニーのウィリアム・J・ラッツコ氏によって提供された後述の例3において、k_2はk_1の2000倍である。

破壊試験

上述の理論は非破壊検査を想定したものだ。部品が検査で壊されることはない。一方、検査を行うとサンプルが壊されてしまう破壊試験もある。例えば、ランプの寿命、ガソリンの熱価、ヒューズの溶断時間、あるいは布地からサンプルを切り取ってウール混用率を調べる試験といったものだ。抜き取り検査で不適合とされたロットの残りを選別したところで、生産ラインへ渡せるものは何も残らないのだから意味がない。

破壊検査における唯一の解は、つくっている場所で統計的に管理された状態を実現する外ないのは明らかである。つまり、最初から良い状態で良いものをつくるということだ。これが破壊試験でも非破壊試験でも常に最善の策であるのは言うまでもない。

「全か無の法則」の応用例

例1　テレビメーカーにおけるＩＣ部品の受入検査

問い　「ＩＣ部品の不良はどのくらいありますか？」

答え　「ほんのわずかです」。それから彼は過去数週間の数字を見てこう言った。「平均で、1万個検査して1個か2個ですね」

したがって、平均の不良率は次の通り。

$$p=\frac{1}{2}\left(\frac{1}{10{,}000}+\frac{2}{10{,}000}\right)=0.00015$$

質問を続け、以下の情報が明らかになった。受入検査の際の1個当たりのコストk_1は30セント。このＩＣ部品を組み込んだサブアセンブリは生産ラインを進んでから全数検査されるが、そこに到達するまでの間に相当な量の付加価値が付けられている。この時点でＩＣ部品の不具合が発見されて交換する場合のコストは次の通り。

$$k_2=100k_1$$

ゆえに、

$$p=0.00015<\frac{k_1}{k_2}=\frac{1}{100}$$

したがって、質問に答えてくれた人は当該ＩＣ部品を無検査にすべきなのである。彼はケース1にいるのに、ケース2の手順に従っている。換言すれば、彼は自分で自分のトータルコストを最大化しているということだ。ＩＣ部品1個当たりの平均トータルコストは、現在の彼のプランでは次の通り。

$$k_1+kp$$

一方、ＩＣ部品の受入検査を無検査にすればトータルコストの平均は次のようになる。

$p(k_2+k)$

その差は、ＩＣ部品1個当たり、

$$\mathrm{Loss}=[k_1+kp]-[p(k_2+k)]=k_1-pk_2$$
$$=29.6\ \text{セント}$$

となる。1台のテレビには60個から80個のＩＣ部品が使われており、検査プランの選択を誤ったことによる損失は60×29.6セント＝1776セント、このメーカーのコストの10％近くにもなる。これは、製品につくり込まれてしまうムダの一例だ。

担当エンジニアは当初私に、すべて全数検査だから統計的品質管理は必要ないと説明した。実際これまでＩＣ部品については全数検査をやってきたと彼は言い、その理由は、しかるべき厳格性の下で検査を行うのに必須の設備をサプライヤーが持っていないからだと説明した。そうは言っても、このＩＣ部品のメーカーは非常に良い仕事をしていると私には思われた。平均の不良率 $p=0.00015$ は悪くない数字だ。

理論を欠いている場合にしばしばあることだが、この人は自分で自分のコストを最大化している。自分はベストを尽くしていると彼は思っていたはずだ。眼前で行われたこの計算は彼の職業人生に転機をもたらした。

たまたまではあったが、このエンジニアは生産の各グループの作業員の誰からもよく見える位置にテレビモニターを設置していた。画面には当該グループが前日につくってしまった不良品の種類と数が表示されている。しかし、この表示はまったく役に立たないばかりか、フラストレーションを招くのみで、まるで逆効果。仕事をよりうまくやるために誰の役にも立っていないのであった。

例2　自動車メーカーにおけるエンジン試験

この自動車メーカーはパワートレインに組み込む前にエンジン試験を行う。この時点をAと呼ぼう。エンジンはパワートレインに組み込まれて車を走らせることができる状態になる。この時点をBと呼ぶことにする。時点Aにおける1台当たりの検査コストk_1は20ドル。不適合となったエンジンを手直しするコストkは40ドルである。時点Bで不適合となったエンジンの手直しのコストは1000ドルだ。ここで、この1000ドルのコストを$k_2=960$ドルと、$k=$

40ドルに分けて考えよう。時点Aの検査で合格したエンジン1000台のうち1台が時点Bで不適合になる。問題は時点Aで検査をすべきか否かだ。この問いに答えるには、次のようなコストの比較表をつくるのがよい。

ゆえに損益分岐品質は以下の通り。

$$p=\frac{k_1}{k_2}=\frac{20\text{ドル}}{960\text{ドル}}=\frac{1}{48}$$

したがって、時点Aで2%のエンジンが不適合になるなら、時点Aにおける全数検査を続けながら、トータルコスト最小化のために時点Aでの検査をなくせる水準まで品質改善に取り組むのが賢明だ。

仮にk_2が500ドルであったなら、損益分岐品質はp=20/500=1/25となる。pが（仮に）50台に1台の割合で不適合になるのなら、時点Aにおける全数検査と無検査の差はk_1−

表1

時点Aで検査すべきか？	1台当たりの平均トータルコスト
はい	$k_1 + pk + (1/1000)\ \$1000$
いいえ	$0 + p\,(k_2+k) + (1/1000)\ \$1000$

pk_2=20ドル−(1/50)×500ドル=10ドルになる。この条件下では時点Ａでの検査を継続しないほうが明らかに賢い。

例3　サービスの仕事における平均トータルコストの最小化

（本事例はウィリアム・J・ラッツコが提供してくれたものだ。当時彼はニューヨークのアーヴィング・トラスト・カンパニーと一緒に仕事をしていた）

銀行や百貨店、給与支払い担当部門といった組織において、仕事は部門から部門へと渡され、進んで行く。ある部門でのレビュー（検査）のコストは1件処理するのに25セント、この部門で起きたミスを下流のどこかで修正するコストの平均は５００ドル、つまり5万セントだ。当該対象部門では１０００件に1件の間違いが精度の限界だろうという。したがって、

$$p \geq 1/1000$$

$$k_1/k_2 = 25/50{,}000 = 1/2000$$

$p > k_1/k_2$ ならケース２であり、平均トータルコストを最小化するプランは最初から全件確認作業を行うことだ。

サービス産業では、処理されたトランザクションの中に潜む間違いを見つけ出すのは難しい。おそらく製造業でのミス発見よりも困難だ。検証者を配置して確認させたところで、実際の間違いの半分か、せいぜい3分の2程度しか発見できない。「システム」自体を良くすることが重要なのは明らかだ。「システム」自体を良くするとは、(手書きの)数字を読み易くする、適切な照明に替える、レイアウトを変更する、より良い訓練を行うといったことかもしれないし、またそうした仕事を監督する人々に統計的な助けを与えることかもしれない。

　ここで薦める方法は、第3章でアドバイスした通り、2人の人に並行して計算させ、2人とも読み易い形にまとめて、手順にも計算結果にも不一致がないよう努めてもらうことだ。さらに2人の計算をコンピュータに入れて差異を検知させる。

　筆者の経験では、コンピュータによる比較を伴う並行作業は重大な仕事を検証するための満足できる唯一の方法である。

　結果的にクオリティは p_1p_2 よりはるかに良くなるはずだ。ここで、p_1 は一方の担当員の予測クオリティ水準、p_2 はもう一方の担当員の予測クオリティ水準である。ここで $p_1=p_2=1/1000$ と仮定すれば、結果的に実現されるクオリティは $1/1000^2=1/10^6$ よりもはるかに良くなる。これは2人の担当者が同じ手順を踏んで同じ間違いを犯し同じ計算結果に至る確率が非常に小さいことによる。しかし、「何であれ、起こる可能性のあることはいずれ必ず起こる」という「マーフィーの法則」もまた信頼に足るものではある。

並行作業を行う担当員は2人とも、「読み間違える可能性がある数字に出くわしたら直ちに作業を止めなさい。不明瞭な数字をソースまで遡って追跡し確かめるのにどれだけ時間がかかっても構わない」と奨励されていなければならない。その仕事の流れの中のどこかで誰かが読みにくい数字を書いたのだが、これは製造において不良品を使って作業を始めるのと同じくらい悪いことなのである。

基板への付加価値の付け具合に応じてルールを若干変更する

基板は外部から納入されてくる。基板に部品を搭載し、アセンブリが完成する。[*4] 完成したアセンブリは検査され、グレードに分けられる。第1、第2、第3という3つのグレードだ。それ以外は廃棄処分である。ここで、k_2を「最終製品をグレード落ちと判定したり、廃棄処分と決めたりすることから生じる純損失の平均」であるとしよう。基板の受入検査1件当たりの平均コストは以下の通りである。

$$k_1+kp$$

また、その基板を使ったアセンブリ（完成品）をグレード落ちさせる平均のコストは、基板をあらかじめ検査することはないと仮定すれば pk_2 となる。損益分岐品質は、次の式を満足させる p の値だ。

$$k_1+kp=pk_2$$

ここで $k=k_1/q$（456ページの演習5を参照されたい）を用いると上記の式は

$$k_1+pk_1/q=pk_2$$

となる。式の左辺は k_1/q のみであり（$q=1-p$ であるから）、したがって損益分岐品質は次の式を満たす値だ。

$$p=k_1/k_2q$$

ルールは今や次のようになった。

ケース1　$p<k_1/k_2q$　であるならば、検査を行わない

ケース2　$p>k_1/k_2q$　であるならば、全数検査を行う

ここでのk_2は完成品がグレード落ちないし廃棄処分になった際の平均損失である。

ここで留意したいのは、qの値が概ね1のごく近くである場合に「全か無の法則」がこれまでと同様に実務的な目的に適うということだ。

例4　ある企業へ送ったメモ

この例は筆者がある企業へ送ったメモランダムの形をとる。日付はこれを書いた当時のものだ。以下に示そう。

昨日のわれわれのミーティングで私が理解したのは、品番42の被覆ロッド（棒状の製品）があなたにとって重要な製品であり、週に2万本という現下の生産量を4万本まで増やすのが急務ということです。

素材ロッドの納入ロットサイズは２８００。しかしロットサイズはこの考察とは無関係です。

あなたが教えてくれたコストは以下の通り。おそらく人・モノ・検査・その他をフル稼働させた場合の推計値と推察します。

$k_1=7$ セント，$k_2=1500$ セント

あなたの会社のデータによれば平均の不良率は約１％。したがって損益分岐点は

$$p=k_1k_2q=7/1500\times0.99=0.00471$$

となり、1/200より小さい。

ここで次ページの表２を見てください。昨日、私が黒板に書いたのと同じものです。平均トータルコストを最小にするために、あなたの会社は納入されてくる素材ロッドに対し全数検査を実施すべきです。現在、あなたの会社はケース２にいるのですから。

受入検査の不良率の平均が（仮に）1/300ないし1/500であったら、受入検査をまったく行わないようにすべきですが、最終製品を検証するには検査に頼らねばなりません。

あなたは受入検査の品質の追跡を継続する必要性について質問しましたね。その通り、あなたはそれをやるべきです。その目的に適うよう私が進言するのは、すべての不良の種類を統合した p チャート（不良率の管理図）をプロットすることと、最も頻繁に起こるタイプの不良についてはそれだけを取り出した独立の管理図をつくるのがよいということです。ロットごとに逐次1点ずつプロットしていくのです。若干後になってもよろしいが、少なくとも日次で必ずプロットすること。あなたの会社を理解するにつれてわかってきたのですが、あなたの会社のベンダーは一緒に検査方法と

表2　2つの進め方のコストを比較

素材ロッドの受入検査	1本当たりの平均トータルコスト
無検査	$pk_2 = 0.01 \times 1500$セント $= 15$ セント
全数検査	$k_1/q = 7.07$ セント

注記：コストはセント単位、ロッド1本当たり。
$k_1 = 7$ セント，$k_2 = 1500$ セント，$p = 0.01$

検査結果を学びたいと願っています。現状のままでよいから、あなたの会社がプロットした p チャートのコピーを、できるだけ毎月、フィードバックすればベンダーの役に立つことでしょう。なにゆえあなたはベンダーの社内で彼らが自らプロットした管理図を受け取ろうとしないのですか？——ぜひともそうすべきです。

複数の部品の扱い方

複数の部品を使って組み立てたアセンブリの不適合率

ここまでのセクションは一種類の部品に当てはめるものであった。453ページの演習4を通して理論の有用性を理解していただければと思う。トータルコストを最小化するために全数検査が必要な部品がある。一旦検査されたら、その部品がアセンブリの不適合の原因になることはない。それ以外の部品は検査されないのだが、1つでも欠陥が含まれていて、それが生産現場へ流出したら、トラブルの原因となる。ここで、無検査の部品が2種類あると仮定しよう。

この2種類の部品の不良率をそれぞれ p_1 と p_2 とし、考察を始める。アセンブリが不適合になる確率は以下のようになる。

式1 $$\Pr(\text{fail})=1-\Pr(\text{not fail})$$
$$=1-(1-p_1)(1-p_2)$$
$$=p_1+p_2-p_1p_2$$

p_1 と p_2 が共に十分に小さければ、この確率は p_1+p_2 に近づく。例えば、$p_1=p_2=1/20$ の場合、アセンブリが不適合になる確率は $1/20+1/20-1/20^2=1/10-1/400$ だ。この掛け算の項の p_1p_2 を無視してよい場合があるのは明らかだ。

部品が何種類あっても簡単に不良の確率を記述できる方法の1つがベン図を使うものだ（確率についての書籍なら必ず載っているから参照されたい）。したがって、3種類の部品であれば、次のようになる。

式2 $$\Pr(\text{fail})=p_1+p_2+p_3-(p_1p_2+p_1p_3+p_2p_3)+p_1p_2p_3$$
$$\cong p_1+p_2+p_3$$

ここで、すべての p_i は十分に小さいものとする。これを m 種類の部品に拡張すると以下のようになる。

式3　$Pr(\mathrm{fail}) \cong p_1+p_2+\cdots+p_m$

ここでも再び各 p_i は十分に小さいものとする。

したがって、部品の数が増えるにつれてアセンブリが不適合になる確率は増大する。数え方によって数字は違ってくるが、1台のラジオには約300個の部品が使われている。自動車は約1万。繰り返すが、この数字は数え方次第だ。自動車に搭載されたラジオは1つの部品か、300個か。燃料ポンプは1か、7か。どのような数え方をしても1つのアセンブリに含まれる部品は膨大な数になるだろう。

ここでもう1つの問題が浮かび上がる。k_2（不適合となったアセンブリを手直しするコスト）は部品の数が増えれば増大する。アセンブリが不適合になったとして、どの部品が悪いのだろうか？　ここで誤った診断をしてしまうことがよくある。2つの部品の両方ともが不良という可能性もあるのだ。

製品が複雑になればなるほど、コストを抑えるためにはコンポーネントの信頼性を一層高めなければならない。コンポーネントの不具合は事業の流れの全域で費用に影響を与える。廃棄、手直し、部品の不良に備えるため在庫を多めに持つ、瑕疵保証費用の増大といったことだ。そしてついには評判を落とし、売上を失うことになる。[*5]

ここでわれわれは、複数の部品に関して以下の事実に向き合わなければならない。

①われわれが容認できるケース2（全数検査）の部品は数種類だけだ。さもなければ部品検査のコストが高くなってしまう。

②全数検査以外の部品に対してわれわれが容認できるのは、欠陥ゼロもしくはそれに近い品質だけだ。

複雑な装置の試験には時間と注意深いプランニングが必要だ。装置を構成するさまざまなコンポーネントはそれぞれ違ったストレスの影響下にあり、故障発生に至る時間も異なるからだ。[*6]

この問題は単純ではない。購入品の種類が多ければそれに応じて問題の種類も多くなる。よりにもよって、品質と均一性が購入者にとって死活的に重要な部品で不良が頻発する。品質の振れが大きく、常に購入者を悩ませる。しかしながらその購入品はサプライヤーがつくっていて、そのサプライヤーにとっては売上の1%にも満たない製品かもしれない。そうであればその会社が積極的に改善に取り組みましょうと言ってくるとは思われない。そのサプライヤーが自分の資金を投じリスクを取って改良のために設備を入れるなどということは到底期待できないのである。

ここで提案できるのは、そうした部品や材料を「ばらつき」のあるもの、不純物を含むものとして扱うことだ。受入ドックに届く鉄鉱石や素材は「ばらつき」が大きく、不純物が多く含まれている。それと同じようなものとして扱うのである。この種のものに対しては、自社独自の選別の仕組みが要るかもしれない。選別を外注に出すのも選択肢の1つではある。このやり方は現実にうまくいった例がいくつもある。

特定の不良の頻発は、複数部品で構成されているがゆえに次々と生じる諸問題と同じような影響を事業に与える。シンプルな例をMITのマイロン・トライバス博士が筆者に指摘してくれた。掃除機やブレンダーや家庭用ファンヒーターに入っている小型モーターが消費者の家で壊れる事態は、15年前と比べて10分の1しか生じないという。一方、家の中にあるモーターの数は15年前の約10倍になっている。だから、われわれはいまも家の中のモーターが以前と同じくらい頻繁に壊れるのを見る。同じような例は他にいくつも思い浮かべることができる。

例えば、天井灯の設計で特定の光度を得るためバルブが3つ必要になったとする。一般家庭での使用を前提にすれば1つのバルブの平均寿命は3カ月だ。しかしこの天井灯にはバルブが3個付いている。家の主人は持ち運び可能な脚立を持っている必要があり、平均すれば月に1回の割合で脚立を使い、バルブを交換することになる。

自動車のトランクの接合部にスポット溶接を採用するとしよう。スポット溶接でやってみようと考えたことがある人なら誰もが同意すると思うが、2000点溶接して1点の欠陥なら上々の出来である。自動機ならもっとずっと良いかと言えばそれほどでもない。この優れたパフォーマンスをもってしても、依然として欠陥は内在しているのだから、工場ではトランクを検査し、必要に応じて手直ししなければならず、お金がかかる。

ここで、ある乗用車のトランクに70カ所の接合部があるとする。手でやるにせよ機械でやるにせよ、溶接では2100点に1点の欠陥が生じるものとする。すると、トランクの検査でリークが発見される確率は70/2100=1/30となる。換言すれば、約3%のトランクがリーク不適合で要修理になるということだ（幸い、こうしたリーク不適合品が工場の外へ流出することはほとんどない）。

リークの発生頻度を100台に1台まで減らすには、溶接のパフォーマンスを溶接個所7000点で欠陥1点の水準まで改善する必要がある。

結論——ラインの最初から最後まで、モノにもワークマンシップにも欠陥は許されない

ここまでに論じてきた理論がわれわれに教えるのは「生産のいずれのステージにおいても不良は決して許さない」という考え方と行動の重要性である。1つの作業の結果は、次の作業にとっては「納入されてくる部品や材料」になる。たかが不良品1つと思うかもしれないが、一旦つくられてしまったら、後になって検査で発見され修理か交換されるまで、ずっとそのままなのである。いや、発見されることすらないかもしれない。加えて、修理や交換は常に非常に高くつく。

先の議論の中に登場したコストk_1とk_2だけが考慮すべきコストなのではない。不良が不良を生むのである。生産の作業員が中途半端に出来上がったものを渡されたり、欠陥を内包するアセンブリを受け取ったりすると、ひどくやる気を削がれるものだ。自分がどれほど注意深く作業していても、不良になってしまうとしたら、どうして作業員がベストを尽くせるだろう。誰も関心を持たないのに、どうして自分が気を回さなければならないのか。

これに対して、不良がめったに生じないか、不良ゼロの職場、あるいは不良に正面から取り組み、不良が生じるメカニズムを解明できている職場ならどうだろう。マネジメントがしかるべき責任を引き受けていることを作業員は理解し、自分もベストを尽くす責任があると感じ

るはずだ。そうなってこそ、作業員の努力が効果を生む。

残念なことに、生産ラインの中でつくられる不良もある。非常に良い部品なのに組み込み方が拙かったり、対のワイヤを逆に付けてしまったりする。加えてハンドリング・ダメージもある。これはモノ（製品・部品・仕掛品）をある場所から別の場所へ運搬する際に損傷を与えてしまうことだ。ハンドリング・ダメージは不注意や注意事項の完全無視から起こる。誰もが知る通り、梱包や出荷の作業でも起こる。サイモン・コリアーはジョンズ－マンビル・カンパニー社時代にうっかりした動作で製品に損傷を与えてしまうところを撮影した動画を見せたことがあるという。フォークリフトに積んだ完成品の屋根板を鋼鉄製の柱にぶつけ、その屋根板の上に誰かが置いておいた仕掛品を全損にしてしまったところや、廃棄物バレルを狙って「ずだ袋」の口紐を放り投げたのに石膏のバレルへ入ってしまったところなどだ。こうした事故が起こる以前に、些細な行動がどれだけのダメージをつくり出すか、その人たちに説明した者は1人もいなかったという。筆者も目撃したことがある。ある女性が1枚のハードディスクを鉗子《かんし》のような器具で挟み、手術室で働く看護師が手術器具を扱うように非常に注意深く扱っていると思いきや、彼女の親指がディスクに触れ、全損させてしまった。目の前のワークを全損させるのは非常に簡単だが、それは当該ディスクがこの工程へ来るまでの間に注ぎ込まれたすべての労力を台無しにする。これより以前に誰かそのことを彼女に説明した人はいただろうか？　また私は、白い靴に黒い線が入っているのを見たことがある。片方の靴は完璧で、箱に入れる直前だ。ここに至るまでの誰かの不注意が、高くつく手直しや廃棄を引き起こしたのだ。

例外

本章の理論に従わない購入品は多い。タンク車で到着したメタノールを空気ホースで攪拌した後の状態がその例と言えよう。当該タンク内のどこからでもよいが柄杓1杯分のメタノールを吸い取ったとして、そのタンク内の任意の「別の部分」から吸い取ったメタノールと何ら違いはない。しかし化学会社は複数の層からそれぞれ一定量のメタノールを吸い取って実務に供している。もっと身近な例なら、ジンやウィスキーだろう。ショットグラス1杯分をボトルの上部から吸い出すか、中間の位置からか、底からかということはほとんど問題にならないという事実をわれわれは受け容れる。

金属溶解炉の熱は問題を引き起こすが、本章の理論が当てはまらないもう1つの例だ。熱の状態は一様ではない。1つ鋳造するたびに別の小さな型に溶湯を注いでサンプルをつくる会社もある。これらのサンプルを分析すれば、ランチャートをつくれるだけのデータが得られるはずだ。ランチャートは1つ目の鋳物から最後の鋳物までの品質の「ばらつき」を見せてくれる。そしてわれわれは改善の手掛かりを得る。

標準的な合否判定プランを捨てよ

標準サンプリングプラン

納入されたものをロットごとにどのように判定するか、あるいは、完成した製品の出荷可否をどのように判断するかについて、いわゆる「標準的な合否判定プラン」というものがある。つまり、こうしたプランが求めるのは抜き取り検査であり、サンプルを抜いた残りを選別するか、それともそのまま生産へ渡すかはサンプル内に見つかった不良品の数に応じて決めるという単一の判定ルールを適用せよと言う。

ドッジ−ローミッグ表の背後にある論理は、検査のコストを最小化すると同時に既定の品質水準を達成することをめざしている。一方、米国の軍用規格MIL規格105Dの狙いは何か。ベンダーの品質が悪化したら金銭的な打撃を与えるという目的以外は理解するのが難しい。*7

本章末尾の参考文献に載せたハルドの著作の中で彼は、MIL規格105Dを、AQL（許容品質水準）によってサンプリングプランを定量化する方法とみなしている。「AQLとロットサイズNを与えられよ。さすればＭＩＬ規格１０５Ｄを参照し、当該ＡＱＬを満たすサンプリングプランを提示せん」ということだ。ＭＩＬ規格１０５Ｄは「しかるべきＡＱＬの値を言え」とあなたに迫る。その規格がコストに関する数字を使うことはない。したがって、そのプランに沿うならトータルコストが全数検査の2倍になると知っても、驚くにはあたらない。

ＡＯＱＬ（平均出検品質限界）３％と指定してものを買っている会社は、「97個の良品と３個の不良品の計１００個を買いたい」とベンダーに知らしめているのである。その要件に合致すればよいのだから、ベンダーにとっては幸いだ。

例えば、最近筆者に「我が社の狙いは顧客に３％以下の不良品を送ることだ」と言ったメーカーの人がいる。そのアイテムの本来のシェア（必要数）以上に多く買おうとする顧客もいるだろう。しかしそれがまっとうな商売だろうか？　皆さんは３％以下だからといって不良品を受け取る顧客になりたいですか？

不幸なことに、標準的な合否判定プランは品質管理のための統計的手法に関する教科書の中で突出した地位を占有している。サンプリングに関する私自身の書籍も例外ではない。アンスコムが言う通り、いまや「確かに解決はできるだろうが見当違いの代用問題を発明するのはもうやめて、真の問題は何であるかを正しく認識し、その問題をできるだけうまく解決する」

べきときなのだ。[*8]

そんなプランは捨てて、それについて教えるのもやめて、トータルコストとまっとうな実務上の課題を語ろうではないか。

標準プランの形式的適用の弊

ドッジ－ローミッグの理論に基づく合否判定プランやＭＩＬ規格１０５Ｄの適用例はいくつもあるが、大抵は形式的で、単に契約要件を満たすに過ぎない。しかるべき知見と能力を持たない人がプランのためのプランを策定し、実行するのは別の人たちで、そこでもやはり適切な知見・能力を欠いている。皆がやっているから自分たちもやろうということだ。結果はコストの増大である。ファイゲンバウムは次のように言う。

大きな問題の1つは……（合否判定の）こうしたプランを、適用すべきでない状況において、賢明でないやり方で、使うことだ。[*9]

例　ＭＩＬ規格１０５Ｄを使ってコストを増やす

あるメーカーから１５００台／ロットでサブアセンブリが納品されている。[*10] このサブアセンブリは受入検査に約2時間を要し、その平均コスト（人件費を含む）は1台当たり24ドルである。このメーカーの平均不良率は２%、直近の品質情報を見ても受入時の数字はほぼ同じである。完成品の最終検査に至って不適合となり、部品を交換するコストはすべてを賦課すると７８０ドルだ。ここで採るべきサンプリングプランはどういうものであろうか。以上の仮定を数式で表すと、以下のようになる。

$$p=0.02<k_1/k_2=24/780=0.031$$

これは明らかにケース１である。したがって、トータルコストを最小化するために、無検査にする。推奨されるＭＩＬ規格１０５Ｄを使うとトータルコストは最小コストの倍になる。これは４５６ページの演習５の結果から容易にわかる。

事態をさらに悪化させるのは、このプロセスが統計的によく管理された状態であった場合だ。この納入品の品質に関して抜き取り検査がコイン・トス（演習1）以上の情報をもたらすことはないのである。

測定と対象物に関する追加的諸問題

サブアセンブリを組み立てる作業の中でもコスト削減は可能だ

前述の理論におけるコスト k_2 は、ワークが生産ラインの各工程を通り過ぎる度に大きくなっていくものだ。通常はかなり急速に（おそらく10倍に）増大し、完成品のアセンブリに至れば非常に大きな数字に達する。複数種のサブアセンブリが組み立てられ、それらが段々と一緒になってアセンブリの完成品になるまでの間に、そのコストが極端に大きくなるのを避けることは、場合によっては可能である。何種類かのサブアセンブリを検査して、何かの部品を交換し調整する必要があるとわかったら、当該サブアセンブリを別に扱うのだ。これが新たな出発点になる。先の理論におけるコスト k_2 はここで、サブアセンブリ1台当たりの検査と調整に必要なコストということになる。実績を適切に記録していけば、この理論が、検査の必要がまったくないサブアセンブリと、ラインの先へ進んでコストがさらに高くなるのを防ぐため厳格な全数検査に従うべきサブアセンブリとを教えてくれるはずだ。本章の理論はそのためのガイダンスを提供する。

ここまでの記述におけるわれわれの狙いは、この理論をガイドとして正しく使うなら最小コストと最大利益に近づく方法が存在すると示すことだけである。

その間にも、われわれは不良ゼロをめざしてあらゆる努力をすべきだ。そしてその取り組みを、自社の検査をベンダーの検査と比較しつつ、$\bar{x}$－R管理図のような適切な統計的手法を使って、システマティックな方法で進めていくのである。

部品メーカー、特にキーパーツのメーカーとうまく協力し、サブアセンブリの検査と調整をしっかりやれば、最終製品の検査において稀にしか起きないものの起きたら影響甚大である問題を減らすことができる。

ごく稀にしか起きない不良を見つけ出すのは難しい

稀に生じる不良を発見するのは難しい。不良率が減少するに連れて、その不良率がどれだけ「小さい」のかを見極めるのは、ますます困難になっていく。すべての種類の不良を検査で見つけることはできない。稀に生じる不良は特にそうだ。目視検査でも機械による検査でも同じである。5000個のうち不良は1個だけであると表明するメーカーよりも、1万個のうち不良は1個だけだと表明するメーカーに信頼を寄せるのは当然だと思うだろう。しかし、いずれの状況においても平均の不良率を推定するのは難しい。

pが1/5000で当該プロセスが統計的に管理された状態にあったなら、16個の不良品を発見するのに8万個検査する必要がある。この数値は当該生産プロセスに対し、推定値$\hat{p}=1/5000$と、標準誤差$\sqrt{16}=4$、即ち25％を与える。したがって、8万個分の検査工数をかけたにも関わらず、不良率の推定値はあまり精度が高くない。それに、この生産プロセスは8万個生産する間ずっと安定していたのか否か、疑問に思う人もいるだろう。1個目の生産を始めてから8万個目が完了するまで、ずっと同じ生産プロセスだったのか？　違っていたとすれば、16個の不良の意味は何か？　難しい問いだ。

数百万個の中に不良ゼロという場合はある。10^9個でも不良がほとんどないか、ゼロということはあるのだ。不良率が非常に小さい場合、最終製品をいくら多く検査したところで必要な情報を得ることはできない。唯一の可能な方法は、実際の仕掛品を測定しながら作成した管理図を使って、極端な条件下で何が起きるかを推定することだ。例えば１日に25回、毎回4個連続して測定するといった１００回の観測を行えば、サンプルサイズ4で25点の$\bar{x}-R$管理図を得ることができる。この管理図は、当該プロセスがずっと変わらずにあるか、あるいは何かよくないことが起きたか、原因特定に至るまで製品を留めておかねばならないのはどういう場合かということも教えてくれる。トラブルの原因が見つかったら、すべての仕掛品に有罪判決を言い渡すか、あるいは、部分的に釈放するかといったことに関して、合理的な判断を下すことができる。$\bar{x}-R$ 管理図のパワーが数倍に高まるのがすぐに見て取れるはずだ。

冗長設計

複雑な装置を設計する際は、2つ以上の部品を並列に搭載し、片方が故障したら自動的にもう一方に切り替わって機能を果たせるようにしておくことが可能であり、賢明という場合がある。部品単体の平均故障率を p_i とすれば、「並列搭載された2つの部品」は平均故障率が p_i^2 に等しい1つの部品と同等である。例えば、p_i が 1/1000 であったなら p_i^2 は 1/1,000,000 になる。当然だが重量やサイズの制約から冗長設計が許されない場合もある。しかしここには別の問題がある。その冗長設計の部品は、いざとい

図48　2×2の表　2つの方法を使って検査したときの結果

2つの方法を用いて1回の検査を行うと、4つの枠のいずれかに1点プロットされる

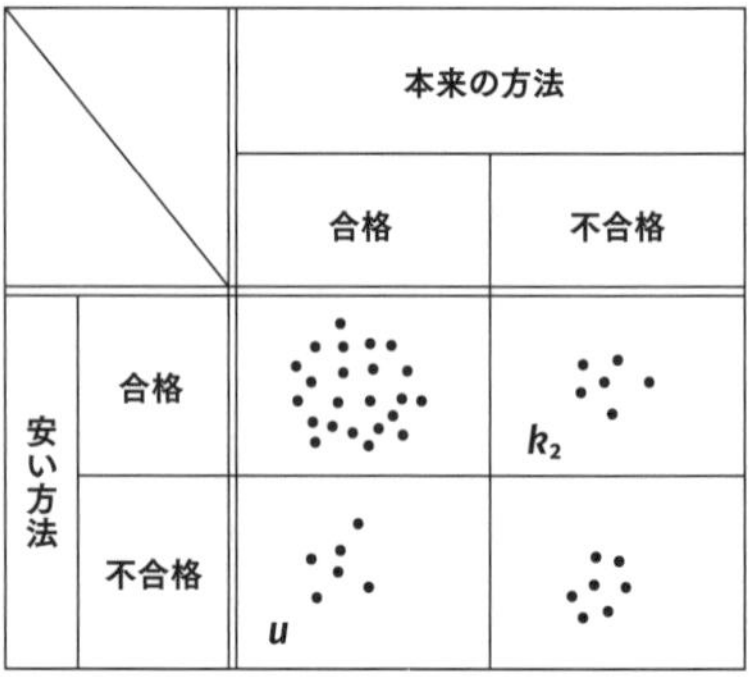

うときに必ず機能を果たせるのかということだ。最善の策は信頼性の高い部品を1つだけ使うことかもしれない。

故障の理論と冗長性の理論は数学的な観点から非常に興味深く、統計学的手法としても重要だが、ここではその重要性を指摘するに留める。

安い検査方法を採用すれば本当に安くなるのか？

検査が必須である（ケース2ゆえ全数検査を行う）場合、常に問われるのが検査コストをいかにして下げるかということだ。ここで、しかるべき検査方法（「本来の方法」と呼ぶことにする）と、単位当たり検査コストが「本来の方法」よりも安い（k_1を小さくする）別の方法（「安い方法」と呼ぶことにする）があると仮定する。トータルコストを考えたとき、「安い方法」は本当に安いのだろうか？　非破壊検査であればそれを検証することができる。この2つの検査方法で200個検査し、2×2の表に結果をプロットして前ページの図48に示す結果を得たとしよう。図中の各点は部品1個に対し2種の検査を行った結果である。2種の検査の判定結果は一致する場合もあれば一致しない場合もある。「本来の方法」で不合格だった部品が「安い方法」で合格する（偽陽性）ということも起こる。ここで、「安い方法」の偽陽性判定がアセンブリの不適合を引き起こしたときのコストを k_2 とする。逆に、「本来の方法」で合格した部品が「安い方法」では不合格（偽陰性）になることもある。そのせいで生じるコストを u としよう。ここで u は部品1個のコストである。

この2×2の表の結果を定量化するのは簡単だ。次の行列で表すことができる。

$$\begin{matrix} n_{11} & n_{12} \\ n_{21} & n_{22} \end{matrix}$$

ここで、「本来の方法（Master Method）」で200個測定するのにかかるコストをMとし、「安い方法（Cheap Method）」でやはり200個測定するコストをCとすれば、「安い方法」を採用したときのコスト節減効果（Saving）Sは、次の式で表わすことができる。

$$S=M-C(n_{12}k_2+n_{21}u)$$

2種の検査の判定が一致しない点の数は通常は少なく、ゆえに統計的な「ばらつき」の範囲に収まる。2種の検査の判定が一致しない領域の点の数の標準誤差は、その点の数の平方根にかなり近い数字になるだろう。したがって、その点の数が16であったなら不一致の推定値は標準誤差4に従う。点の数が9なら標準誤差は3だ（差異がポアソン分布を成すと仮定）。「安い方法」が「本来の方法」よりも本当に安いのかを疑うべきであると明らかになったら、精度を高めるためにもう一度、200個、いや400個でも結構だが、検査してみるがよい。それでも疑念が晴れなかったら、「本来の方法」で検査していくことをお薦めする。

複数の部品

以上のアドバイスと計算は単一の部品への適用を想定したものだ。アセンブリに供される部品が2つ以上あり、いずれの部品に対しても「安い方法」があるに越したことはないとわれわれが考えていると仮定しよう。実際、部品の数がいくつであっても、先の計算をすべての部品に適用してしかるべき判断を下せばよいのかもしれない。

しかしここで注意すべきことがある。任意の1つの部品を「安い方法」で検査するとした場合に、完成品のアセンブリに対してどのような検査をすべきかという選択の問題が生じる。即ち、図48の右上の領域の「偽陽性」に由来する選択の問題が浮上するのだ。個々の部品に対する選択が他の部品に対してなされた選択と重複する可能性もあるが、部品の数が増えれば増えるほど、検査すべきアセンブリの割合も増えていく。ここで、20個の部品を使うものとし、各部品は「安い方法」で検査されて（仮に）20個に1個が偽陽性になるとすれば、偽陽性の存在ゆえに検査すべきアセンブリの割合は、$1-(1-0.05)^{20}=1-0.36=0.64$ となる。

当該アセンブリが冗長性のない構成である場合は、アセンブリの不適合が1台でも見つかったら、そのアセンブリに搭載されたすべての部品の検査が必要になるかもしれない。

ここでの教訓は、製品自体に内在する問題以上に多くの問題を検査が引き起こす可能性があるということだ。産業界では、別のやり方で検査した結果と一致しない結果を出す検査プロセスのせいで、多くの製品が不良宣告を受けている。

「本来の方法」にせよ「安い方法」にせよ、統計的に管理され、安定した状態において使われなければならない。そうしなければ、両者を比較したところで誤った判断を招くだけだ。

2×2の表を改良して情報を得る——選別係2人の比較

「選別係1」と「選別係2」の2人に50個のアイテムを1つずつ連続して渡し、両者がほぼ同じ結果を出すか否かを確かめるとする。選別は顧客を守ると同時に自社を守るために行うものだ。

各選別係はアイテムごとに特級と特級以外に仕分ける。50回分の検査を、検査した順に、2列50行分、記録していく。

図48で一対の検査を1つの点で表したのとは違って、検査した順番を示す「アイテム番号」を記録する。図49はその例である。

右上の領域に連続する4つの番号（35, 36, 37, 38）が記入されているのが見える。この現象が生じる確率は非常に小さく、判定の不一致に何か特別な要因があることを示している可能性がある。ここで（仮に）10件の検査のうち1件がこの右上の領域に来るとすれば、4回連続でこの領域に来る確率はわずか$(1/10)^3$だ。

図49　2×2の表　2人の選別係が50アイテムを検査した結果

「アイテム番号」が示されている。本表と先の表（図48）の違いは、本表では「アイテム番号」を示していることだ。

		選別係1	
		特級	特級以外
選別係2	特級	5 15 17 18 19 20 21 22 25 26 27 29 30 32 33 34 39 43 44 45 48	1 14 35 36 37 38 41 42
	特級以外	4 49 50	2 3 6 7 8 9 10 11 12 13 16 23 24 28 31 40 46 47

「安い方法」をスクリーニングに用いる可能性

疾病調査においてよく知られた方法が検査で役立つことがある。[*11] ある部品について計算すると $pk_2>k_1$ であり、したがって全数検査を行えばトータルコストを最小化できるとわかった。手持ちの「安い検査方法」を調整すれば、「本来の検査方法」が不適合と判定する部品を見逃さぬようになるはずだ。まず n 個の部品を「安い方法」で選別し、「容認」と「容認不可」の2つのクラスに分ける。この結果、表3に示すように、各クラスの数が $n_{1\cdot}$, $n_{2\cdot}$ であったとする。

「安い検査方法」で「容認」に仕分けされた $n_{1\cdot}$ 個の部品は生産ラインに渡しても大丈夫だ（「安い検査方法」はそうなるように調整済みであると仮定する）。次に、「安い検査方法」で「容認不可」に仕分けされた $n_{2\cdot}$ 個の部品を「本来の検査方法」で検査する。結果を表4に示す。

表3　安い検査方法

計	n
容認	$n_{1\cdot}$
容認不可	$n_{2\cdot}$

表4　本来の検査方法

計	$n_{2\cdot}$
容認	n_{21}
容認不可	n_{22}

「本来の検査方法」で$n_{2.}$個の部品を検査するコストが過大でない場合、このプランは、考えてみる価値のあるコスト節減を実現できるだろう。計算はシンプルである。以下を仮定しよう。

k_1=「本来の検査方法」で部品1個を検査するコスト

k_1'=「安い検査方法」で部品1個を検査するコスト

ゆえに、「安い検査方法」を用いてスクリーニングを行うことで節約できるコストは以下となる。

$$D=nk_1-nk_1'-n_{2.}k_1$$

$$=n(k_1-k_1'-k_2n_{2.}/n)$$

右記の式の（　）内が部品1個当たりの差異だ。ここで具体的な数字を使って考えてみよう。

$k_1=1.2$ドル

$k_1'=0.4$ドル

$n_{2.}/n=0.4$

したがって、差は以下の通り。

$$D=n(1.20-0.10-0.4\times1.20)$$
$$=62セント／個$$

これは約50％の節減になることを示す。

測定数値をそのまま使って検査方法を比較する

㎝、g、秒、アンペア、平方インチ当たりの重さといった単位で測定する検査なら、もっと効率の良い比較法がある。n回の測定結果をxy平面上にプロットしていくのだ。図50は「安い検査方法」と「本来の検査方法」の比較において生じる可能性のある4つのパターンを示している。図48の2×2の表に比べてnの値がずっと小さくても、ここでは判断の目的に適う。45°線上に点があれば2種の検査結果が一致していることを示し、この線から逸れているなら不一致を示す。このチャートを見れば、2つの方法に違いが出ているのはどこか、どのくらい差異があるか、即座にわかる。2つの方法を使う知識とスキルを持つ人にとっては、「本来の方法」の線に乗るように「安い方法」を調整するなど自明のことだろう。[*12]

図50　「本来の方法」と「安い方法」の比較
2種の方法でアイテム1個を測定するたびにチャート上に1点を生成する。
45°線上の点は完全一致を示す。
(A) 45°線上乃至近傍であれば、2種の方法は良く一致している
(B) 傾斜が45°線に近いものの、一定の差異がある場合、通常なら何らかの単純な調整によって良好な一致状態にすることが可能
(C) 45°線から遠く離れ、一定の差異もある場合、単純な調整で良好な一致状態に持っていける可能性はある。あるいは、「安い方法」を修正するためにシンプルな数式を使うことになるかもしれない。
(D) 点が広い範囲に散在する場合、深刻な問題があることを示す

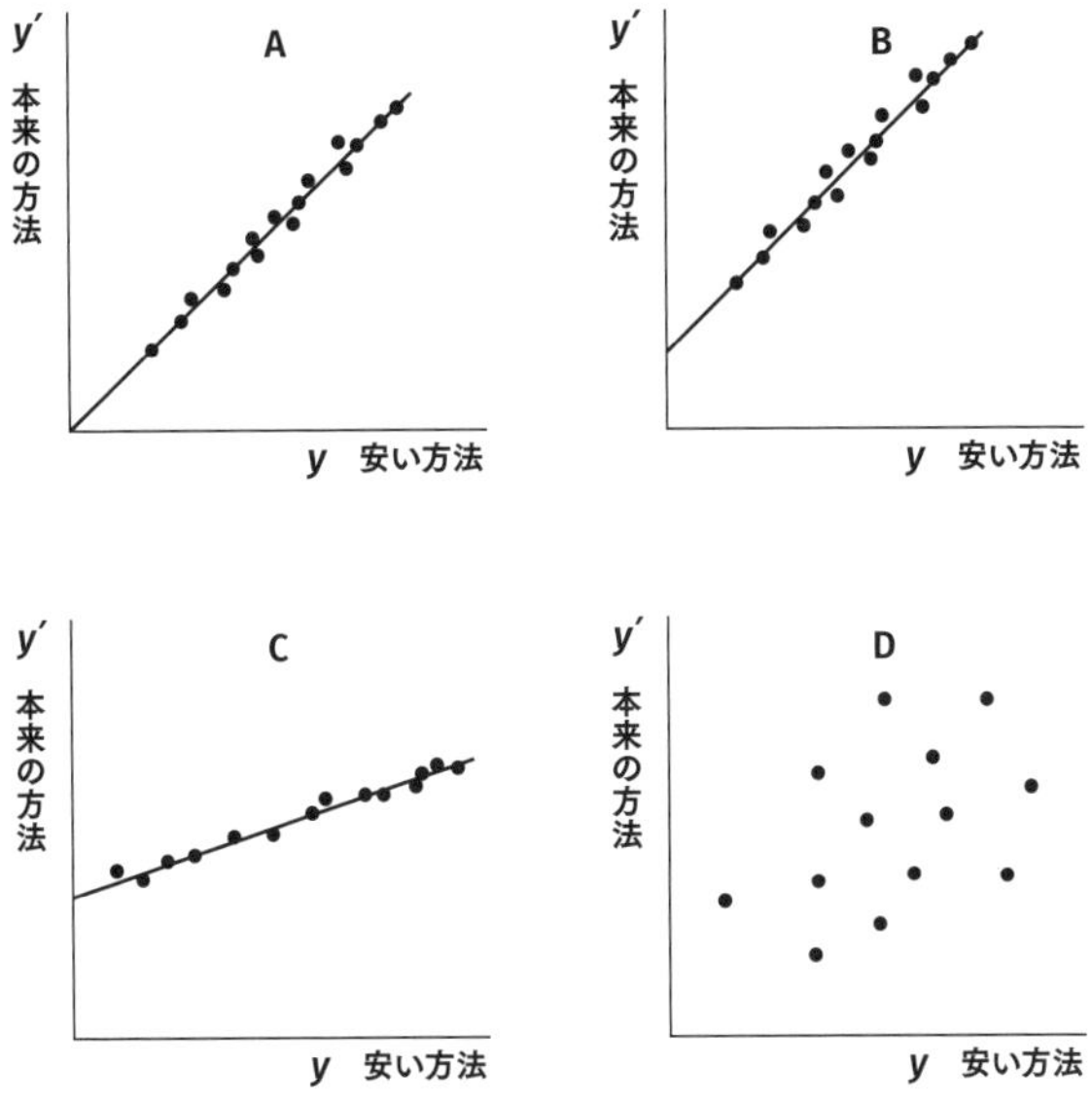

図50のBは単純であるから、「安い方法」を調整せずそのまま使い、「本来の方法」の測定値に読み替えることも可能だ。ここで、

y' =「本来の方法」による測定値

y = 同じアイテムを「安い方法」で測定した時の値

m = 2つの方法の回帰直線（線形であると仮定）の傾き

b = y' の切片

とすれば、図50のBの読み替えは $y'=y+mb$ となる。

たまたま2つの方法の測定値が一致したとしても、両者の測定結果が共に正しいことを意味しない。一致は単に「1つの測定システム」の存在を示しているに過ぎない。

興味深いのは図50のCだ。（45°線よりも傾きが小さい）回帰直線が示すのは、「安い方法」は「本来の方法」よりも感度が良い（測定値が大きく出る）ということだ。それが優位性を維持するのであれば、「本来の方法」をやめて、調整した上で「安い方法」を使うべきだ（1983年11月、ケープタウンで開催されたセミナーにてナタール州ハマーズデールのピーター・クラークが発表）。

同様に、45°線より大きい傾きは「安い方法」の感度が悪い（測定値が小さく出る）ことを示

す。「本来の方法」と同じ結果を出せるよう「安い方法」を調整してもよいし、式$y'=y+mb$（mは傾き）を用いて測定値を読み替えてもよい。

測定器の精度と誤測定をうまく扱う方法の1つが、ウエスタン・エレクトリックが1956年に制作・発行した『統計的品質管理ハンドブック』のセクションB-3である（第11章の文献リストを参照）。

検査におけるコンセンサスの危険性

何を恐れることもなく安心して（第I巻132ページ）誰もが自由に自分の意見を表明し、質問する機会を持てるようになった後に形成されるコンセンサスなら、チーム全体のためになるのに加えて、相互の学びから生まれる互恵的利益をもたらす。

残念ながら、コンセンサスというものは、検査でも、他のいずれの場でも、1人の人がもう1人を押し切ったことを意味するに過ぎないという可能性があり、そうであれば、そのコンセンサスは1人だけの意見である。

例えば2人の医師が1人の患者に対して、「改善した」「改善していない」「悪化した」といった具合に、1つのコンセンサスを記録する。このレポートは年上の医師の意見のみが反映されたものかもしれないが、年下の若い医師は年上の医師に付き従い、何であれ優れた知見を聞こうと耳を澄ます特権を享受している。２人の良好な関係は、若い医師が意見を言い過ぎると終わってしまうかもしれない。この若い医師はおそらくインターンだ。来年の再任用を失う危険を敢えて冒すことはしない。それゆえどんなことにも同意し、質問にも気を遣う。

もっと良いやり方は、医師がそれぞれ自分の記録用紙を持って担当患者についての判断――「改善した」「改善していない」「悪化した」を記録することだ。追って適宜記録を照合すればよい。このやり方なら年下の医師も対立を恐れずに判断が一致しなかった患者について、あるいは判断が一致した患者について、質問でき

図51　患者ごとの医師の判断の記録

患者のタイプによる判断の一致・不一致の状況を研究することで、この2人の医師が自分たちがやっていることをよりよく理解し、判断が一致し信頼できる状態に自らを近づける助けとなるかもしれない。

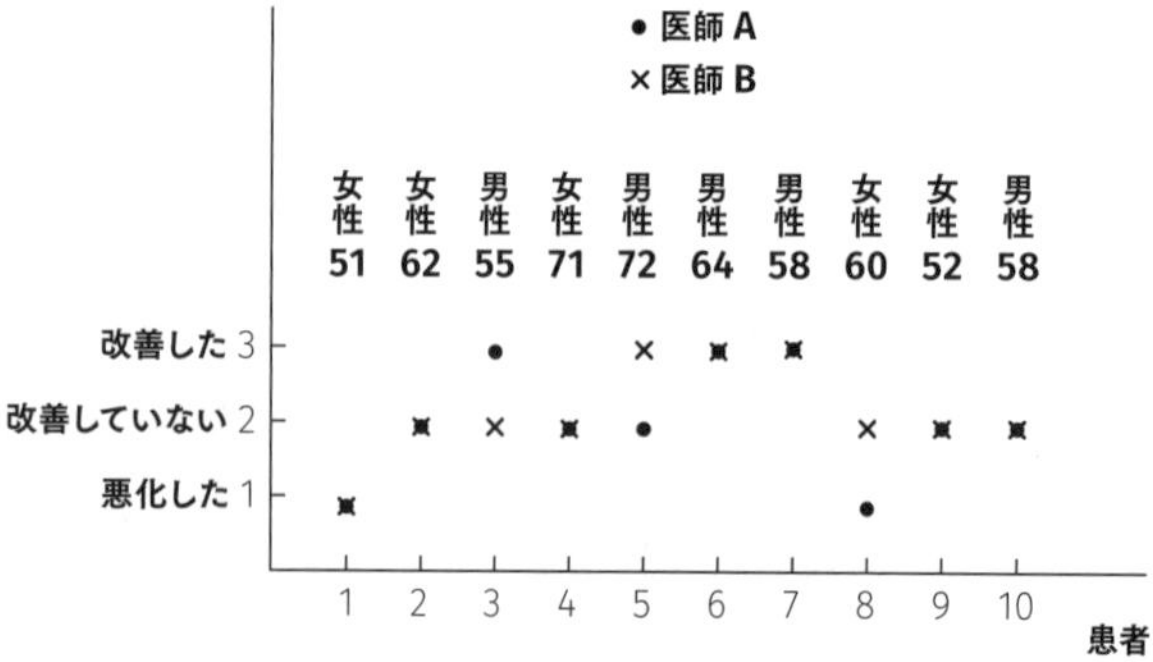

るかもしれない。換言すれば、ここに提案したシステムがこの若い医師の「質問することへの恐怖心」を取り除くということだ。図51のような単純なチャートが一致と不一致を目で見てわかるようにしてくれる。（1960年頃、コンサルティング活動の一環として筆者がニューヨーク州精神医学研究所の故・ドクター・フランツ・J・カルマンに提案し、受け容れられたもの）。

チャート上の患者の年齢と性別といったシンプルな記述が、この若い医師に助けが必要なところを示していくことになるはずだ。

たまたま2人の医師の独立した判断の結果が一致したとしても、単に2人が「1つのシステム」を持っていることを意味するに過ぎない。判断の一致は、2人共が正しいことを意味しないのである。専門家が同意する方法を用いなければ、本当のことはわからない。

2人の検査員の比較

皮革の検査員の2人はもう何年も、皮革の納品1件ごとにサンプルとして1束取り出して検査し、1束ずつ2人の合意の結果を記録してきた。われわれがコンセンサスの危険性について話し、1人ずつデータを取っていくなら自分たちで結果を比較し、判断の違いがあれば互いに学べるようになるはずだと言うと、すぐに彼らは理解してくれた。

皮革は納品単位ごとに1束抜いて検査され、1級から5級に仕分けられる。1級が最上グレードだ。われわれの提案を受けて、納品された皮革を次のような手順で仕分けていくことになった。

①各検査員は、納品1件ごとに、その中から1束を選ぶ。束は、納品されてきた積み荷の上/中/底のいずれかから、選択が偏らないよう散らして抜き取る（これは既述の「機械的サンプリング」であり、乱数は使わない）。
②各検査員は自分が選んだ皮革の束をそれぞれ独立に調べて結果を記録する。
③2人の検査員は20件目を迎える度に集合し、それまでの19件分の各自の検査結果を確認して記録する。20件目は2人が同じ皮革の束をそれぞれに検査する。
④結果をチャートにプロットする。図52は彼らのチャートの一部を簡略化して示したものだ。

結果の差異の原因は2つあると思われる。即ち、[a]検査員2人の間の違い、[b]抜き取ったサンプルの間の違い、の2つだ。こうした差異は、これまで（1年近く）、目につくような大きな違いが出ることはなかった。検査員はもう1人の検査員とかけ離れた判断を下すことはない。そのため、2人が同じ皮革の束をそれぞれ独立して検査する20件目に違いが生じることは稀である。

これまでも随所で強調してきたが、再び言う。2人の検査員の判断の一致は正しい判定であることを示すのではなく、このサンプリングと検査が「1つの仕分けのシステム」を成していることを意味するに過ぎない。

図52　独立して作業を行う2人の検査員の結果（簡略化した図）

発散の兆候は見られない。20番目の点を□で囲んでいるのは、この新方式の決まりごとであり、2人の検査員は20件目に来たら同じ束を検査することになっている。

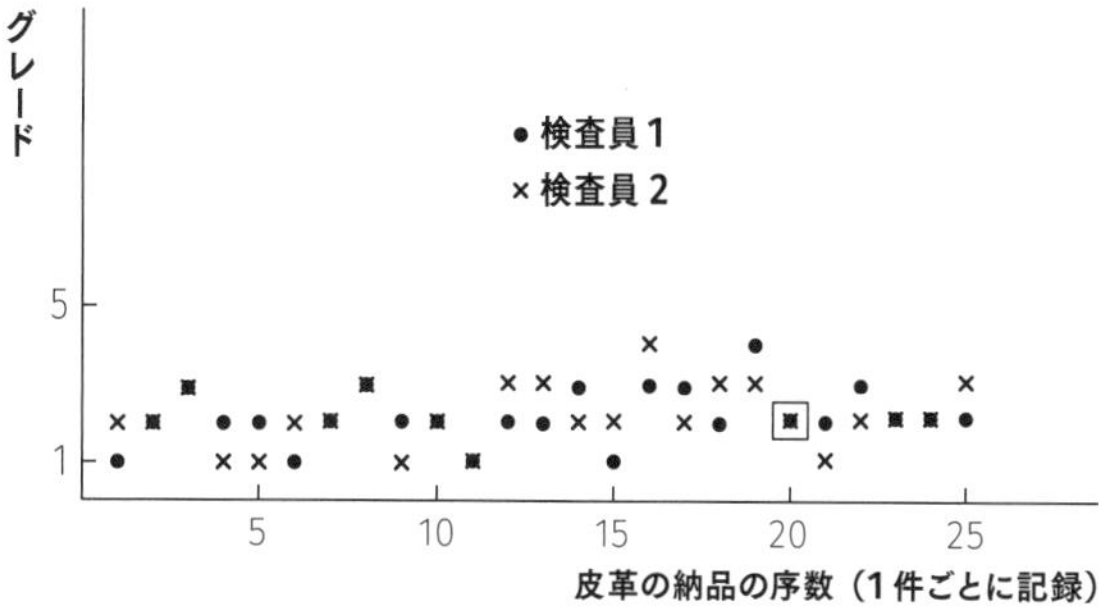

さらなる注記——図を用いてわかりやすく示す

図51と図52のようなプランは、検査員が4～5人の場合にも容易に適用できる（検査員6人では記号の数が多過ぎるという問題が生じる）。かつて筆者も3種の記号（●、○、×）を用いて同様のプランを実施したことがある。①加熱開始時、②加熱中、③加熱終了時の各時点で材料を取り出して得られる品質特性を図示したのだ。そのケースでは、○と×の関係性以外は、加熱12回にわたって3つの記号は同じような垂直の分布（縦に長い形状の分布）を示した。この事象の再現性から、以下の可能性があるとわかった。ⓐ材料を十分に混ぜ合わせなかった、ⓑ混合体の製造中に生じた経時変化が顕在化した。

演習

演習1　赤と白のビーズが入ったボウル

仮定：ボウルに赤と白のビーズが入っている。赤のビーズの割合をpとし、白のビーズの割合をqとする（372ページの図53）。

ステップ1：ボウルからランダムにビーズを抽出する。このときのロットサイズをNとし、以下で表わす。

N　ロット内のビーズの総数

X　ロット内の赤のビーズの数

$N-X$　ロット内の白のビーズの数

ステップ2：このロットからランダムにサンプルサイズ n で抽出し、実際に数えて次の結果を得る。

サンプル内		サンプルを抜いた残り	
n	サンプル内の総数	$N-n$	残りの総数
s	サンプル内の赤の数	$r=X-s$	残りの中の赤の数
$n-s$	サンプル内の白の数	$N-n-r$	残りの中の白の数

ステップ3：サンプルのビーズをロットに戻してよく混ぜる。

ステップ4：ロットサイズとロットから抽出するサンプルサイズを一定に保ったまま、ステップ1、2、3を多数回繰り返す。rとsの結果を記録する。

すると、rとsの理論的な分布は次のようになる。

式4 $$P(r,s)=\left[\binom{N-n}{r}q^{(N-n)-r}p^{r}\right]\left[\binom{n}{s}q^{(n-s)}p^{s}\right]$$

結論：ⓐサイズnのサンプル内の赤ビーズの数と、残りの中の赤ビーズの数は共に同じ比率pを中心とした二項分布をなし、ⓑ両者は独立である。即ち、s=17の不良品（赤ビーズ）を含むサンプルに対応する「残り」に含まれる赤ビーズの数rは、不良品s=0のサンプルに対応する「残り」における赤ビーズの数と全く同じ分布をなす。

図53　赤と白のビーズが入ったボウルからロットを取り出し、そこからサンプルを取る。

ロットは毎回ボウルに戻し、ロット内の赤ビーズの割合pが一定になるようによく混ぜるものとする。

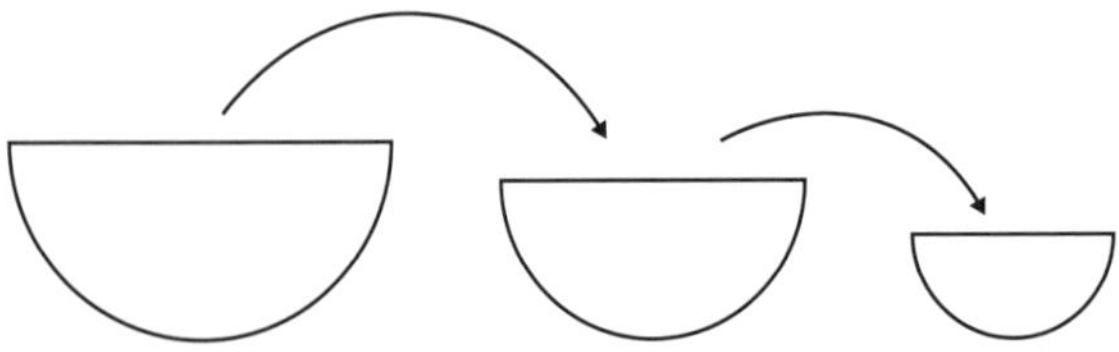

この原理には驚かされる。個々の不良品の発生が独立事象であるなら、当該プロセスが相当程度に統計的に管理された状態になるにつれて、どのような受入検査のやり方をしようが、サンプルを抽出した「残り」の選別（スクリーニングのための全数検査）をすべきか否かの選択に対しては、コイントス以上の結果は得られないのである。[*13]（コイントスはサンプルを検査するより、格段に安い）

1つのロットからサンプルを抽出する代わりに、そのロットをランダムに「サンプル」と「残り」の2つに分けるだけでよろしい。

演習2　二項分布よりも狭く分布する不良品

ロット内の不良品が二項分布よりも狭く分布している場合に、サンプル抽出後の「残り」の扱いをサンプル検査の結果に基づいて決めようとするなら、サンプルに大量の不良品が含まれているときは「残り」をそのまま受け入れ、サンプルに不良品がほとんどない、あるいはゼロである場合に一旦止めて「残り」を選別するという、普通とは逆のやり方を適用すべきである。[*14]

ここに述べた結果を理解するには、納品されるロットに必ず同じ数の不良品が含まれている状態を考えてみるとよい。「残り」の中にない不良品はサンプルの中にあり、逆もまたしかり。したがって、サンプルの中に非常に多くの不良品があるなら「残り」の中には不良品が少ししかないということになる。

I・D・ヒルは論文（1960年）で「品質が常に一定であるロット」をつくる簡単な方法があると指摘した。同じものを生産する機械が20台あるとし、うち19台は不良品をつくることはないが、1台は不良品だけをつくると仮定しよう。20台の機械がつくったものの中からそれぞれ1つずつ取って1つのロットにする。すると、どのロットも20個で、必ず5％の不良品を含むことになる。

いくつものロットで品質がほぼ一定というのは、普通ではあまりないことだ。一例を挙げると、12個取りのパレット型だ。金属板が工程を通過する際にパレットが回転しながらプレスする。12個のパレット型のうち1つが壊れているとする。そのパレットがプレスしたものはほぼすべて不良品であるとわかった。他の11個のパレット型はよい状態である。一連の12個から成るロットの出来上がりは、いずれも不良率1／12、つまり約8・3％近くで安定している。

演習3　「全か無の法則」の証明

ランダム抽出（乱数を使った抽出）でロットから部品を1個取り出す。これを部品 i とする。この部品は不良品か不良品でないかのいずれかである。これを検査すべきか、あるいは不良か否かを検査することなくそのまま生産ラインへ渡すべきか、どちらだろう？　平均トータルコストを便利な表にまとめる（表5）。

「全数検査をする場合」の平均トータルコストと「検査をしない場合」の平均トータルコストは $p=k_1/k_2$ において等しくなる。この等式はアレクサンダー・ムードによって「損益分岐品質」と名付けられた。損益分岐品質において、トータルコストは「検査をしない」「全数検査をする」のいずれの値とも等しい。$p<k_1/k_2$ の場合は「検査をしない」ほうがトータルコストは小さくなり、$p>k_1/k_2$ なら「全数検査をする」ほうがトータルコストは小さくなる（図54を参照）。

表5　損益分岐品質

当該部品を検査すべきか?	平均トータルコスト
全数検査をする	$k_1 + pk + 0$
検査をしない	$0 + p\,(k_2 + k)$
〔全数検査をする〕－〔検査をしない〕	$k_1 - pk_2$

図54　損益分岐品質の図解

不良品を含むロットにおける、1個当たりのトータルコストの最小値を納入品の品質pの関数として表したチャートである。平均トータルコストを最小にする不良率は損益分岐線OCD上にある。点Cは$p = k_1/k_2$となる損益分岐品質の点Bのトータルコスト。無検査がトータルコストを最小する状況で全数検査を行うとトータルコストは最大化される。逆も同じ。

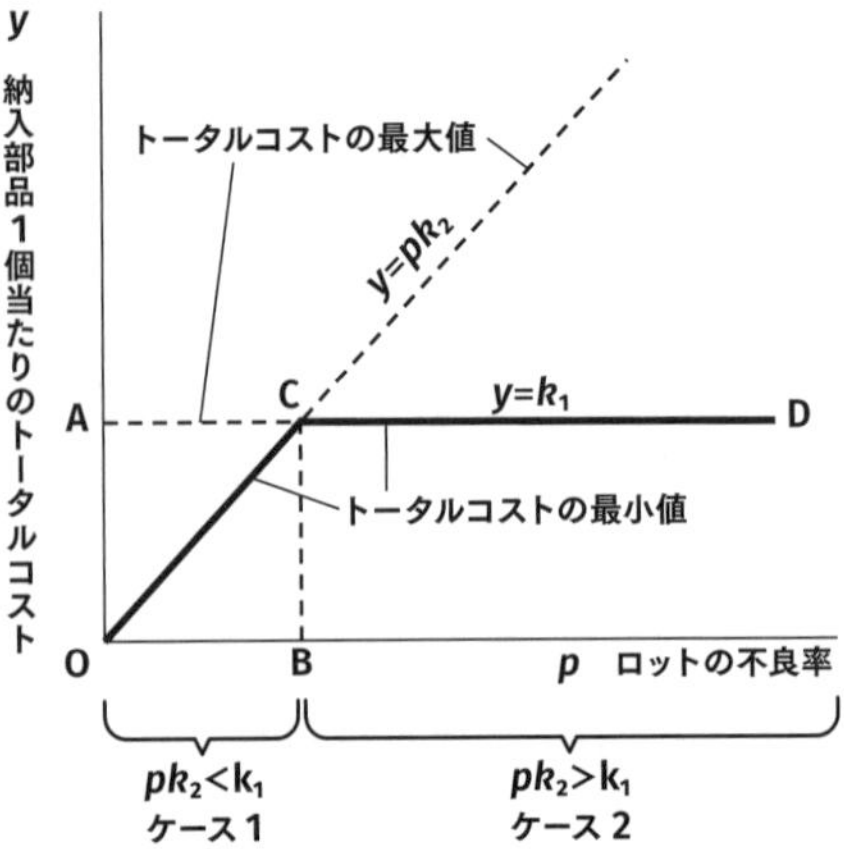

（仮に）来週、最悪のロットが届いてしまうとしても、その不良率が損益分岐品質より小さいのであれば、その他のロットの品質は最悪のロットよりも良く、不良率がさらに左に来るのは当然だ。この状況では明らかに無検査が平均トータルコストを最小化する。つまり「ケース1」である。

一方、納入される最良のロットの不良率が損益分岐品質の右にあるなら、その他のロットはすべて品質がもっと悪く、不良率はさらに右側に来る。つまり「ケース2」だ。この状況ではすべてのロットを全数検査すれば平均トータルコストを最小化することができる。

ここで最小の平均トータルコストはその分岐線OCD上に並ぶ。pが分岐点Bに近ければ近いほど、無検査と全数検査との間のコストの差は小さくなる。

演習4　複数の部品に対して平均トータルコストを最小化する*15

トータルでM個の部品があるとしよう。部品iの平均不良率をp_i、1個当たりの検査コストをk_iとする。これらの部品が組み込まれたアセンブリが不適合になったときの追加的コストをKで表わし、このコストはどの部品に対しても同じと仮定する（この演習では記号k_2を部品2の検査コストとして使うため、記法を変えている）。この状況ですべての部品を検査するべきか、特定の部品だけを検査すべきか、どちらだろう？　特定の部品だけを検査するとしたら、どの部品を検査すべきか？　ここで340ページの式3の近似値を使うべきだ。

つまり、2つのプランの差が部品2に対するプランを決めることになる。これを式で表すと以下の通り。

$$\sum_{1}^{m-1}(k_i - Kp_2)$$

トータルコストを最小化するためには、どの部品を検査し、どの部品を無検査にすべきなのか？　換言すれば、2つのプランの差をいかにして最大化するかということである。答えは明らかだ。次の項の値を降順に並べるのである。

$$k_i - Kp_i, \quad i=1, 2, 3, \cdots, M$$

この項の値を降順に並べると、通常、正の値から始まって段々と減り、ゼロを通過してさらに減っていく。平均トータルコストを最小化するためには、前記の和ができるだけ大きくなるのが望ましい。したがって、平均トータルコストを最小化するためのルールは以下のようになる。

①k_i-Kp_iが正の値である部品に対しては、検査を行わない

②上記以外のすべての部品、つまりk_i-Kp_iが負の値である部品はすべて検査を行う

すべてのベンダーと協力して全部品を統計的に管理された状態に保ち、不良率p_iを減らすべく努力せよ。その取り組みがうまくいけば、トータルコストを減らすことができるだけでなく、「要検査」の部品を「無検査」に認定変更できるようになるだろう。

所見1

差異が辛うじて負であった部品が辛うじて正になったとしても、減らせるコストはごくわずかだ。しかし、大きな変化、つまり、大きな負の値が大きな正の値になったとしたら、大きなコスト削減になる。

プラン	平均トータルコスト
①検査を行う	$\sum_{1}^{M} k_i + 0$
②部品m, $m+1$, $m+2$,…, Mについてのみ、検査を行う	$\sum_{m}^{M} k_i + K\sum_{1}^{(m-1)} p_i$

所見2

各部品は$p_i=k_i/K$で定義される損益分岐品質を持つと言える。したがって、ここで行った複数の部品に対する検討の結果は、単一の部品に対するプラン1とプラン2の繰り返しに過ぎない。

所見3

不良率の分布が当該部品の損益分岐品質を跨いで分布している部品は、単一の部品と同じ方法で扱うことができる。

所見4

統計的によく管理された状態にない部品はいずれも全数検査を行うべきだ。ましてカオス状態にあるなら特にそうだ。

演習5 品質の分布が損益分岐品質のどちらか一方の側に偏っている場合

(この演習の狙い——納入されてくる部品の品質が損益分岐品質の両側のうち主にどちらか一方だけに大きく偏って分布している場合は、「全か無の法則」以外のどのような検査プランを採用したとしても、トータルコスト増を招くリスクがあるということを示したい)

納入部品のロットごとに割合fで検査するものとし、その平均不良率をpとする。サンプルの抽出はランダムに行われる（つまり乱数を用いる）。1個当たりの平均トータルコストは、受入検査のコストと、当該部品を組み込んだアセンブリがその部品の欠陥のせいで不適合になった場合に手直しし、再びテストするのにかかるコストの和として、以下で表すことができる。

式5 $y=fk_1+(1-f)pk_2$ （コストkpは無視する）

ここで問うべきはyを最小化するfの値はいくつかということである。まず注意しておきたいのは、$p=k_1/k_2$となる点（損益分岐点）においては、fの値に関わりなく、$y=k_1$であることだ。損益分岐点の左側においては$p<k_1/k_2$だ。上記の**式5**を次の形に書き直すと便利である。

式6 $y=pk_2+f(k_1-pk_2)$

損益分岐品質の左側において、fがゼロから1の間で変化するなら、yは最小値pk_2からk_1の間で変化する。つまり、損益分岐品質の左側（$p<k_1/k_2$）のいずれの領域においても、検査すればトータルコストを増やすことになる。この領域で受入検査を行えば、最小トータルコストの2倍、3倍になってもおかしくないとすぐに理解できるだろう。

$p>k_1/k_2$である損益分岐点の右側の領域ではどうか。**式5**を次のように書き変える。

式7　$y=k_1+(1-f)(pk_2-k_1)$

この領域においてfがゼロから１の間で変化するなら、yはpk_2から最小値k_1の間で変化する。つまり、損益分岐品質の右側にいるなら全数検査が最小のトータルコストを与える。１００％の全数ではない検査（即ち$f<1$）（抜き取り検査）を行うなら、平均トータルコストは最小値よりも大きくなる。

ウィリアム・Ｊ・ラッツコが提供してくれた３４９、３５０ページの例を参照されたい。

ここでもう１つ、別の具体例を考察しよう。

具体的な事例　ハードディスク・メーカーにおけるアルミニウム板の検査

ハードディスク（記憶装置に使われる円盤状の板）の製造に供するため、アルミニウム板（サブストレート）が１０００枚／ロットで納品されてくる。納入ロットに対する最初のステップは当該ロットから乱数を用いて65枚のサンプルを抽出し、目視検査を行うことであった。「目視検査をしたら不合格となるはずのアルミ板」が、検査されずに生産ラインへ流出すれば、最終製品のハードディスクの不具合の原因となる。目視検査で不合格となったアルミ板はすべて良品の板で代替される。

目視検査の平均不合格率は約40分の1、即ち0・025内外で推移していた。サンプル内の板が5枚以上不合格なら当該ロットは不適合というのが決まりだ（「5枚」は上方管理限界3σ）。これまでの記録を見る限り、不適合になるロットはほとんどない。つまり直近の納入品は統計的にまずまず管理された状態にあると見てよく、それゆえ近い未来も同様と推察される。

したがって、「目視検査をしたら不合格となるアルミ板」が検査されずに生産工程へ流出してしまう割合は、平均で 0.025−(65/1000)×0.025=0.023 となる。

全賦課した目視検査のコストは1枚当たり7セントである。

目視検査の準備あるいは目視検査の最中にアルミ板の1％がハンドリング・ダメージで全損になる。

ここまで説明してきた検査は外観の欠陥のみを見るものだ。目視検査で発見することができないその他の欠陥が原因となって、最終製品のハードディスク100枚に1枚が最終検査で不適合となる。これは間接費であり、納入部品が目視検査されるか否かに関わらず共通かつ一定だ。したがって以下のコストの表（表6）ではこのコストは無視できる。

最終製品のハードディスクを1枚完成させるまでの付加価値は11ドル。アルミ板のコストは2ドル／枚。つまり計13ドル／枚だ。不適合となった完成品ディスクのアルミ板は再生可能である。再生に要すコストを考慮しないとすれば、完成品ディスクの損失は11ドル／枚となる。

ここで、

f ＝このプランにおいて検査されるアルミ板の割合　(=65/1000=0.065)

k_1 ＝目視検査のコスト／枚　(=7セント)

B ＝アルミ板のコスト／枚　(=2ドル)

k_2 ＝最終製品の付加価値／枚　(=11ドル)

p ＝目視検査の平均不合格率　(=0.025)

p' ＝外観以外の欠陥によって生じる最終製品のディスクの平均全損率　(=0.01)

p'' ＝外観検査で不合格とされるべきアルミ板の生産への平均流出率

(0.025[1-65/1000]=0.023)

F ＝目視検査の準備あるいは目視検査中の取り扱いによって全損する割合　(0.01)

これでコストを推定する表6をつくる準備が整った。

結論

全数検査と、実務で使われている現状の検査プランとの違いは非常に大きく、すぐにでも変えたほうがいいと提案したくなる。しかしその提案は、表6で使用した完成品不適合率及びコストとはかなり違う現実に出会うことになるはずだ。

その間にも、ベンダーと協力して、願わくは無検査化の分岐点を超え、検査もハンドリングも不要となるまで、納入品の品質改善への取り組みを続けていくからだ。

表6　演習5の平均コスト

プラン	1枚当たりの平均コスト 目視検査	アルミ板へのハンドリング・ダメージ	完成品ディスク不適合	トータル
現状	$fk_1 = 0.065 \times 7¢$ $= 0.46¢$	$0.01 \times 200¢$	$(p'' + 0.01)k_2$ $= (0.023 + 0.01)k_2$ $= 0.033 \times 1100¢$	39¢
全数検査	$k_1 = 7¢$	$0.01 \times 200¢$	$(0 + 0.01)k_2 = 0.01 \times 1100¢$	20¢
無検査	0	$0.01 \times 200¢$	$(0.025 + 0.01)k_2$ $= 0.035 \times 1100¢$	40¢

注記

ここでの損益分岐品質はこれまでのような単純な比 k_1/k_2 ではないが、複雑だからと躊躇ってはならない。

演習6　無意味なルールをベンダーに強いる愚

次のルールを良かれと思ってベンダーに強要するのは意味がないことを示す。

われわれは納入品の合否判定において抜き取り検査に信をおき、不良品が1つでも見つかったら当該ロット全体を不適合と判定する。

筆者のコメント

①現実には、検査しようがしまいが、ほとんどのロットはそのまま生産に渡されることになる。買い手は、もっとしっかり検査するためであれ、ベンダーに戻すためであれ、遅れを容認する余裕などない。

②$k_1>pk_2$ であるなら無検査にすればトータルコストを最小化できるのだが、ここ

で抜き取り検査を行えばコストは最小値より大きくなる。なぜコストを増やすようなことを敢えてやるのか？

③$k_1<pk_2$であるならトータルコストを最小化するのは全数検査だ。抜き取り検査ではない。再び言うが、なぜ敢えてコストを増やすのか？

④納入品の品質の分布が統計的に管理された状態からかけ離れており、損益分岐点を跨いで分布しているなら、最善の策は全数検査をするか、ジョイス・オルシーニのルール（319ページ）を使うかだ。そうすればこの悲惨な状態から脱出できる。ベンダーと協力して「ケース1（$k_1<pk_2$）」になれるよう品質改善に励み、さらに不良ゼロをめざして弛まず改善し続けよ。

⑤言うなれば、ここに引用した「ベンダーへの要求」は時代遅れで実効性がなく、高コスト・低品質を確約するようなものである。

演習7　kを評価する

納入品S個の中から1個の部品を抜き取って検査するコストは、ロットサイズN個の中から部品を1個抜き取って検査する通常のコストと同じであると仮定しよう。不良品のときに$x_i=1$、不良品でないときに $x_i=0$ であるとする。$x_i=1$ のとき、当該の部品が不良品であると明らかになる。まず、納入部品S個の中から1個を取り出し、検査する。このときのコストは k_1 である。この部品が不良品であったら、もう1個部品を取り出して検査しなければならない。これを、良品に出会うまで繰り返す。これらの可能性を、確率木（確率のツリー）で表したのが図55である。明らかに平均コスト k は下記となる。*16

式8　$k=k_1(q+2pq+3p^2q+\cdots)=\dfrac{k_1q}{(1-p)^2}=\dfrac{k_1}{q}$

ここで、$q=1-p$

したがって、検査のコストと不良品を良品で代替するコストを合わせたトータルコストの平均は以下の通り。

$k_1+pk=k_1/q$

p は多くの場合で小さいため、q は1に近い数値になる。この

図55　確率木（確率ツリー）による図解

x_iが1（不良品である）である確率をp、x_iが0（不良品でない）である確率をqとして、部品を1個ずつ検査していく

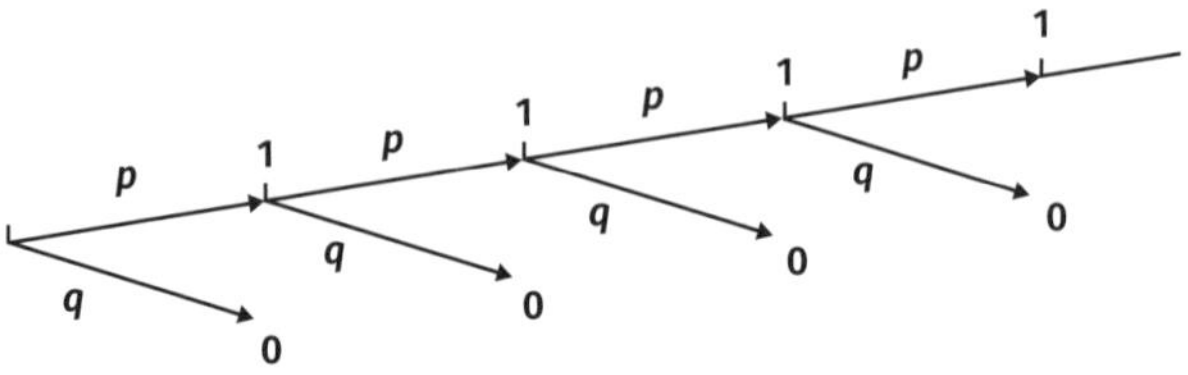

場合、k_1/q か k_1 で置換可能だ。

演習8　無検査／抜き取り検査／全数検査を再び考察する

記法

N ＝ロットに含まれるアイテムの数

n ＝サンプルに含まれるアイテムの数（乱数を用いてロットから抽出される）

　ただし、不良品はすべて良品で代替されるものとする

p ＝納品されてくる材料や部品の平均不良率

　値 p は今後数週間にわたる不良率の平均値の粗い予測と言える

q ＝$1-p$

p' ＝受入検査で不適合となり、選別を受けるべきロットの平均不良率

p'' ＝受入検査で合格し、生産ラインへそのまま送られるロットの平均不良率

k_1 ＝部品1個を検査するコスト

k_2 ＝1個の不良品が生産ラインへ流出したせいでアセンブリを分解し、修理し、再び組み立て、再検査するコスト

P ＝最初の受入検査で（不適合となり）選別へ回されるロットの割合の平均

$Q=1-P$ ＝最初の受入検査で合格するロットの割合の平均

受入検査にどのようなプランを採用したとしても、以下のことが成立する。

$n=0$　ならば、$P=0$ かつ $Q=1$

$n=N$　ならば、$P=1$ かつ $Q=0$

ここで、次の検査プランを実行するとロットの平均値はどうなるかを考えよう。

n　個の部品が不良品を含まない状態で生産ラインへ送られる

$(N-n)Q$ 個の部品が検査を受けずに平均不良率 p で生産ラインへ送られる

$(N-n)P$ 個の部品が検査で不合格となり選別され、選別後、不良品を含まない状態で生産ラインへ送られる

[a] 部品1個当たりの平均トータルコストが以下の式となることを示せ。

$$C=k_1[1/q+Q(k_2/k_1)(p''-k_1/k_2)(1-n/N)]$$

[b] $p<k_1/k_2$ であるなら $p''-k_1/k_2$ は負の値となり、$n=0$（ケース１：無検査）とすることによって平均トータルコストを最小にすることができる。

[c] $p>k_1/k_2$ であり、かつ、$p''-k_1/k_2$ を負の値にする方法を首尾よく見つけることができるなら、平均トータルコストは全数検査のコストよりも小さくなる。

[d] しかし、最善の努力を傾けても思い通りにいかず、$p''-k_1/k_2$ が正の値のままである場合、トータルコストは全数検査を実施したときのコストよりも大きな値になる。これは演習5が避けよと教える罠と同じものだ。

本章への補足

統計的に管理された状態にあるプロセスにおいては「サンプル内の不良品の数」と「サンプルを抜いた残りの中にある不良品の数」の間には相関関係がないことを、実験によって証明する

第11章で述べた赤と白のビーズの実験（186ページ）は、若干変更するだけで容易に「ロットから抽出した『サンプル内の不良品の数』と『サンプルを抽出した残りの中にある不良品の数』の間にわずかながら相関関係がある場合の実験」になる。

数学的証明は演習1の**式4**で既に示した（372ページ）。同じ実験を行えば、サンプルとロットの間に相関関係がわずかに存在することを示すだろう。

その実験において必要なのは、50個のビーズのロットを2つに分けることだけだ。1つは「サンプル」、もう1つは「残り」だ（図56）。図のように、ビーズを特殊な「作業用へら」で掬

いあげると1つのロットが生成される。毎回、「サンプル」と「残り」にそれぞれ含まれる赤いビーズと白いビーズの数を数え、記録する。次にこの50個のビーズを、大量のビーズが入ったボウルに戻し、よくかき混ぜ、「作業用へら」で次のロットを掬う。ここで、「納入された状態の部品」を「ボウルに入った大量のビーズ」に仮託していると考えていただきたい。

わかりやすくするため、次の記法を用いる。一定のサイズNで、不良品が平均不良率pを中心に二項分布しているロットが納品されてくるものとする。各ロットから一定のサンプルサイズnでサンプルを抽出し、不良品を発見しても良品で置き換えることはしない。抽出した「サンプル」と「残り」のそれぞれに含まれる不良

図56

赤と白のビーズが混ぜられた状態の大量のビーズから「作業用のへら」を使って50個／ロットになるよう機械的に掬い取る。20個が「サンプル」、サンプル以外の30個が「残り」である。

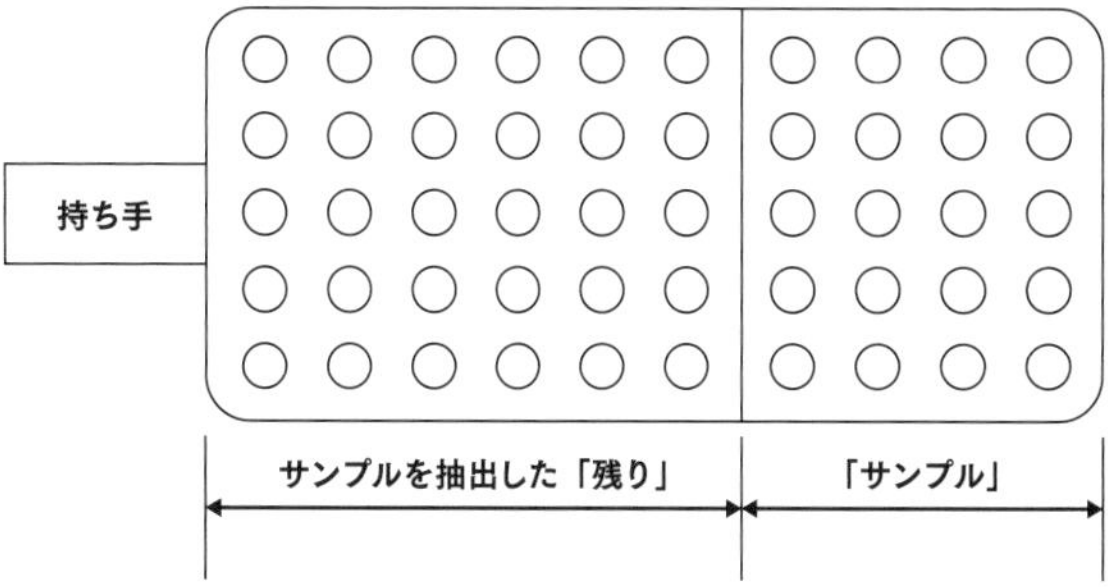

品の数を数える。ここで、(上述のように) sを「サンプル」に含まれる不良品の数、rを「残り」に含まれる不良品の数とする。すると、372ページの式4で見たように、sとrは結合分布を成す確率変数となる。ここで、

$\hat{p}=s/n$ 「サンプル」に含まれる赤ビーズの割合
$\hat{p}'=r/(N-n)$ 「残り」に含まれる赤ビーズの割合
$\hat{p}$ の期待値$=p$
$\hat{p}$ の分散$=pq/n$
$\hat{p}'$ の期待値$=p$
$\hat{p}'$ の分散$=pq/(N-n)$
共分散 $Cov(\hat{p},\hat{p}')=0$

$\hat{p}$ の分散と $\hat{p}'$ の分散は、それぞれNとnが増えると小さくなる。したがって、大きなロットから抽出した大きなサンプルは、母集団の「残り」に含まれる不良品の数についての情報を与えることになる。無論、ロット内の不良品の数についての情報も与える。

さらに、数え上げる際の問題（枚挙的帰納法の問題。当該ロットから抽出したサンプルの特性から全体の特性を推定する際に、すべてを数え上げないと事実が漏れてしまう可能性があるという問題）に対処するため、サンプリング理論を用いて当該ロットの特性の推定及びその推定における標準誤差を導出する。

次に、ロットサイズとサンプルサイズを変えてこの実験を行った結果をざっと見てみよう。図57、58、59、60は、サイズNとnの値を変えて、「サンプル」と「残り」の中で二項分布を成す赤ビーズの数を数えた結果である（友人のベンジャミン・J・テッピングがコンピュータを使って制作してくれた）。実は、「サンプル」と「残り」は、両方とも同じロットから抽出した「サンプル」なのである。図57~60は、いずれもサンプル抽出を100回行っている（サンプル数は100）。これらの散布図は「サンプル」と「残り」の間に相関関係がないことをはっきり示している。「サンプルサイズ」が大きくなればなるほど、「サンプル」と「残り」に含まれる赤いビーズの割合の推定値は正確になる。ここで、図60のサンプルサイズn=1000、「残り」のサイズN−n=9000は、「サンプル」と「残り」の間には相関関係がないにも関わらず、サンプルが大きくなればなるほど「残り」と「母集団全体」の両方の特性に関して、より正確な推定値を与えることを明らかに示している（「サンプル」と「残り」についてのみならず、母集団全体、即ち赤と白のビ

図57　*N*=50, *n*=20のサンプリングの例

「サンプル」と「残り」のサイズはそれぞれ20と30で大差ない。この図は、「サンプルに含まれる赤ビーズの割合」と「サンプルを抜き取った残りの中に含まれる赤ビーズの割合」との間に相関関係がないことを示している。

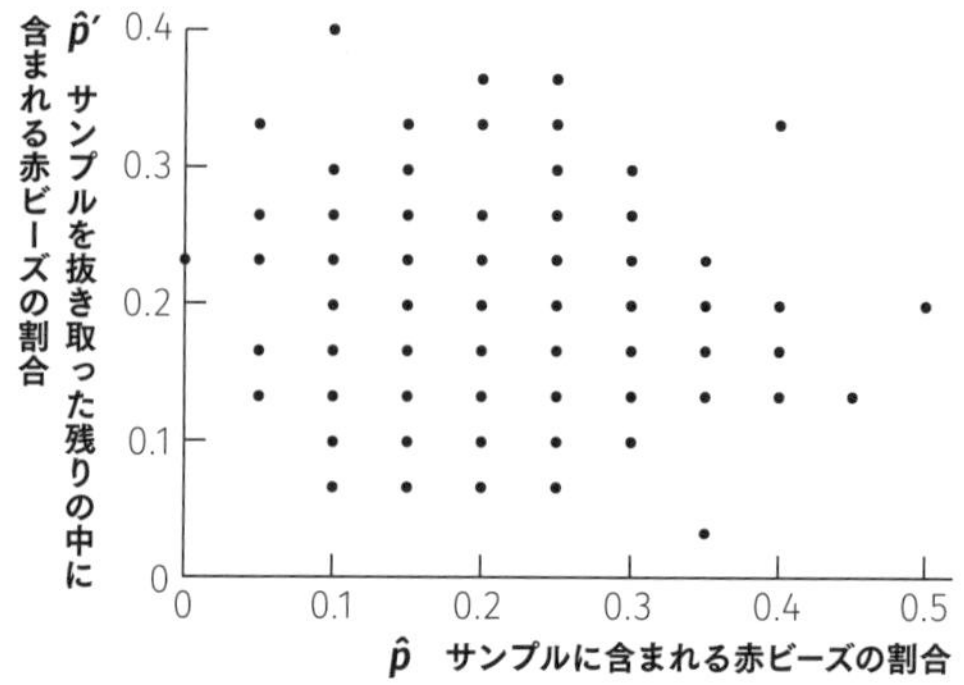

図58　*N*=600, *n*=20のサンプリングの例

「サンプルを抜き取った残りの中に含まれる赤ビーズの割合」の変動は明らかに「サンプルに含まれる赤ビーズの割合」の変動よりも小さい。この理由は「残り」のサイズ $N-n=600-20=580$ がサンプルサイズの何倍もあるからだ。ここでもやはり「サンプルに含まれる赤ビーズの割合」と「サンプルを抜き取った残りの中に含まれる赤ビーズの割合」との間に相関関係はないと見做せる。

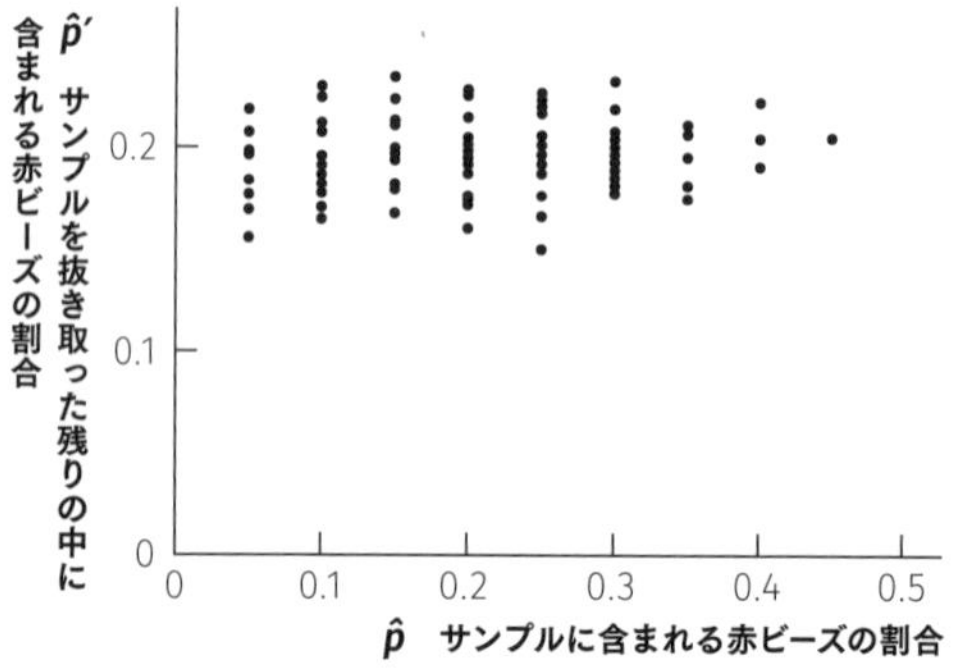

図59　*N*=600, *n*=200のサンプリングの例

この図から、サンプルサイズを200に増やし、残りが400に減ったらどうなるかがわかる。先の図と同様にこの図も「サンプルに含まれる赤ビーズの割合」と「サンプルを抜き取った残りの中に含まれる赤ビーズの割合」との間に相関関係がないことを示している。

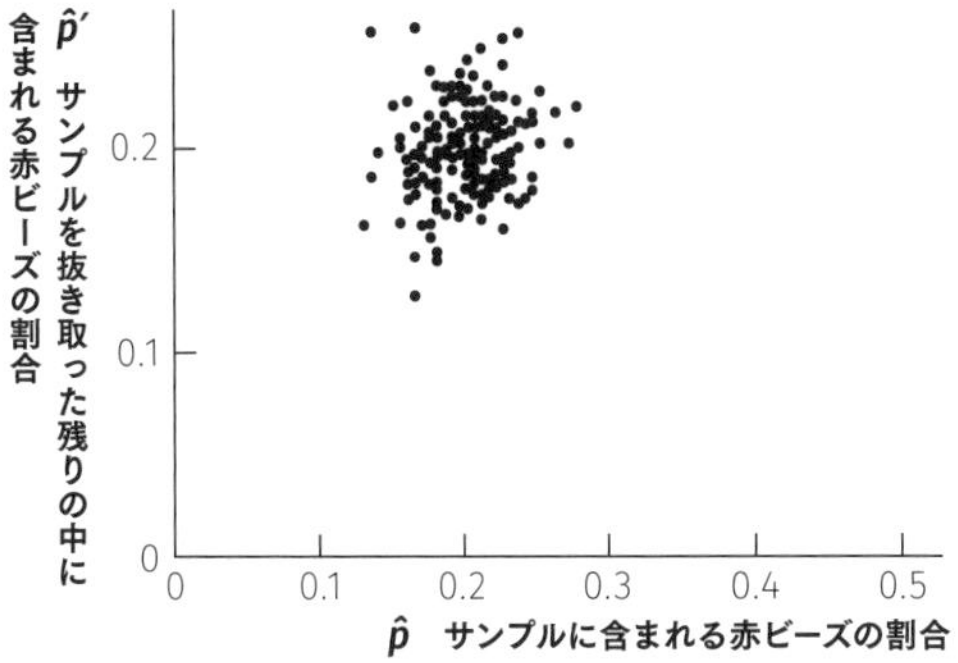

図60　*N*=10000, *n*=1000 のサンプリングの例

やはり相関関係はない。

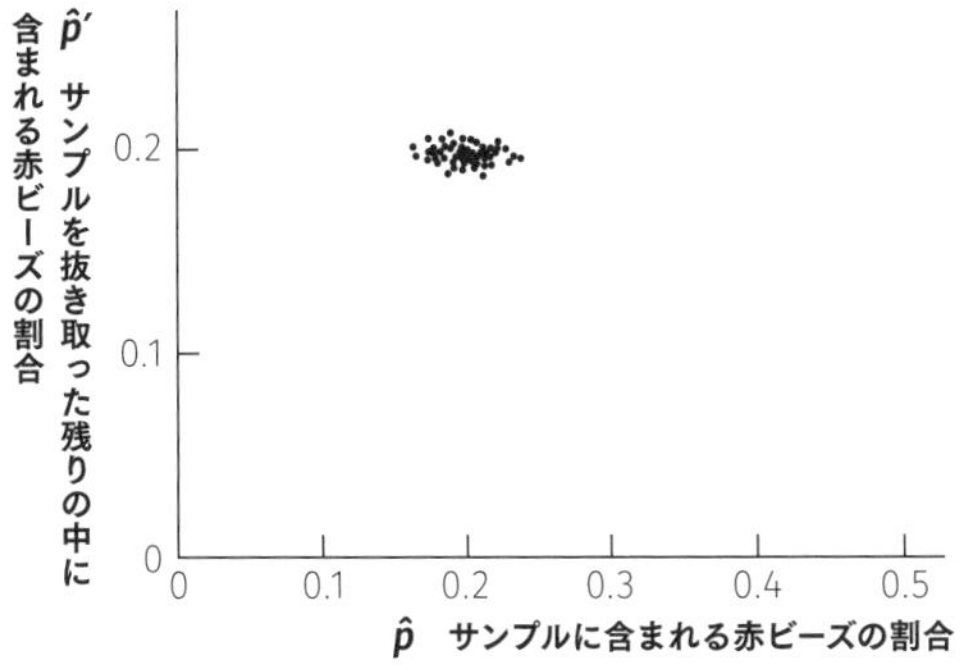

ーズが入ったボウル全体に関してより正確な推定値を与えるという意味である)。

統計学の理論の優れた特徴の1つは、たった1回のサンプル抽出であっても、サンプルサイズが十分に大きければ、図57~60で(例えば)平均で点の95%を含むフットボールの大きさ(範囲)はどのくらいかであるかといった具合に、全体の特性値を推計できることである。それゆえサンプリングの理論は、「残り」と「ロット全体」の特性に関する推定値と共に、その標準誤差を与えるのである。*17

主な参考文献

George A. Barnard, "Sampling inspection and statistical decisions," *Journal of the Royal Statistical Society*, ser. B, vol. 16 (1954): 151-171.

David Durand, *Stable Chaos*, General Learning Press, 1971. (p.234参照)

A. Hald,"The compound hypergeometric distribution and a system of single sampling plans based on prior distributions and costs," *Technometrics* 2 (1960): 275-340. (Discussion of prior distributions.)

Statistical Theory of Sampling Inspection by Attributes, Academic Press, 1981.

H. C. Hamaker, "Economic principles in industrial planning problems: a general introduction," *Proceedings of the International Statistical Conference* (India, 1951) 33, pt. 5 (1951): 106-119.

"Some basic principles of sampling inspection by attributes," *Applied Statistics* (1958): 149-159. (さまざまなアプローチに関する議論が興味深い)

I. David Hill, "The economic incentive provided by sampling inspection," *Applied Statistics* 9 (1960): 69-81.

"Sampling inspection in defense specification DEF-131," *Journal of the Royal Statistical Society*, ser. A, vol. 125 (1962): 31-87.

Alexander M. Mood, "On the dependence of sampling inspection plans upon population distributions," A*nnals of Mathematical Statistics* 14 (1943): 415-25.

Joyce Orsini, "Simple rule to reduce cost of inspection and correction of product in state of chaos," Ph.D. dissertation, Graduate School of Business Administration, New York University, 1982.

J. Sittig, "The economic choice of sampling systems in acceptance sampli," *Proceedings of the*

International Statistical Conferences (India, 1951), vol. 33, pt. 5 (1951): 51-84.

P. Thyregod, "Toward an algorithm for the minimax regret single sampling strategy," Institute of Mathematical Statistics, University of Copenhagen, 1969.

B. L. van der Waerden, "Sampling inspection as a minimum loss problem," *Annals of Mathematical Statistics* 31 (1960): 369-384.

G. B. Wetherill, *Sampling Inspection and Quality Control,* Methuen, London, 1969. (Gives a concise, excellent summary.)

S. Zacks, *The Theory of Statistical Inference,* Wiley, 1971. (Discusses in sec. 6.7 minimax under partial information.)

第16章

品質と生産性をともに良くする組織のあり方

THE CRISIS I / W. Edwards Deming/ 1. Chain Reaction: Quality, Productivity, Lower Costs, Capture the Market / 2. Principles for Transformation of Western Management / 3. Diseases and Obstacles / 4. When? How Long? / 5. Questions to Help Managers / 6. Quality and the Consumer / 7. Quality and Productivity in Service Organizations // NIKKEI BP CLASSICS / OUT OF THE CRISIS II / W. Edwards Deming // 8. Some New Principles of Training and Leadership / 9. Operational Definitions, Conformance, Performance / 10. Standards and Regulations / 11. Common Causes and Special Causes of Improvement. Stable System / 12. More Examples of Improvement Downstream / 13. Some Disappointments in Great Ideas / 14. Two Reports to Management / 15. Plan for Minimum Average Total Cost for Test of Incoming Materials and Final Product / **16. Organization for Improvement of Quality and Productivity** / 17. Some Illustrations for Improvement of Living /

統計学の理論と技法の研究はその性質において必然的に数学的・学術的・抽象的であり、ある程度の時間をかけ、集中して取り組めるだけの余裕が要る。そうした研究の継続を重視することは誠に素晴らしい。もっとも、既存の理論を実務に応用することに専ら関心を寄せる人々にとっては、そうとは限らない。純粋科学における積極的な研究を目の当たりにすれば例外はあろうが、科学の応用は往々にして思考停止のルーティンに陥り、純粋科学の成果によって予め決められた範囲を超えて進歩する能力を欠く。そして、自分たちが使っているツールの意味をよく理解しないばかりか、そうしたツールを使うことさえない人々の手に落ちるという危険性を常に孕んでいる。

過去数世紀も同じようなものではあったが、高度な才能に満ちた科学的な人々が、それほど特別な能力を持たない人たちにもできる仕事をやるしか生計を立てるすべがなく、そうした才能ある人たちの最も重要な業績の真価が公に認知されないというのは実にばかげたことだ。

——ハロルド・ホテリングのインド政府への書簡
1940年2月24日

本章の狙い

マネジメント、リーダーシップ、生産における主要な問題は、「ばらつき」の性質とその解釈の仕方を理解できていないことだ。これは筆者の友人ロイド・S・ネルソンが主張したものであり、本書でも指摘してきた。

品質と生産性の改善をめざす活動と手法は多くの企業や政府系組織に存在しているが、大抵は断片的で、全体の競争力を高めるガイダンスもなく、継続的改善の統合的なしくみもない。どのような仕事に就いていようが、人は誰もが学び、成長する機会が必要だ。縦割りで断片的な環境にいる人々はそれぞれが異なる方向を向いて仕事をし、他の人が何をしているかを意識することもない。会社にとって最善の益となるよう皆で力を合わせて働くチャンスがなく、自身の成長の機会もほとんどないのである。本章は、組織として知識をいかに活かしていくか、継続的に人を育むと共にプロセスを良くしていくにはどうしたらよいかについて、ガイダンスを示したい。

知識は国家の貴重な資源である

どの国でも知識は国家的な資源だ。代替の効かない希少金属とは違って、いずれの分野においても、知識の供給は教育によって増やすことができる。学校教育のようなフォーマルな教育が存在する一方で、家庭で学んだり仕事の中で学んだりするインフォーマルな教育もある。指導者の下で働き、反省することを通して学びを重ね、学びが成熟していくのだ。企業はまさに自身の存続をかけて、社内に既にある知識を集め、活用していかねばならないし、社外からの助力が役立つなら、その活かし方を研究しなければならない。

知識を浪費してはもったいない

材料のムダや労力のムダ、マシンタイムのムダはこれまで各章で指摘してきた。知識の浪費は、人を育てプロセスを良くする上で好適な知識が既に自社内にあるのに活かすのに失敗しているという意味において、もっと非難されてしかるべきだ。

知識を活かせる組織のあり方とは

図61に品質と生産性を改善するための組織の構造案を示す。ここでは品質改善のための組織の原則を簡単なスケッチとして示すに留める。個別の企業、個別の産業にフィットする姿を示したいと考えてのことではない。

そこには統計学の方法論をもってトップマネジメントに対して責任を果たそうとする1人のリーダーがいる。その人は誰もが認める優れた能力を備えている。統計学の方法論を活かすことにおいて、彼は全社的にリーダーシップを発揮していくことになる。彼はまた、トップマネジメントから権限を与えられ、彼自身が追求する価値があると判断した、いかなる活動にも自ら参画することができる。社長とスタッフが出席する主要なミーティングにも正式メンバーとして参加するだろう。彼には、いずれの活動についても質問する権利と義務があり、責任ある回答を求める権限を持っている。どのようなやり方をしていくかという選択は彼自身の判断に委ねられ、他の人の判断に左右されることはない。しかしもちろん、その間にも、助言を求めてくる人がいれば誰であれその人の役に立つよう努める。統計的な問題というものは統計学者でなければなかなか気づけないのが常だが、彼は気づくことができる。

この仕事に最低限必要な知識・能力の要件はどのようなものであろうか。①統計理論の修

図61　品質と生産性を改善するための組織構造の提案
個別の企業に合わせて構造図を描こうとしたのではない。
製造と同じように、サービスとセールスにも応用できる。品質と生産性の改善をめざすこのタイプの組織は、米国国勢調査局において1940年頃にモリス・H・ハンセン博士が提唱したものが初とされている。

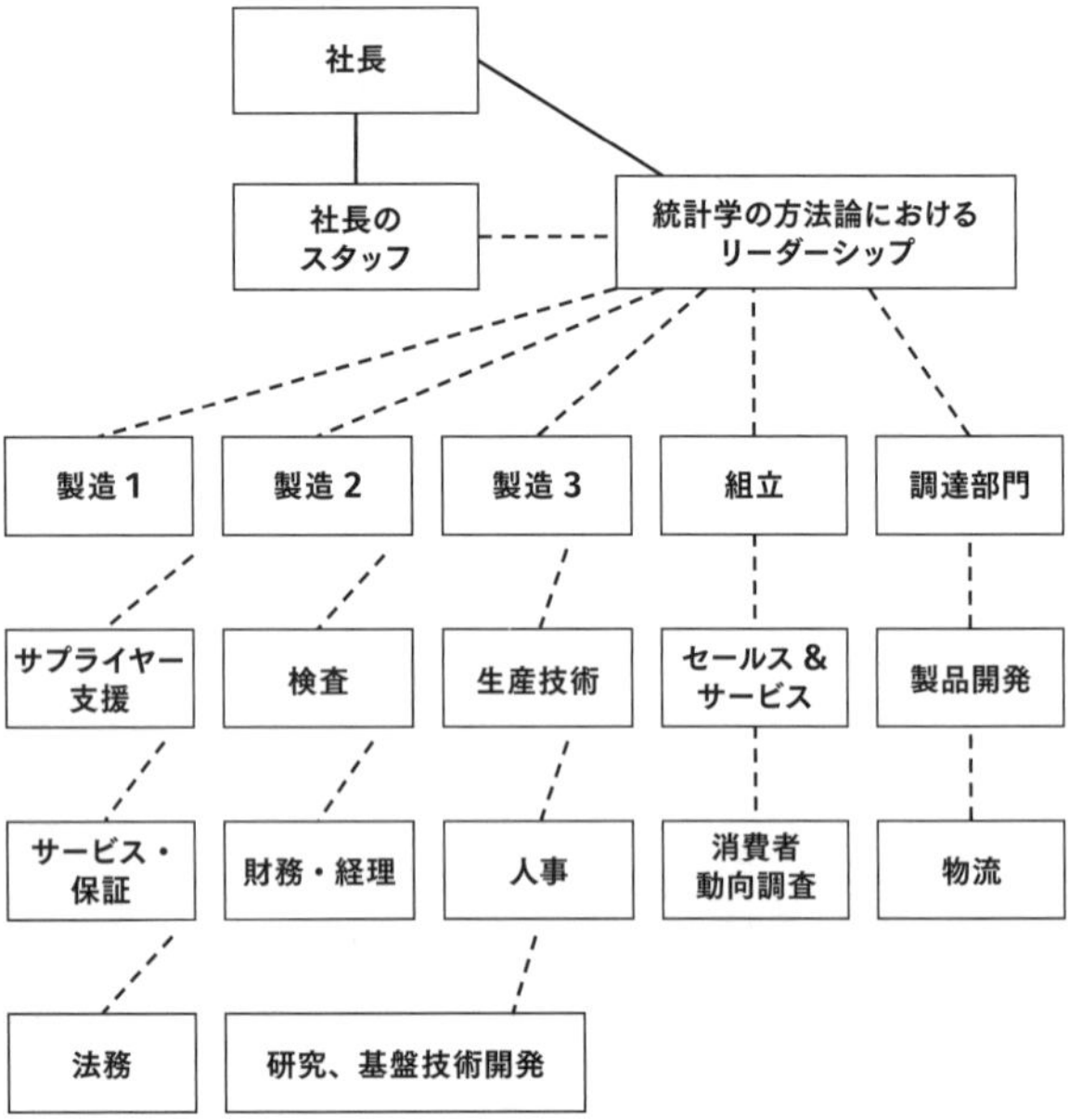

士の学位に相当する知識を持っている。②産業界か政府系組織での実務経験がある。③統計学的方法論の理論と実践に関する正式な論文を出版したことがある。④トップマネジメントが継続的に品質と生産性を改善していけるように教え、導く指導力を実証してみせたことがある。さらにこの職位に就いた後も、絶えず自分の指導のやり方を自ら改善し続けていくことが期待される。

276ページで述べたように、最低でも修士レベルの知識を備えた上で指導者の下に経験を積んで得た統計理論の知見なくして、統計理論と実践を教えてよい人などいない。初心者に教えるなら特にそうだ。半人前の統計学者は勉強をすべきなのであって、教えるべきではない。

統計学的方法論に関してリーダーシップを取るその人は、職務の一環として大学と協力していく。これは学究の人々が統計理論と手法の教育を提供するのを助け、また適用例を学究の人々に提供するという意図を込めてのことだ。

米国国勢調査局の統計部門は図61に示す構想に沿って、1940年にモリス・H・ハンセン博士によって設立され、1945年までにはそのクオリティと生産性の卓越性が国勢調査の世界で広く認識されるに至った。偶然ではあるが、国勢調査局はサービスを提供する組織であり、政府系の組織である。

適任者をどこで見つけるか？

知識とリーダーシップを共に備えている人は極めて稀だ。加えて、その職責を果たしていくには忍耐力と共に発見を誠実に希求する姿勢が求められるのである。優れたコンサルタントに依頼して候補者を挙げてもらうのもよい。いずれにせよ、真の適任者に出会うまで、あなたは何人もの候補者に会って話を聞かなければならない。

統計学的方法論のヘッドとして実際に働いてもらうとなれば、高額な報酬を払う必要があるだろう。しかし問題は優れた人を見つけることであって、その人にいくら払うかではない。

統計学的方法論のリーダーとしてその職務を全うするには、会社の狙いを精査し、目的の永続性について深く考えなければならない。また、品質に対して社員がどのくらい真剣であるかを見極める必要がある。

統計学者を1人雇うだけで本章の提言の実現に至ることはない。実際にその職務に就く人は、統計学に加えて、上記のような厳格かつ不可欠な知識・能力を備えている必要があるのだ。

線上に立つ

本書には愕然とする事例がいくつも登場するが、いずれも筆者自身がそこにいて、「線上に立つ人」としてその仕事に向き合い、改善の源と間違ったやり方の発見を通して人々の役に立とうと努めた結果、明らかになったものだ。

「線上に立つ人」の存在が不可欠なのは明白である。「線上」とは、図61に示すように、いわゆるスタッフ部門の人ではなく、「ラインの人」として実務の現場にいるという意味であり、そうした現場で統計理論の知識を持つ者が、「ラインの人」として他の人々には見えない根源的な問題や間違った慣行を見つけ出すべきであるということだ。

そうした人々（統計学的方法論のリーダーの指導の下に各部門で改善の推進を期待される統計理論の知識を持つ者たち）に求められるものは何か。望ましいのはリーダーと同様の知識・能力を備えることだが、少々経験不足でも構わない。

　統計学の素養を持つ人は足りないものの、その人たちが統計のリーダーの判断に従って動くようにしたいというのなら、1人の統計担当者の下に複数の活動を位置づける必要がある。

線上に立ち、実務の現場に所属しつつ、統計のリーダーのさまざまな判断に沿って働く人たちを求めるに際しては、まずは自社内の人材を調べるべきだ。社内を探せば、統計理論や数学や確率論の修士号を持つ人の中から、優れたリーダーシップの下で自らの教育と経験を高めたいと切望し、教えることが好きな適任者を見つけることができるかもしれない。活動を進めるうちに、十分と認め得るだけの力量を独学で身につける人も出てくるはずだ。

しかし、統計のリーダーシップへの信頼と実力なしには、さらには、自分たちの仕事を自ら改善したいという切実な願いを持つ人々が事業部門にいなければ、いかなるプランも機能しないことは明らかだ。ここに提案されたプランもまた同じである。

線上に立つ統計担当者は当該の部門長に受け容れてもらう必要がある一方で、彼の実効性は統計学的方法論のリーダーによって判定されることになる。このプランの下にあっては、事業部門がやりたいと言ってきた統計学の実務への応用方法が不適切であるのに、それを正当化するような人物が昇進することはあり得ない。統計学的方法論のリーダーは、次々と生じる問題や異なる意見に真摯に向き合い、考慮しながら、事業部門にいる統計担当者と部門長を助けるためにいるのだ。彼は「教え方」と「ガイダンス」に拠って働くのである。

実際、事業部門に所属する統計担当者には2人の上司がいる。日々の業務と分析のアウトプットは部門長に報告し、統計的な仕事と教育の継続に関しては統計学的方法論のリーダーに報告するのだ。これによって問題が生じることはない。

ここで提案したプランの優位性は疑問の余地がない。うまくいくのである。これ以外のプランも筆者は各所で見てきたが、いずれも会社にとって最大の関心事に寄与するのに失敗し、落胆をもたらすのみであった。

点線で繋がれる関係は他にもある

実際、どの会社にも実務においては点線で繋がれる関係が同時並行で複数存在する。[*1] 社長かＣＥＯにレポートを上げるバイスプレジデント兼ＣＦＯは、会社の財務に関する責任を担う。どの製造部門にも必ず経理事務の担当者がいるものだが、その人は特定の関係部門の経理状況（予算、経費等）に責任を負っている。その人はバイスプレジデント兼ＣＦＯと部門管理者の両方にレポートを上げるだろう。例えば、予算は工場が決め、実績は工場長によって経理担当に報告される。しかし、経理や税務の手続きが複雑な性格を持つことから、工場経理の方針はバイスプレジデント兼ＣＦＯから降りてくる。部門内経理担当者のテクニカルな側面はバイスプレジデント兼CFOによって導かれ、業務管理の責任は会社のマネジメントの指揮下にある。こうした組織のあり方の価値や必要性に疑問を持つ人はいないし、部門内の経理担当者が２人の人に報告を上げているせいで問題が生じることもない。こうした例は他にもある。エンジニアリング、研究開発、環境管理、医療、法務、安全などを担うオフィサーたちだ。

米国国勢調査局における成果

米国国勢調査局が発行する文書や書籍は世界全体の社会・人口動態調査をリードし、優れた国勢調査遂行のお手本となると共に、より良いサンプリング手法、非標本誤差の削減、より良い調査計画へと導いてきた。これはひとえにデータの質の継続的改善並びに継続的コスト削減の賜物である。

国勢調査局の手法を正当に評価するには、「月次労働力調査レポート」を含む「人口動態調査」の結果が広く受容され、使われていることを想起するだけで足りる。これは国勢調査局が最先端の統計手順を用いて実施する約５万５０００世帯のミニチュア版月次国勢調査だ。国勢調査局は他にも月次、四半期ごと、年次でさまざまなミニチュア版の調査を実施している。例えば、人々の健康と医療利用に関する調査、住宅・空き家・着工件数の調査、小売り動態調査、製造業動態調査などだ。

産業内教育の必要性に関する追加的提言

米国産業には（シューハートの言う通り）[*2]、何千人もの統計学的意識を持ったエンジニア、化学者、物理学者、医師、購買担当者、管理者が必要だ。幸いなことに、こうした分野で働く誰もが、多くの問題に使えるシンプルだがパワフルな統計手法の使い方を学び、手法の背後にある統計学の原則を理解することができる。無論、統計学者になる必要はない。しかし、理論統計学者からのガイダンスは依然として必要だ。そうした導きがなければ、不適切で高コストなやり方が根付いてしまうばかりか、生産や物流における問題が完全に見過ごされてしまうこともある。

統計学者と統計実務の関係と、医学と公衆衛生の関係には類似点がある。何百万もの人が公衆衛生の有益なルールと実践を学び、感染症の基本原理を理解し、食生活に気を遣い、運動に励んできた。医師ではないが、応急処置を施す方法を学んだ人は何千人もいる。何千人もの人が医師や精神分析医の指導の下に医学的、心理学的なテストを行い、予防医学的行為を行っている。こうした人々の尽力のおかげでわれわれはより健康に、より長く生きることができるのだ。

給与支払業務の担当者を近隣の大学に通わせ、統計学を学ばせるといったことを多くの大企業が既にやっているが、その能力が生かされていない。なかには修士の学位を持つ人もいると知った筆者は、彼らが今後その知識を活かすチャンスはあるだろうかと思った。企業は物理的資産の棚卸しはするが、知識の棚卸しはうまくいっていない。統計学の教育を受けた人は誰もが優れた統計学者の下で働き、統計の勉強を続けられる機会を持つべきだ。

理論統計学や応用統計学（当然ながら決定理論と失敗理論を含む）において部下が受講できるコースがあるのなら、どのコースでも受講できるようにするのがよい。これは、部下の問題発見能力を高め、部下が自ら問題を解決するのを助けることに関心を寄せる人にとって、良いアドバイスだ。もっとも、教師が理論に優れていると想定した話ではあるのだが、成熟した生徒なら教室や教科書の中に不適切な応用があると見れば、必ずやそれを改善していくだろう。

コンサルタントと企業へのアドバイス

以下は、私自身の実践のガイダンスとして有益であったルールだ。

①企業と一緒に仕事をするなら、トップマネジメントから招かれなければならない。

②マネジメントが自身の責務を理解するために私と共に過ごす時間を持つ（マネジメントに

関わる者全員が、という意味だ。即ち、社長、各部門長、技術、人事、購買、マーケティング、サービス、セールス、法務、すべての間接要員。品質、事業計画、研究開発、信頼性向上、保証コスト削減、広報といった仕事に就く人々も含む)。彼らマネジメントは、品質管理の14原則に則り、マネジメントの「死に至る病」と「障害物」を見つけ、取り除いていくのを可能にする臨界点の人数を超えるまで人の育成に努め、その後もそれを続けなければならない。

③私の参画の必要条件は、その会社が図61のような組織構造を着実に築いていくことだ。私の主たる責任の1つは、企業自らこうした組織を構築できるよう支援することになる。この組織の狙いは、品質と生産性と競争力を高めるために社内のあらゆる知識とスキルを最善の方法で活かすことだ。組織構造が描く、実際にそれを動かしていく有能な人たちがいなかったら、私が関与したところで、その組織の狙い(品質を良くして生産性を上げ、競争力を高める)を実現するチャンスはほとんどなかっただろうと考える。

④トップマネジメントは、私の仕事が全社にわたるものと承知する。私の参加が効くと私が判断するなら、どんな活動にも関与するのが私の責務だ。私は、求めに応じて、あるいは私自身の判断で、工場へ出向き、部・課を訪れ、彼らの仕事ぶりを良くするよう助けるべく努める。

⑤私の支援に関する取り決めは長期にわたることになるが、企業も私も、いつでもやめることができる。私の年次報酬は最初に記載される。

⑥私は自分自身が納得するまで時間を注ぎ込む。

⑦私が引き続き参画すればさらに前へ進めるだろうと私が判断したら、3年以上にわたって関与する。

⑧技法の教育のため、あるいは私の指導をそのまま展開するため、といった特定の課題に対し、一時的に専門家を招くのがよいと提案することもある。企業は私の提案のみに基づいてこうした目的のため誰かと契約し、私はそうした協力の進め方とその結果に対して責任を負う。

⑨求めに応じて競合企業と契約することもある。私の狙いは個々のクライアントの繁栄に集中することにあるのではなく、私自身の仕事のサービスレベルを引き上げることにある（①と②を参照されたい）。

統計学者とクライアントの取り決めについてさらに知るには、筆者の論文“Code of professional conduct”を参照されたい（*International Statistical Review* 40, no.2, 1972年，

215-219ページ)。同じく筆者による論文"Professional statistical practice"も参照されたい(*Annals of Mathematical Statistics* 36, 1965年, 1883-1900ページ)。

第17章 生活の質の向上に直結する例

Deming/ 1. Chain Reaction: Quality, Productivity, Lower Costs, Capture the Market / 2. Principles for Transformation of Western Management / 3. Diseases and Obstacles / 4. When? How Long? / 5. Questions to Help Managers / 6. Quality and the Consumer / 7. Quality and Productivity in Service Organizations // NIKKEI BP CLASSICS / OUT OF THE CRISIS II / W. Edwards Deming // 8. Some New Principles of Training and Leadership / 9. Operational Definitions, Conformance, Performance / 10. Standards and Regulations / 11. Common Causes and Special Causes of Improvement. Stable System / 12. More Examples of Improvement Downstream / 13. Some Disappointments in Great Ideas / 14. Two Reports to Management / 15. Plan for Minimum Average Total Cost for Test of Incoming Materials and Final Product / 16. Organization for Improvement of Quality and Productivity / **17. Some Illustrations for Improvement of Living** / Appendix: Transformation in Japan

私のいま申上げましたことは、もう誰もが先刻ご承知のことでございます。

——シェイクスピア「リチャード二世」（福田恆存訳）第3幕第4場に登場する庭師の言葉

本章の狙い

本書で学んだ諸原則を単純に適用するだけでも米国における暮らしやすさの実現に貢献できることを示したい。信頼のおけるサービスパフォーマンスは暮らしを楽にすると共に生活費も節約してくれるはずだ。しかし、高品質で信頼のおけるパフォーマンスとはいかなるものか、定義されなければならない。これは将来の課題だ。

読者は既に「その仕事は何か、どのようにやるのか、明確に定義していただきたい」という筆者の懇願を随所で見てきたに違いない。例えば道路標識の目的は他所から来た人が道を見つけるのを助けることである。ところが標識が混乱を生むことも多々ある。標識はさまざまな意味に取れる場合もあるが、生憎、そうした可能性をすべて勘案して判断するような時間はドライバーにはないのだ。交通事故統計は数字を示すのみで、真因を教えることはない。

基本原理1

サービスや製品がオンタイムで供されるパフォーマンスを実現したとしても、実際には数日早く届いたり、数日遅れて届いたりする。時刻通りにぴったり届くことはない。実際、「ぴったりのオンタイム」を定義することはできないのだ。

この基本原理が筆者の意識に上ったのは、日本滞在中のある日のことだ。電車からプラットフォームに降り立つと、予定到着時刻の6秒前であった。私はそのとき、「当然だ。パフォーマンスが『オンタイム』であるなら、その半分は早すぎ、もう半分は遅れてしかるべきだ」と了解したのである。

基本原理2

ある1日の電車到着や出発の遅延を観察し、記録するのは簡単だ。時計を持つか借りるかして時刻を正確に合わせておくだけでよい。その日の3時に到着すべき電車が数秒でも数分でも早く到着したり、遅れて到着したりするのが観察されるだろう。

しかし、一定の期間にわたるこの電車のパフォーマンスがどうなのかを記述するのは、そう簡単ではない。パフォーマンスの良し悪しは、到着の時系列記録を統計的に調べることによってのみ、判断することができる。日次で到着ランチャートを作成していけば、シンプルかつパワフルな手段となるだろう。

到着や出発の時刻の分布は電車のパフォーマンスに関する情報をもたらす。次ページの図62に分布の可能性を示そう。チャートAは定時運行とはいえ一定の幅を持っているから、この電車の運行にはムダがあり、日常的にこの電車に乗る乗客に時間のムダ遣いをさせているとわかる。平均で見ればこの電車は定時運行しているのだが、何分も早かったり、遅れたりする日がある一方で、定時運行に近い日もある。チャートBは、より良い定時運行の例である。即ち、鉄道資源の浪費がより少ないということだ。日常的にこの電車を使う乗客は、数分、いや数秒と違わぬ到着を当てにすることができる。実際、日本ではそうなのだ。チャートCが何を意味するかは一目瞭然である。「システム」はよく機能している（ばらつきが小さく、「安定」している）が時刻表を書き変える必要がある。見ての通り、この電車は定刻通りに乗客を移動させることはできない。これは、生産プロセスが統計的に管理された状態にあってムダが少ないのに、必要なスペックに合致しないという状況に似ている。チャートDはカオス状態を表わしている。

図62　電車到着時刻の分布

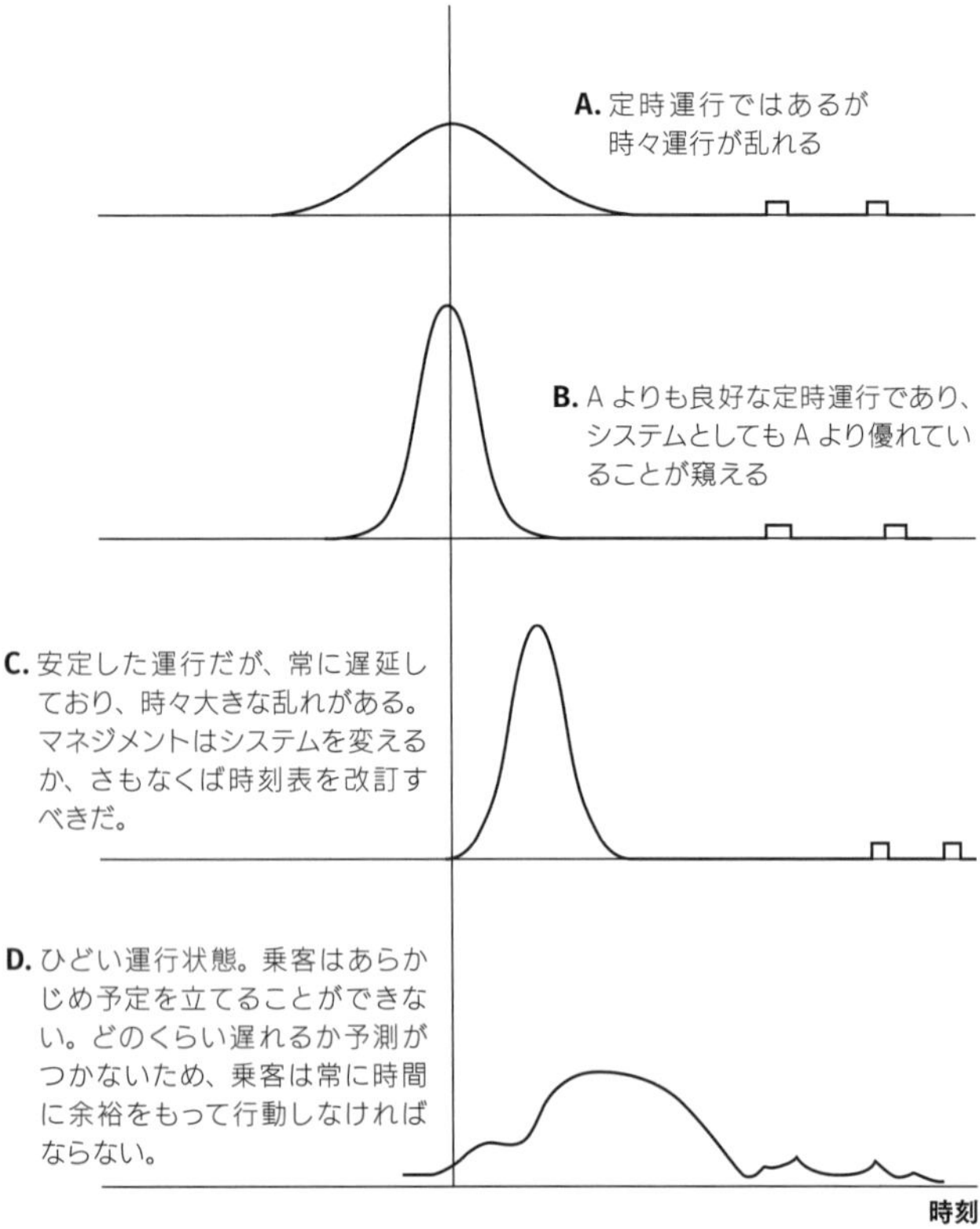
A. 定時運行ではあるが
時々運行が乱れる
B. A よりも良好な定時運行であり、
システムとしても A より優れてい
ることが窺える
C. 安定した運行だが、常に遅延し
ており、時々大きな乱れがある。
マネジメントはシステムを変える
か、さもなくば時刻表を改訂す
べきだ。
D. ひどい運行状態。乗客はあらか
じめ予定を立てることができな
い。どのくらい遅れるか予測が
つかないため、乗客は常に時間
に余裕をもって行動しなければ
ならない。
時刻

基本原理3

開発段階でコンポーネントの試験を行っても、以下のことはわからない。ⓐ実用に供されるときに、1つの「システム」として一体となってうまく機能し、要件を満たすか否か、ⓑ「システム」としての平均故障間隔、ⓒ実用段階において必要となるメンテナンスのタイプと費用。

当然ながら開発の初期段階における試験はネガティブな結果、即ち「システム」が想定通りに機能しないという予測を与えることがある。

基本原理4

製造において「しかるべく注意を払う」とはどういうことか、手順のような形で定義することはできない。したがって、「しかるべく注意を払え」という製造要件は何の強制力もないのだ。しかし、製造における「注意」は、定義し測定することができる。製造や検査で「注意」を払ったか否かの証拠は、有意なデータ（チャートや統計的な計算結果でもよい）の記録を通して得られ、当該プロセスに対し是正対策を取った際の記録や、「ばらつき」を起こす特殊要因として特定された設備に対策を打ったときの記録、さらにその対策の結果の記録といったものによって補足される。

製品の取扱説明書や誤使用への警告はそうした記録の一部であり、そこからメーカー側がこれまでどれだけ「注意」を払って仕事をしてきたかを測定できる。

基本原理5

どれほど努力しても、また、製造・保全・営業・サービス等々いずれの分野にあっても、事故が起きないシステムはない。

事故はバクテリアのようにわれわれの周りにある。大抵のバクテリアは無害だが、害をなすものもある。事故の大半はさほど重要ではない。紳士服の小売店でアシスタントが1着のスーツをラックにかけるとき、そのスーツにボタンが1つも付いていないことに気づいた。このスーツはここに来るまでに全数検査を2回通り抜けているのである。ボタンなしのまま店舗に届いたら事故には違いないが、実害のない事故だ。傷つく人はいない。実際にその場に居合わせたら大笑いする人もいただろう。

印刷屋から自分の出版論文の冊子を500部受け取り、数十部配った後になって、6ページと7ページが空白の冊子があることに気づいた。これは事故だが、人を傷つけることはなかった。実際、受け取った人のなかには、空白ページを含む冊子であるにも関わらず感謝の言葉を伝えてくれた人もいた。それなのに、私がこの件を告げるや、印刷会社の監督者は不注意な社員たちに怒りをぶつけたのである。この事故は特定の社員の落ち度であったのだろうか。

事故件数などの数字は、事故発生頻度を減らす上で何の助けにもならない。事故の頻度を減らす第一歩は、その事故の原因が「システム」に帰すのか、特定の人や特定の条件に帰すのかを見極めることだ。統計的手法こそが、事故を理解し事故を減らすガイドとして機能する唯一の分析手法を提供するのである。

人は普通、いまここで何かが起きたら、それが起きた当該の地点に、特別な何かがあるはずと思うものだ。事故が起きたときにありがちな反応は、誰かの不注意のせいにしたり、使用設備に何か異常があったからだと決めつけたりすることである。その手の結論には飛びつかないようにするのが賢明だ。いきなり結論に飛んでしまうと間違った答えや間違った対策に繋がる可能性があり、それゆえトラブルが収束しないどころか事故が増えることさえある。予測不能な場所と時間に生じる事故の平均発生間隔は、「システム」自体が保証しているのである（第11章の148ページを参照）。

エンジニアが事故を予見することはしばしばある。彼らの予見は細部に至るまで正確で洞察に富む。しかし彼らが予見できないことが1つある。その事故がいつ起こるかを正確に予測することはできないのだ。よく知られたスリーマイル島の原発事故はその一例である。事故の経緯が文書にまとめられている。[*1]

共通要因から生じる事故は、それぞれ期待頻度と「ばらつき」をもって起こり続け、「システム」そのものが修正されるまで、それは続く。破断はおそらく99％が「システム」から生じ、不注意から生じるのは1％に過ぎない。破断に関する数字を筆者は持っていないが、いかなる事象であれ、人々が統計的思考の助けを得てその事故を理解するまで、いかなる数字も得られないはずだ。

残念ながら、統計的思考なしには、製造された装置が故障する割合は製造の精度を上げても減ることはなく、医療の仕事の質を高めても医療への失望の件数が減ることはない。信じられないかもしれないが本当だ。この理由は、どのような基準を用いようが、精度やパフォーマンスが向上すればそれに応じて良い品質と良い結果を定義する要件が厳しくなり、「容認できない」と感じる事象の割合は一定のままであるからだ。

高速道路での事故：米国における道路標識の欠陥

米国では高速道路で起こる事故の割合が高い。ドライバーを混乱させる標識のせいでしばしば事故が起きているのかもしれない。そのような可能性があるなら、今すぐにでも標識の更新に向けて強力でよく練られたプログラムを立ち上げることが不可欠だ。米国で暮らす人々の安寧以上に重要なものはない。

高速道路上の事故のうち、ドライバーの落ち度（ヒューマンエラーや特殊要因）によって起こる事故の割合はどのくらいなのだろう。あるいは、機器の故障（また別の特殊要因なのか、そうでないのか）による事故の割合はどのくらいなのか。そしてまた、「システム」にあらかじめ組み込まれているがゆえに不可避的にその「システム」から生じる事故はいかほどか。これは例えば、誤解を招く道路標識や判断に迷う道路標識のせいで事故が起こることがあるという意味だ。しかし答えがやって来ることはない。管理された状態で実験を行うのは不可能だからだ。それに、標識以外の条件がすべて等しく、比較のために定量的なデータを取るのに丁度うまい具合に「相異なっている」2つの道路標識の「システム」などというものを見つけるのは難しい。

道路標識の目的は道を教え、ドライバーに何を為すべきかを伝えることであり、しかも瞬時に行動をとらせる必要がある。時速60マイル（時速約97㎞）で走行中の車両は1秒に88フィート（約27ｍ）、0・1秒なら8・8フィート（約2・7ｍ）進む。0・1秒判断に迷っただけでもコンクリートの橋台や樹木に車をぶつけてしまうかもしれず、あるいは後続車に追突されるか

図63　ミスリーディングな道路標識
27番出口を探しているドライバーにとって実にミスリーディングだ。
この標識がドライバーに伝える最初の情報は27番出口がもう少し先にあり、右へ進むと出口へ至るということだ。実際ドライバーはすでに27番出口の分岐点まで来ているのである。0.1秒遅れで意味が分かったとしても、既に遅い。ドライバーはそのまま直進し、別の道を探さなければならない。

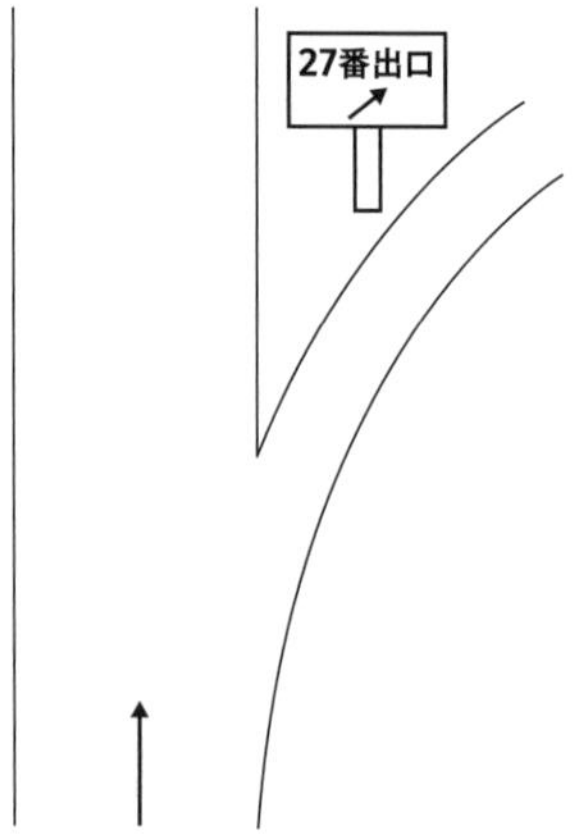

もしれない。したがって、道路標識が瞬時にそのメッセージを伝えることは、この上ない重要事なのだ。

道路標識はドイツにおいては道路に関する情報であり、啓蒙である。米国における道路標識はドライバーの意識に混乱を持ち込むトリガーなのか、あるいは啓蒙か、どちらだろう。

図63は高速道路の出口を示す道路標識であり、米国ではごく一般的なものだ。しかしこの標識のメッセージは、27番出口から出るのに必要な行動とは真逆だ。27番出口はこの先にあると伝えているのに、事実、その地点まで既にドライバーは来ている。ドライバーがこの事実に合致する行動をとる時間はない。これとは対照的に、図64ならメッセージが瞬時にドライバー

図64　良い道路標識

27番出口で高速道路から出たいなら、右車線に入った後に出よ、というメッセージが瞬時にドライバーに伝わる。

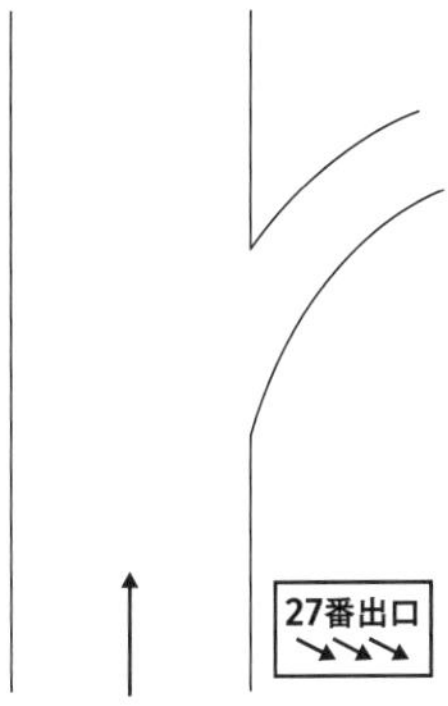

に伝わる。右車線へ入り、27番出口から出よと明確だ。図65の標識はさらに明解である。

大半のドライバーにとって行先を示す標識は不要だ。自宅や仕事先へ向かうのに助けは必要ない。しかし、100人中1人は初めてこのルートを走るドライバーだとすれば、その人には助けが要る。道案内が必要なドライバーにメッセージが瞬時に伝わらない道路標識、不運にも間違ったメッセージを瞬時に伝えてしまう道路標識のせいで起こる人身事故、車両破損事故の件数を知る人は今後も出てこないと思う。高速道路から出るのに失敗するドライバーの割合はどれくらいか、その結果、意図したルートに戻る道を探すという不都合と時間的損失を生むが、それがどれほどかを知る人も現れないだろ

図65　高い位置に設置された分かりやすい道路標識。
非常に分かりやすい。瞬時にメッセージが伝わる。ルイスビルに行きたい人は左へ、チャタヌーガへ行きたい人は右へ進め。

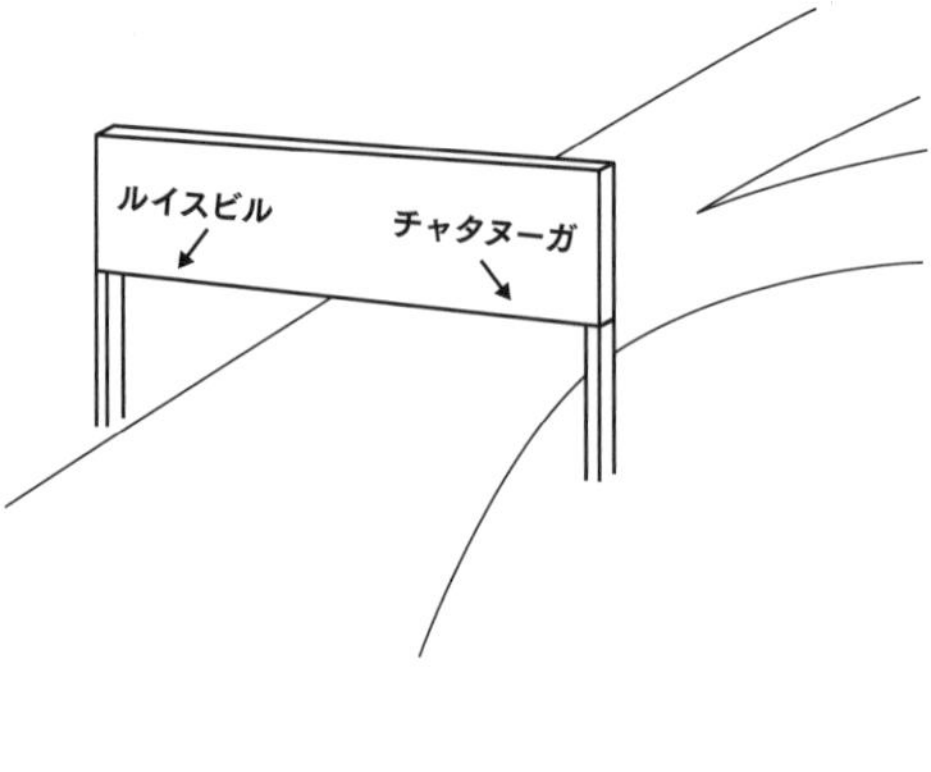

う。
　上記の他にもさまざまな混乱があることを図66、67、68で図解する。

図66　高い位置に設置された分かりにくい道路標識。
ケネディセンターへ行くにはどちらの道を進めばよいのか?
この標識が役に立つ確率はコイン投げといい勝負だ。

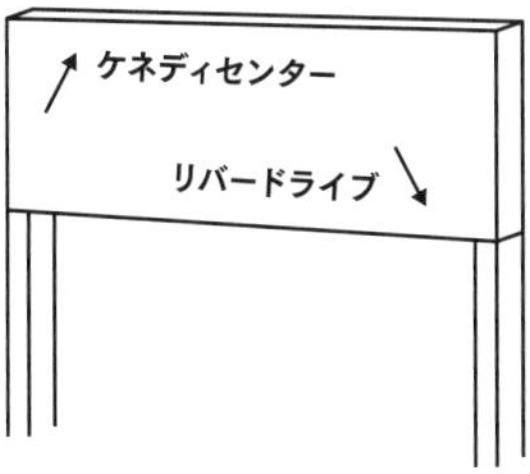

図67　ルート29はどの道か？　ワシントン市のワシントンサークル

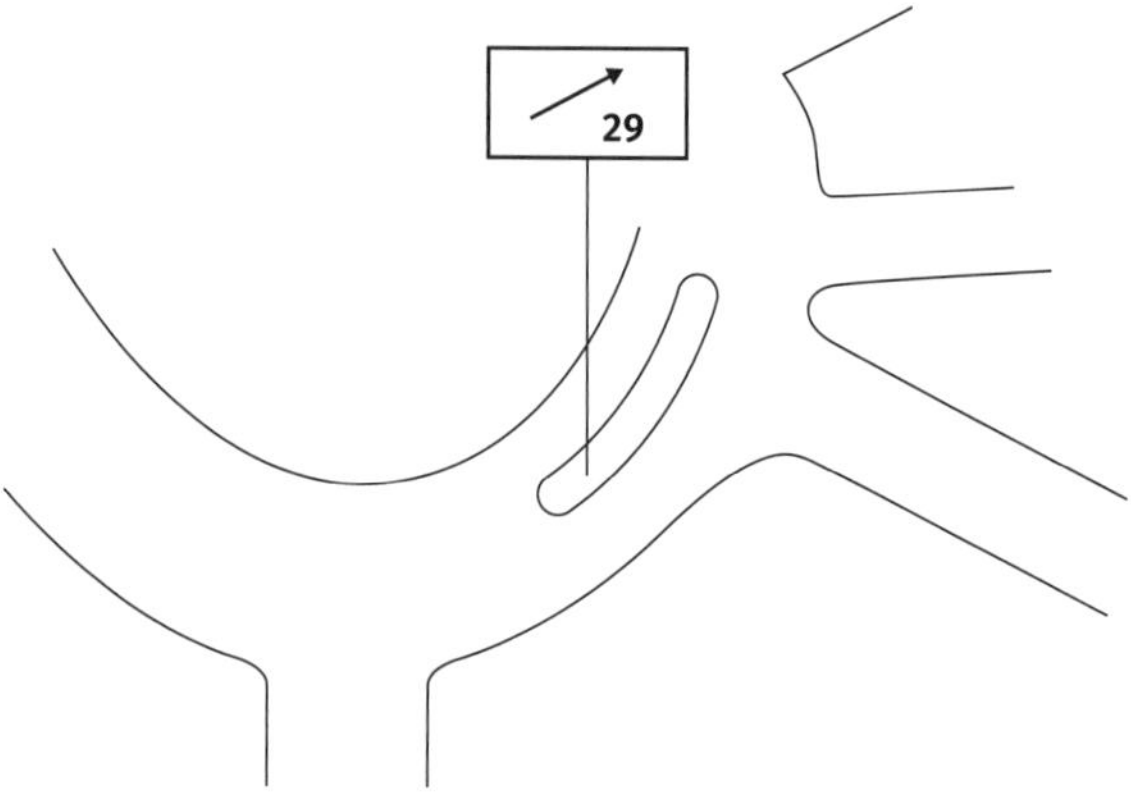

図68　Pストリートはどの道か？

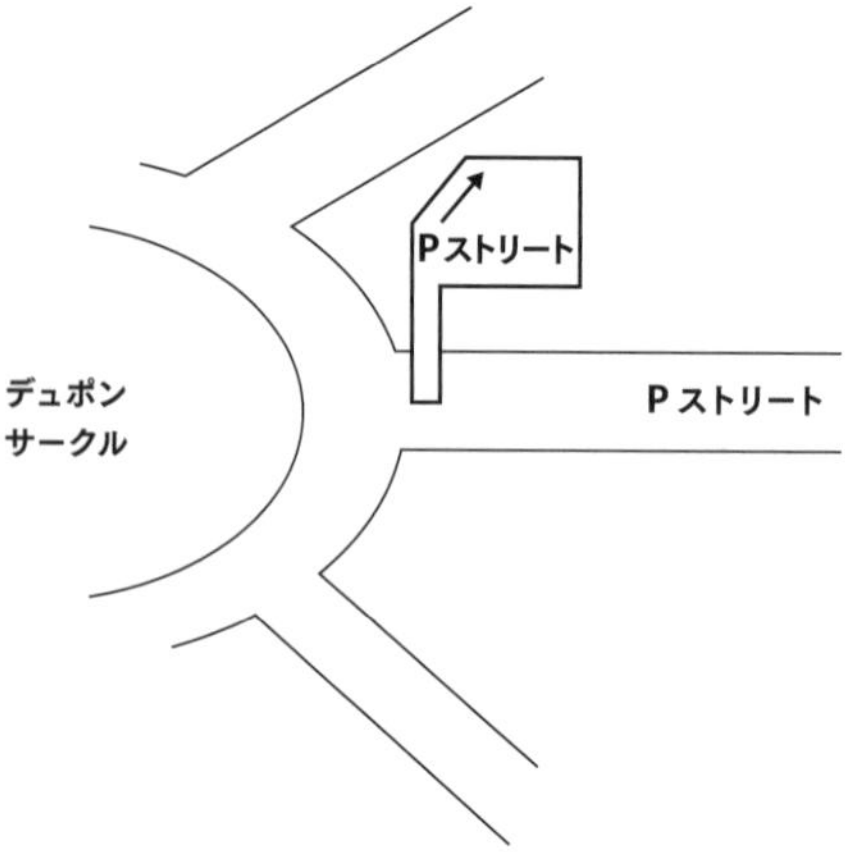

医療過誤

これは統計理論の助けがあってこそ理解できるものだ。医療介入の結果は医師・医療従事者・患者の相互作用の産物だ。米国では毎年20億件の医療介入が行われる。このうち望ましくない結果が数十万件と聞けば多いと感じるだろうが、この数字は2万件のうち1件という信頼性を表わしている。これよりも高い信頼性を持つ機械や電子機器を見つけるのは難しいだろう。(仮に)医療において10万件の望ましくない結果が生じているとしたら、その大部分は「システム」の責に帰すべきものであるはずだ。10万件のうち幾許かは能力不足を含む不注意から生じた可能性がある。

10万件の1%は1000件であり、依然として大きな数字だ。いや、どんな数字であれ、大き過ぎるのだ(少なければ少ないほど良いのだから)。問題は望ましくない結果となった原因を発見することだ。[a]「医療システム」に原因がある。そこには患者自身も含まれる。[b]医師側の、あるいは患者側の不注意といった特殊要因によって起きた可能性がある。患者側の不注意には、医師の指示に従わない、言われた通りに診察に来ないといったことも含まれる。

医療に携わる人々にとって重要な一歩は、さまざまな医療介入から望ましくない結果に至ったのはなぜか、それが特殊要因であるなら特殊とは何かという定義を、医療行為の進め方に照らして描いてみることだ。これは大変な仕事であり、終わりのない仕事だが、そうした定義が実務で使える段階に至らないと、米国の医師たちと医療保険会社は不注意のせいだという不当な告発といつまでも闘い続け、裁判に巻き込まれがちな人生を送ることになる。

補遺
日本の変革

Deming/ 1. Chain Reaction: Quality, Productivity, Lower Costs, Capture the Market / 2. Principles for Transformation of Western Management / 3. Diseases and Obstacles / 4. When? How Long? / 5. Questions to Help Managers / 6. Quality and the Consumer / 7. Quality and Productivity in Service Organizations // NIKKEI BP CLASSICS / OUT OF THE CRISIS II / W. Edwards Deming // 8. Some New Principles of Training and Leadership / 9. Operational Definitions, Conformance, Performance / 10. Standards and Regulations / 11. Common Causes and Special Causes of Improvement. Stable System / 12. More Examples of Improvement Downstream / 13. Some Disappointments in Great Ideas / 14. Two Reports to Management / 15. Plan for Minimum Average Total Cost for Test of Incoming Materials and Final Product / 16. Organization for Improvement of Quality and Productivity / 17. Some Illustrations for Improvement of Living /

Appendix: Transformation in Japan

機知と知恵を混同してはならない。

――ティレシアースからディオニュソスへ
エウリピデス「バッカスの信女たち」

知恵は愚か者には愚かに聞こえるものだ。

――ディオニュソスからカドモスへ
同右

補遺執筆の動機

世界は日本の奇跡をよく知っており、その奇跡が１９５０年の衝撃から始まったことも知っている。そのときまで日本の消費財の品質は世界中で「安かろう、悪かろう」と言われていたのだ。しかし、いずれ米海軍の人などが検証することになると思うが、日本は既に品質とは何かを知っていたのである。彼らは単に国際水準の品質に向けて注力していなかっただけだ。

日本製品の品質と信頼性は１９５０年に突如上昇を始め、１９５４年までに世界の市場を捉えた。経済新時代が始まったのだ。何が起きたのか？

答えは、トップマネジメントが「輸出の成否は品質にかかっており、自分たちはこの大変革を成し遂げるだけの力を持っている、やればできる」と考えるに至ったということだ。彼らは幾多のカンファレンスに参加して、その狙いを達成するための自分たちの責務は何かを学び、それを達成すべく主導しなければならないと思い定めた。マネジメントと工場の社員が一緒になって品質向上と仕事のやり方の改善に力を結集したのである。

JUSE（日本科学技術連盟）

筆者の理解するところによれば、戦時下の日本軍当局はいくつかの科学者集団を編成していた。そのグループの1つが小柳賢一氏のリーダーシップの下にあったのだ。終戦を迎えてなお彼はそのグループを維持し、新たな目的である日本の再生を共にめざす。そのグループこそ日本科学技術連盟（JUSE、日科技連）のルーツの1つである。

第1章の冒頭で回顧した通り（第I巻6ページ以降を参照）、日本の技術者は、産業界の品質と生産性の向上にシューハートの方法論が非常に役立つはずだと深く理解するようになっていた。1948年から1949年のことだ。

ベル研究所の人たちは、日科技連のメンバーに、統計手法が米国の兵器の精度を高めたのだと説明した。畏友・西堀栄三郎博士はベル研の人の話を聞いて、「その通り。私はそれについて知っている。戦時中、私の家に爆弾が6回落ちてきたが、すべて不発弾であった」と語った。

日科技連はその直後から品質向上のための手法の教育に真剣に取り組み始めた。日本能率協会も同じだ。日科技連の人々は、次のステップは外国から専門家を招くことだと判断する。1949年に招聘状が届き、1950年6月に筆者はそれを受け入れた（この以前にも2回訪日していたが、それは住宅調査と栄養調査に携わる日本人統計学者たちを助けるためであり、1951年に実施予定の国勢調査の準備のためだった）。

トップマネジメントとのカンファレンス

米国では1942年頃に統計手法に火がついて、スタンフォード大学によってエンジニア向けの10日間集中コースが開催された。私からの提案に基づく研修だった。[*1] 当時、米国陸軍省もサプライヤーの工場で研修を行っている。素晴らしい適用例が耳目を集めたが、マネジメントが自らの責務を自覚しない環境にあって統計学の炎は自ずと燃え尽き、パチパチと音を立てながら消えゆき、やがて死に絶えた。その間にも管理図は増殖し、増えるにつれて良くなってはいたのである。そうして品質管理部門が生まれる。その人たちは管理図にプロットし、それをよく見て、記録に残した。その一方で、彼らは品質管理を人々から奪い去った。無論、これは完全な間違いであった。品質管理は社員1人ひとりが為すべき仕事なのだから。プロセスそのものを良くする必要があることに思い至らない品質管理部門の人たちが統計学応用の火を完全に消したのである（112ページ）。

マネジメントに自らの責務を教えるためのしくみはまだなかった。1942年から1945年にかけて実施された10日間コースの講師陣の1人であったホルブルック・ワーキング博士が経営者たちを半日コースに招いてマネジメントの階層に手を伸ばそうと試みた。この試みは上品ではあったが、実効性はなかった。

日本、1950年

米国での過ちを1950年の日本で繰り返さないようにすることが決定的に重要だった。マネジメントは自らの責務を確実に理解する必要がある。問題はいかにして日本のトップマネジメントに到達するかであった。このハードルは、偉大なる経団連の会長・石川一郎氏のオフィスを通して乗り越えることができた。石川氏は日科技連の初代会長でもあり、1950年7月、経営者21人を集めてトップマネジメントコースの開催を取り計らってくれた。その年の夏はトップマネジメントとのカンファレンスが何度か開催された。翌1951年に2回、1952年にも日本を再訪し、さらに多くのカンファレンスを行って、その後何年も続いた。図1（第I巻22ページ）の簡素化した流れ図は、トップマネジメントとのカンファレンスで随分役に立った。

消費者は生産ラインの最も重要な部分である。これは日本のマネジメントにとってまったく新しい考え方であった。これからの日本のマネジメントは、製品のパフォーマンスの背後に立って前を向き（将来を見据えて）、新たな製品、新たなサービスをデザインしていかなければならない。彼らはまた、納入品目毎に選んだベンダーと力を合わせ、互いに信頼し誠実に向き合う長期的関係を構築しながら、納入品の均一性と信頼性を高めるべく、共に励んでいかなければならない。マネジメントは、設備保全にも、指示の出し方と評価の仕方にも、厳格な注意を注ぐ必要がある（第9章及び第16章）。

個々の企業で素晴らしい成功を収めたからもう十分だということにはならない。ばらばらに活動しているうちは、国家的な規模で影響を与えることはできないのだ。現在と将来の消費者ニーズの観点から、どんな領域の仕事でも、品質こそ全社的な課題、国家的な課題と忽ち認識されるようになった。１９５０年の日本では、品質がすべてになったのだ。

マネジメントからエンジニア、監督者へと広がった教育

日科技連は、産業界からの確かなサポートを得て、品質改善のための統計手法の基礎を教える教育を、マネジメント向け、エンジニア向け、監督者向け、といった具合に、非常に幅広く展開していった。並行して、統計の担当者とエンジニアに高度な統計理論を教える研修も行われた。今日の米国企業においては、宿痾とも言うべき障壁がワークマンシップの誇りを時間給の労働者から奪い去っている。しかし、日本ではそういう障壁はまったくなかった。あったとしても、壁は低かった。日本のこうした歩みに照らすなら、やろうと思えば、時間給で働く人々の誰もが管理図をプロットし、理解し、活かせるようになるはずだ。

1950年夏には、エンジニアたちも、東京・大阪・名古屋・博多で400人を超える人が8日間コースに参加して学んだ。このコースはシューハートの手法と理念に基づいて筆者が講師を務めたものだ。

トップマネジメントとのセッション、エンジニアへの教育は1951年の1月にも行われた。その後も私は幾度も訪日し、同じように講義を続けた。

消費者調査の指導は1951年1月に最新のサンプリング手法の紹介で始まった。生徒は複数のチームに分かれて家々を回り、戸別訪問を通してミシン・自転車・市販医薬品に関して

家庭のニーズを調査した。

ジョセフ・M・ジュラン博士は日科技連の要請で1954年に初めて日本を訪れた。ジュラン博士は教え方に優れ、日本の経営者たちに、品質と生産性の向上に向けたマネジメントの責務に関して、新たな洞察を与えた。

1950年から1970年の間に、日科技連は1万4700人のエンジニアと何千人もの監督者に統計手法を教えた。マネジメント向けのコースは本書執筆時点でもなお7カ月待ちの満席状態が続いている。日本の第一線の統計学者が教える消費者調査のコースも同様に需要がある。

日本のトップマネジメントについての更なる注記

1950年の日本においてトップマネジメントが克服すべきハードルは、米国や欧州の産業と競争するなど到底不可能という自分たちの思い込みであった。当時の日本の消費財の品質は「安かろう、悪かろう」と世界中で認識されていたのだから無理もない。1950年は新たな品質立国・日本の始まりだったのだ。この年私は、日本製品は5年以内に世界市場に攻め込み、日本の生活水準はやがて先進諸国と同じ水準まで上昇するだろうと予測した。

この予測には自信があった。根拠は次の通り。①日本の労働者を観察して得た見解、②日本のマネジメント層の人々の知識と、自身の職務への献身、学びへの非常に強い意欲、③日本のマネジメントは必ずや自身の責務を引き受け、実行していくに違いないという信頼、④日科技連による教育の拡大。

成果に励まされる

古河電気工業の西村敬三氏は西堀博士の支援を得て改善を進め、1951年1月に成果を報告してくれた。古河電工の日光の電線工場において、絶縁電線の手直し件数を従来の10分の1に減らすことができた。つまり、それだけ製造が良くなったということだ。事故発生間隔も減った。生産性が急激に良くなり、その分利益が増えた。

日科技連の共同創立者で専務理事の小柳賢一氏（1965年逝去）は、1952年にシラキュース市で開催された米国品質管理協会（ASQC）の総会において、日本企業13社によって達成された品質と生産量の長足の進歩を報告した。これら13社の報告はいずれもトップマネジメントが書いたものであった。[*2] 経営幹部たちは、自ら工場に出向いて改善を進めたという。

田辺製薬社長の田邊五兵衛氏はプロセスの改善を通して、それまでと同じ人員、同じ機械、同じ工場、同じ材料で、いまでは従来の3倍の量のPAS（パラアミノサリチル酸）を生産していると報告した。

富士製鐵は鋼鉄1トンの生産に必要な燃料を29％削減したと報告した。

こうした例を通して、品質改善はプロセスの改善を意味し、プロセスの改善が製品と生産性を良くするという言い方が日本中に広まった。

日本の産業すべてが品質を良くするためのベストプラクティスを実現したと言われてきた。しかしそれは違う。本書に載せた「やってはいけない悲惨な例」のうち、5つは日本のものだ。

QCサークル

QCサークルを形作ったのは石川馨博士である。1960年のことだ。QCサークルは力を合わせて何事かを達成するという日本人の自然な行動様式である。石川博士は、現場で働く人々による小集団活動の成果を最大限に活かすことの重要性を、マネジメントが心を寄せるべき重要事項に位置づけた。小集団活動は製品の「ばらつき」の源である特殊要因を減らすと共に、（共通要因の源である）「システム」自体をも改良していくのだが、その過程では工具を工夫し、製品設計を変更し、生産計画立案方法を変え、時に生産プロセスまでも変更して成果に繋げる。

どこか1カ所でQCサークルが上げた成果は全社的な活用可能性が大いにあり、当然ながら他社でも活かせるはずだ。適切な横展開に火をつけ、励ましていくのはマネジメントの責任である。

1962年に日科技連が創刊した雑誌「現場とQC」（後の「QCサークル」）の初代編集委員長は石川馨博士である。このおかげで日本中のQCサークルが相互に学べるようになった。交流会やQCサークルの地区大会が人々の関心を集めている。東京で開催される全国大会には日本中から製造業やサービス業を中心にあらゆる部門・階層の人々が1800人も参集する。特に優れた成果を上げたQCサークルは自社の推薦を受けて日科技連が企画運営する研修ツアーに参加し、米国や欧州の工場を見学することができる。

QCサークルの全国大会では数多くの事例が発表される。1980年の東京の大会で、ある会社が、従来は7人でやっていた作業を改善後は5人でやれるようになったと発表した。これを言い換えると、140人かかっている作業が100人でできるということだ。40人浮いたからといって、退職を迫られたりはしない。別の作業をやってもらう。

こうした活動が企業の競争力強化を大いに助け、その企業が「人を減らせて良かった」ではなく、（競争力が高まって事業が伸びているのだから）「もっと人を増やさなければ」と考える究極の好循環に結実するはずだ。

原注

第8章

［１］広川俊二、杉山博共著"Quantitative gain analysis"（大阪大学工學報告、大阪大学工学部30巻１５２０号、１９８０年）

［２］本プロジェクトでジプシー・B・ラニー博士の協力を得られたことに感謝したい。

［３］ウォルター・A・シューハートが述べた言葉。『工業製品の経済的品質管理』（原題 *Economic Control of Quality Manufactured Product*）白崎文雄訳、日本規格協会、原書は１９３１年、１９８０年、１９８６年刊）第23章。同じ著者の『品質管理の基礎概念―品質管理の観点からみた統計的方法』（原題 *Statistical Method from the Viewpoint of Quality Control*）第４章。卓越した参考文献として以下を挙げておく。Joseph M. Cameron, *Measurement Assurance*, NBSIR 77-1240 (National Bureau of Standards, Washington), April 1977. Charles A. Bicking, "Precision in the routine performance of standard tests," *Standardization*, January 1979, p. 13. 興味のある読者は、Churchill Eisenhart, "Realistic Evaluation of the precision and accuracy of instrument calibration systems," というこの点に関しての傑作論文を参照してほしい。Harry H. Ku編 *Precision Measurement and Calibration*, National Bureau of Standards Special Publication 300, Vol. 1 (Superintendent of Documents, Washington, 1969) 所収。

［４］これらの事例や図は、筆者の『調査における標本設計』（原題 *Sample Design in Business Research*）第13章から引用した。

第9章

［１］シューハート『品質管理の基礎概念―品質管理の観点からみた統計的方法』（原書１３０～１３７ページ）。C. L. Lewis, *Mind and the World-Order* (Scribners, 1929: Dover, 1956) Chs. 6-9.

［２］シューハート前掲書、原書１２０～１２０ページ。

［3］P・W・ブリッジマン著『現代物理学の論理』（今田恵、石橋栄訳、創元科学叢書）

［4］W・エドワーズ・デミング著『調査における標本設計』（齋藤金一郎他訳、日本科学技術連盟、原題 *Sample Design in Business Research*）第4章。

［5］シューハート著『品質管理の基礎概念―品質管理の観点からみた統計的方法』原書68-69ページ。C・K・オグデン、I・A・リチャーズ著『意味の意味』（石橋幸太郎訳、新泉社）

［6］デービッド・ハリディ、ロバート・レズニク著『物理学の基礎』（野崎光昭訳、培風館）原書p.655.

［7］この節は、テネシー州ナッシュビルのコンサルタント、バイロン・ドスの寄稿。

［8］デミング著『調査における標本設計』原書54ページ。

第10章

［1］本書における「規格」とは自主的な規格のことである。米国の自主規格計画は、１９２１年10月29日、ハーバート・フーバー商務長官が着手したものだ。

［2］この節は、Pierre Ailleret, "The importance and probable evolution of standardization", *Standardization News* 5 (1977): 8-11. を参考にさせていただいた。アイユレ氏はパリの電気技術者協会名誉会長。

［3］Ralph E. Flanders, "How big is an inch?" *Atlantic*, January 1951.

［4］George A. Codding, *The Universal Postal Union* (New York University Press, 1964)

［5］ウィリアム・G・オオウチ著『M型社会の時代：国際競争に勝つためのチームワーク』（小林薫訳、日本放送出版協会、原題 *The M-form Society*, Addison-Wesley, 1984, p. 32)

第11章

［1］シューハート博士は、「ばらつき」を生じさせる「見逃せない、突き止めるべき原因（assignable cause）」という用語を用いたが、筆者は「特殊要因（special cause）」と呼んでいる。筆者は、特定の作業員集団、特定の生産労働者、特定の機械、特定のローカルコンディションにだけ生じる問題の要因に対して「特殊（special）」という形容詞を好んで使う。だが、使用する言葉は重要ではない。大切なのは考え方である。これは、シューハート博士が世の中に残した偉大なる貢献の1つである。

[2] John W. Tukey, *Exploratory Data Analysis* (Addison-Wesley, 1977); Frederick Mosteller and John W. Tukey, *Data Analysis and Regression* (Addison-Wesley, 1977); Paul F. Velleman and David C. Hoaglin, *Applications, Basics, and Computing of Exploratory Data Analysis* (Duxbury Press, 1981); David C. Hoaglin, Frederick Mosteller, and John W. Tukey, *Understanding Robust and Explanatory Data Analysis* (Wiley, 1983); idem, *Exploring Tables, Trends, and Shapes* (Wiley, 1984).

[3] ウォルター・A・シューハート『品質管理の基礎概念─品質管理の観点からみた統計的方法』(坂元平八訳、岩波書店、原題は、*Statistical Method from the Viewpoint of Quality Control*)

[4] W. Edwards Deming, "On the use of theory," *Industrial Quality Control* 8, no. 1 (July 1956): 12-14.

[5] C. I. Lewis, *Mind and the World-Order* (Scribner's, 1929; Dover, 1956), p. 195.

[6] Lloyd S. Nelson, "Technical Aids," *Journal of Quality Technology* 16, no. 4 (October 1984).

[7] この方法について、友人ロイド・S・ネルソンに感謝する。ジプシー・B・ラネー博士とベンジャミン・J・テッピン博士との話し合いは、4つのルールを明確化するのに役立った。また、テッピン博士が4つのルールに関する多くのシミュレーションを行ってくれたことに深謝申し上げる。

[8] 数学的な解は次の書籍を参照されたい。W・エドワーズ・デミング著『標本調査の理論』(齋藤金一郎訳、培風館、原題 *Some Theory of Sampling*)。原書 pp. 454-466. 以下も併せて参照されたい。レイリー卿の論文 "On the resultant of large number of vibrations" (Phil. Mag. , vol. x|vii, 1899) pp. 246-251、同著者の *Theory of Sound*, 2d ed. only (1894) Sec. 42a (邦訳は、和田一久訳『音の理論』、筝曲京極流上北野樂堂)、および *Scientific Papers*, vol. iv, p. 370. 目標地点の最適収束問題は、Frank S. Grubbs, "An optimum procedure for setting machines," (*Journal of Quality Technology*, vol. 15, no. 4, October 1983: pp. 155-208) で扱われていた (ただし、グラブス博士の解は漏斗の問題ではない)。

[9] Irving Burr, *Engineering Statistics and Quality Control* (McGraw-Hill, 1953).

[10] この部分は、何年も前にニューヨークにある米国品質協会 (American Society for Quality) (旧米国品質管理協会) メトロポリタン支部での会議でジョセフ・M・ジュラン博士が講演してくれたテーマである。参考までに、次の文献を引用する。Irving Burr," Specifying the desired distribution rather than maximum and minimum limits," *Industrial Quality Control* 24, no. 2 (1967): 94-101.

[11]「判定のために使う（as a judgement)」「為すべき1つの作業として使う（as an operation）」という表現はシューハート博士によるもの。

[12] 範囲の分布はティペットが論文に書いている。L. H. C. Tippett, "On the extreme individuals and the range of samples taken from a normal population," *Biometrika* 17 (1925). プロセスの能力についての優れた文献として以下を挙げる。木暮正夫著『工程能力の理論とその応用』（日科技連出版社、１９７５年、英語タイトルは、*Theory of Process Capability and Its Applications*)

[13] Nathan Mantel, "On a rapid estimation of standard errors for the means of small samples," *American Statistician* 5 (October 1951): 26-27; M. H. Quenouille, *Rapid Statistical Calculations* (Hafner, 1959), pp. 5-7.

[14] この証明の仕方は、ヒューレット・パッカード社のウィリアム・A・ボラー氏から学んだ。彼はセミナーの席上でこれを親切に紹介してくれた。

[15] C. I. Lewis, *Mind and World-Order* (Scribner's, 1929; Dover, 1956) p. 283.

[16] W・エドワーズ・デミング著『調査における標本設計』第5章

[17] 多くの書籍にこの誤解があると指摘してくれたバーバラ・キムボール女史（カッター・ラボラトリーズ社。ロサンゼルス）に感謝する。同様の誤解を載せている書籍を本章末尾の参考文献リストから除くことができた。

第12章

[1] 筆者の論文からの引用。"On some statistical aids to economic production," *Interface* 5 (August 1975): 1-15.

[2] 筆者の友人デビッド・S・チェンバーズによる未発表の論文からこの例を借りた。

第13章

[1] Jerome E. Rotherberg, "Cost/benefit analysis," being Ch. 4 in Vol. 2 of *Handbook on Evaluation,* edited by Elmer L. Struening and Marcia Guttentag (Sage Publications, Beverly Hills Calf. 1975), pp 53-68

第15章

[1] トロントの統計学者であり、ソフトウェアのコンサルタントでもあるルイス・K・ケイツ博士が、本章の執筆

に際し友愛の精神をもって献身的に私を助けてくれたことに深く感謝申し上げる。
[2] Joyce Orsini, "Simple rule to reduce total cost of inspection and correction of product in state of chaos," Ph. D. dissertation, Graduate School of Business Administration, New York University, 1982. Obtainable from University Microfilms, Ann Arbor, 48106.
[3] Francis J. Anscombe, "Rectifing inspection of lots" *Journal of the American Statistical Association* 56 (1961):807-823.
[4] これらのルールに繋がった対話について、友人のウィリアム・J・ラッツコとジェローム・グリーンに感謝する。
[5] Jeremy Main, "The battle for quality begins," *Fortune,* 29 December 1980, pp. 28-33.
[6] J. D. Esary and A. W. Marshall, "Families of components and systems," being a chapter in the book *Reliability and Biometry,* edited by Frank Proschan and R. J. Serfling (Society for Industrial Applied Mathematics, Philadelphia, 1974).
[7] サンプリングプランにおける経済的インセンティブと、それがMIL規格の表とどのような関係があるのかについては、以下を参照されたい。I. D. Hill, "The economic incentive provided by sampling inspection," *Applied Statistics* 9 (1960): 69-81.
[8] Francis J. Anscombe, "Rectifying inspection of a continuous output," *Journal of the American Statistical Association* 53 (1958): 702-719.
[9] A. V. Feigenbaum, *Quality Control Principles, Practice, and Administration* (McGraw-Hill, 1951). *Total Quality Control* (McGraw-Hill, 1983) の530ページも参照。
[10] この例は、ウィリアム・ラッツコが取り上げている。"Minimizing the cost of inspection," *Transactions of the American Society for Quality Control, Detroit,* May 1982, pp. 485-490. デビッド・デュランドの *Stable Chaos* (General Learning Press, Morristown, N. J. , 1971) の234ページの図も参照。the *Journal of Industrial Quality Assurance* (London) (April, May 1985) の編集者への手紙も参照。
[11] Aaron Tenenbein, "A double sampling scheme for estimating from binomial data with misclassifications," *Journal of the American Statistical Association* (1970): 1350-1361; idem, "A double sample scheme for estimating from

misclassified multinominal data with applications to sampling inspection," *Technometrics* (1972): 187-202; W. Edwards Deming, "An essay on screening, or on two-phase sampling, applied to surveys of a community," *International Statistic Review* 45 (1977): 29-37; Martin Roth and Valerie Cowie, *Psychiatry, Genetics and Pathology: A Tribute to Eliot Slater* (Gaskell Press, London, 1979), pp. 178-187. 及び Peter Giza and Emmanuel P. Papadakis, "Eddy current tests for hardness certification of gray iron castings," *Materials Evaluation* (37). ニューヨーク州精神医学研究所において、ここに示した理論を用いたプロジェクトに取り組む特権を与えてくれたこと対し同研究所に感謝を捧げる。また、ドクター・パパダキスとドクター・テネンバインの啓発的観察に感謝を捧げる。

[12] John Mandel and T. W. Lashof, "The interlaboratory evaluation of testing methods," a chapter in the book *Precision Measurement and Calibration*, edited by Harry H. Ku, National Bureau of Standards Special Publication 300 (U. S. Government Printing Office, Washington, 1969), pp. 170-178. 同書の以下も参照。P. E. Pontius and Joseph M. Cameron, "Realistic uncertainties and the mass measurement process," pp. 1-20; and Churchill Eisenhart, "Realistic evaluation of the precision and accuracy of instrument calibration systems," pp. 21-47.

[13] Alexander M. Mood, "On the dependence of sampling inspection plans upon population distribution," *Annuals of Mathematical Statistics* 14 (1943): 415-425. The proof of Eq. 4 is also in W. Edwards Deming, Some Theory of Sampling (Wiley, 1950; Dover, 1984), p. 258.（邦訳は、デミング『標本調査の理論』齋藤金一郎訳、培風館）

[14] I. D. Hill, "The economic incentive provided by sampling inspection", *Applied Statistics* 9 (1960): 69-81.

[15] この演習はマサチューセッツ州メリマックバレーにある AT&T Technologies の P. S Dietz 博士と E. L. Chase 博士から提供された。

[16] ここに示した**式8**と、本章及び本書の各所において他にも多くのテクニカルな助けを貰ったことに対して、ジョイス・オルシーニに深く感謝する。

[17] 枚挙的帰納法上の問題に対し、ここで紹介した大きなロットからのサンプル抽出の考え方を教えてくれた友人、モリス・H・ハンセン博士に感謝申し上げる。次の論文を参照。W. Edwards Deming, "On probability as a basis for action," *American Statistication* 29, no. 4 (1975): 146-152.

第16章

［1］このパラグラフへの貢献に対し、ハロルド・S・ハーラー博士に感謝申し上げる。

［2］Walter A. Shewhart, *Statistical Method from the Viewpoint of Quality Control* (Graduate School, Department of Agriculture, Washington, 1939; Dover, 1986), Ch. 7.（邦訳は、ウォルター・シューハート『品質管理の基礎概念―品質管理の観点からみた統計的方法』岩波書店）

第17章

［1］"Three Mile Island," *The New Yorker*, 6 and13 April 1981

補遺

［1］W. Allen Wallis, "The statistical research group," *Journal of the American Statistical Association* 75 (1980): 320-335, p. 321 in particular

［2］Kenichi Koyanagi（小柳賢一）, "Statistical quality control in Japanese industry（「日本の産業における統計的品質管理」)," report to the Congress of the American Society for Quality Control held in Syracuse, 1952.

訳者解説

「KPIは、すべて捨てなさい」という教え

成沢俊子

「このままでは、クオリティのつくり込みについて以前から影響を受けてきたデミング博士に申し訳ないとまで思うようになっていた」

ミシガン大学病院の病理ラボの変革を率いてきたザルボ博士が十数年前の自らの状況を回顧して語った言葉である。* その後、ザルボ博士はラボの大変革を成し遂げ、米国ヘルスケア改革の旗手の一人となるのだが、博士のこの述懐は医療分野に留まらず、米国でも日本でも、現代のマネジメントの苦しみと組織の軋みを象徴していると思えてならない。

最近の日本では企業・組織の品質に関する不正が頻繁に報道されている。「嘘はもうやめよう、総点検だ！」という大号令の下、表に出てきたのならまだ救いがあるけれど、隠しおおせ

ずに表面化したのだとしたら、事態は実に深刻である。デミング博士に一番に謝るべきはザルボ博士ではなく、日本の私たちだ。

本書は、後に出版された *The New Economics for Industry, Government, Education* とともに、米国で長きにわたり多くの読者を獲得してきた名作だ。１９８０年代後半から２０００年代に米国の大学や大学院で経営学を学んだ人なら全員が読んだことがあると言われている。

この時期、米国では日本式経営の大ブームが起こり、さまざまな分野で多くの研究が行われた。なぜブームが起きたのかといえば、根底に米国企業の苦しみがあった。本書の第2章、第3章に描かれた「人が創造性を発揮して、より良く働くことを妨げている障害物」を読めば、今も胸が痛む。当時の米国だけの問題ではない。今日の日本の産業界においても同様の問題があり、辛い思いをしている人は少なくない。

米国のマネジメントの人々は本書刊行当時、デミング博士の渾身の教えに深く感動したのである。しかし、その後の現実はデミング博士の教えとは逆の方向に動いていったようだ。「ＫＰＩ経営」に代表される、目標管理である。

＊　ジェフリー・Ｋ・ライカー、カーリン・ロス著「ザ・トヨタウェイ　サービス業のリーン改革」下巻　第6章　原則8、日経ＢＰ社刊

訳者にも経験がある。あるとき、米国の巨大エレクトロニクス企業から、「株式の再公開に向けて利益を大きく見せなければならない。いま利益が出ている日本法人から『もっと利益を搾り取るにはどうしたらよいか』を考えるプロジェクトを始めるので、知恵を貸してほしい」という誘いを受けた。

普段なら辞退するところだが、日本法人の人たちがあまりにお気の毒で、つい出かけてしまった。本書の中でデミング博士も述べている通り、短期的に利益を出すだけなら方法はいくらでもある。人を減らす、長くつきあってきた協力会社の仕事を海外（その時は中国）へ出す、顧客との協業のために設けてきた事業所を閉めるといったことだ。いずれも、これまで日本法人の利益創出に相応の貢献をしてきた大切な資産である。

「利益の源泉を捨てて、これからどうするつもりですか？」と問う日本側に対し、プロジェクトのリーダー（外国人）は「『働く人の幸せ』というような言葉は一切聞きたくない」と言い放った。

「それではＫＰＩの奴隷ではないか」と私は思った。その組織の中にいる人々の気持ちはどうだっただろう。こうしたことは、個々の企業の個々の例を超えて、大なり小なり、現在の世界にあまねく広がっている。

本書は14の原則を提唱し、豊富な事例とともに、それがなぜ重要なのかを説く（原書では14の『ポイント』）。原則1の「目的の一貫性を確立せよ」に始まり、いずれも本当にその通りだと誰もが感服する教えだと思う。しかし、米国でも、そして日本でも大勢を占めたのは「数値による目標管理」や「恐怖による支配」であった。

とりわけ目標管理は産業界に広く根を張っている。冒頭に紹介した医療界もそうだ。医療の質の向上は長年の課題であり、質の向上を図るためには、まずは定量化が必要というのは頷ける。医療と統計学は近接しており、ＱＩ（Quality Index）に殊の外、熱心に取り組んできた。日本の大病院のなかには、毎年すばらしい「ＱＩ報告書」（カラー印刷！）を刊行している組織もある。「それのどこがおかしいのか」と問う人もいるだろう。

しかし、「ＫＰＩの何から何まですべてダメというわけではないですよね」と口にする人々に対し、デミング博士は「いやダメだ。いますぐ、すべてを捨てなさい」とまで言うのである。私はこのくだりを翻訳しているとき、不謹慎ながら笑ってしまった。これでは博士は米国の敵と認定されかねない。

「デミングは『システムそのものを良くしなさい』と教えた。しかし、どうしたらシステムを良くすることができるのか、教え切ることはできなかった。一つの答えを出したのがトヨタだ」

こう語ったのは、トヨタ式の理念と方法論に関する「本物の先生」と世界で呼ばれている畏友のジョン・シュックである。

言われてみればそうなのだ。トヨタの歩みについては他の書籍や論文に譲るが、いまや世界の製造業のなかで孤高の王者とさえ見えるトヨタも随分昔にTQCに取り組み始め、それが長い時間をかけてカルチャーに深く浸み込んできたからこそ、今がある。グーグルやアップルがトヨタのやり方を深く研究してきたことは今ではかなり知られるようになったが、彼らはいわば「トヨタのやり方を通してデミング博士の教えを学んだ」と見ることもできる。

「KPIは重要である」ということと、「人々を軛《くびき》から解放せよ」ということの間には、矛盾があるように見える。

日本でもそうだ。今では「小集団活動に財務的な意味での利益を求めるな」と日本中の経営トップが言っている。なかには「トヨタに右へ倣え」をしているだけの人もいるかもしれないが、いちおう、日本ではそういうことになっている。しかし、現実に起きていることは違う。

そんな甘いことを言っているから、活動が形骸化してしまうのだと言いたい人も多いはずだ。

だが、これを論点にするのは馬鹿げている。本書を読み進めれば、小集団活動が財務的な意味での利益増に結実するよう動くべきは、小集団活動をやっている当人たちではなく、マネジメントなのだと得心していただけると思う。

答えは単純なことだ。要するに、事実をありのままに、曇りのない目でよく見なさいということである。数値目標を人々に押し付け、恐怖で組織をコントロールしようとすれば、人々の目が曇る。目が曇れば、本当の問題が見えない。だから「数値による目標管理を今すぐやめなさい」とデミング博士は説くのだ。「統計学的なものの見方、考え方を人々に教えなさい」というのも、曇りのない目で事実をつかむために統計学が助けになるから言っているのである。

デミング博士はマルコム・ボルドリッジ賞（ＭＢ賞）の制定に断固反対を唱えていた。ＭＢ賞は日本式経営に触発されて制定に至ったとも言える米国の国策だったから、ここでもやはり、博士が「米国の敵」の位置に立ってしまうのは実に興味深い。

日本では、デミング博士といえばデミング賞、デミング賞といえば――関係者には誠に申し訳ないけれども――今では「形骸化している」と言われて久しい。どうしてそうなってしまったのか、私たちはよく考えなければいけないと思う。

失われた〇〇年という言い方をされるようになって随分経つ。一般に「失われた〇〇年」の始まりはバブル崩壊からとされているが、訳者は1985年のプラザ合意がその始まりだったと考える。急激な円高に多くの人が浮足立ち、その自覚も持てないままバブル景気に突入したあの時代だ。時系列で見ると、原書の初版刊行→プラザ合意→大幅加筆された第2版の刊行という経緯であったことも記憶しておきたい。

今日、いわゆる日本式経営は過去のものとなった。かつての日本産業の躍進も、人口ボーナスであったにすぎない。人口減で高齢化が一段と進み、エネルギー自給率を高めることも困難だ。だから、日本経済は急速に衰退に向かうほかないと皆が言う。

果たしてそうだろうか。訳者はそうした「ニッポン全面ダメダメ論」には与しない。「世間では失われた〇〇年と言われていますが、我が社にとっては誠に実り多い〇〇年でした」という企業がいくつもあるからだ。

トヨタは別格としても、重機、農機具、エアコン、素材、部品、生産設備の世界的な成功企業を私たちは知っている。地方の小さな企業のなかにも、素晴らしい会社が沢山ある。そういう会社の歩みを見れば、デミング博士の14原則が見事に当てはまるのだ。それら凄い企業のなかには「デミング博士の教えを本格的に勉強したことはありません」という会社もあれば、デミング博士の名前も聞いたことがないという若い人たちが生き生きと働いている会社もある（もちろん、ＴＱＣを長年真面目にやっている会社もある）。

共通しているのは、自分たちがどういうビジネスをやりたいか、どういう会社、組織でありたいかを非常にはっきりと意識していることだ。そして、そこで働くすべての人の働き甲斐や自己実現のために、組織として本気で力を尽くしている。

「幸福な家族はいずれも似通っているが、不幸な家族はそれぞれに異なっている」とは「アンナ・カレーニナ」の有名な書き出しである。誠にその通りだと思う。規模の大小を問わず、本当に凄い企業はいくつも存在しており、それぞれに個性的なのだが、マネジメントのあり方は非常によく似ている。華々しくマスコミに登場することはめったにないから目立たないけれども、そうなのだ。

落とし穴はどこにでもある。病は気づかぬうちに忍び込んでくる。曇りのない目で絶えず現実を見て自らを省み、より良いマネジメントをつくっていきたいと願う人々にとって、本書は時代を超えて先を照らす灯りとなる必携の書だ。本書が次代を担う読者の助けとなるよう祈っている。

25—8—3　エンジニア・クラブ　NO. 27　(5)

Welcome Dr. Deming!

7月 10・11・12・13・14・15・17・18の連続8日間

デミング博士による品質管理講習会

神田医師会館にて

Dr. W.エドワーヅ・デミングの名講義

加納 久道氏の明快桓る通訳と、日本側8講師の補足、解説で効果100%であつた

博士講義の総論部分の概要を次に紹介する

品質管理の車輪の図

1、品質を重視する観念 (Quality consciousness)

2、品質にたいする責任観 (Quality responsibility)

3、研究

4、製品の設計と改良、品質にたいする規格

5、製造の経済

6、製品の検査

7、改良

8、販路拡張

品質管理は信頼性と経済を意味する

1950年7月18日　日本科学技術連盟

1950年夏のデミング博士の来日を伝えるエンジニア・クラブ1950年8月3日号の縮刷版（日本科学技術連盟から引用許諾）

19. 隷従への道
フリードリヒ・ハイエク
村井章子［訳］

20. 世界宗教の経済倫理
比較宗教社会学の試み
序論・中間考察
マックス・ウェーバー
中山 元［訳］

21. 情報経済の鉄則
ネットワーク型経済を
生き抜くための戦略ガイド
カール・シャピロ
＋ハル・ヴァリアン
大野 一［訳］

22. 陸と海
世界史的な考察
カール・シュミット
中山 元［訳］

23. パールハーバー
警告と決定
ロバータ・ウォルステッター
北川知子［訳］

24. 貨幣発行自由化論
改訂版
通貨間競争の理論と実行に
関する分析
フリードリヒ・ハイエク
村井章子［訳］

25. 雇用、金利、通貨の
一般理論
ジョン・メイナード・ケインズ
大野 一［訳］

26. 政治神学
主権の学説についての四章
カール・シュミット
中山 元［訳］

27. 危機からの脱出 I、II
W・エドワーズ・デミング
成沢俊子＋漆嶋稔［訳］

日経BPクラシックス 既刊

1. 資本主義と自由
ミルトン・フリードマン
村井章子［訳］

2. マネジメント
務め、責任、実践 I〜IV
ピーター・ドラッカー
有賀裕子［訳］

3. 大暴落 1929
ジョン・K・ガルブレイス
村井章子［訳］

4. 職業としての政治／
職業としての学問
マックス・ウェーバー
中山 元［訳］

5. 代議士の誕生
ジェラルド・カーティス
山岡清二＋大野 一［訳］

6. 大収縮 1929-1933
「米国金融史」第7章
ミルトン・フリードマン
＋アンナ・シュウォーツ
久保恵美子［訳］

7. プロテスタンティズムの
倫理と資本主義の精神
マックス・ウェーバー
中山 元［訳］

8. 世界一シンプルな経済学
ヘンリー・ハズリット
村井章子［訳］

9. ロンバード街
金融市場の解説
ウォルター・バジョット
久保恵美子［訳］

10. 自由論
ジョン・スチュアート・ミル
山岡洋一［訳］

11. 資本論
経済学批判 第1巻 I〜IV
カール・マルクス
中山 元［訳］

12. 経済史の構造と変化
ダグラス・C・ノース
大野 一［訳］

13. 歴史主義の貧困
カール・ポパー
岩坂 彰［訳］

14. 道徳感情論
アダム・スミス
村井章子＋北川知子［訳］

15. グリフィス版
孫子 戦争の技術
サミュエル・B・グリフィス
漆嶋 稔［訳］

16. 赤字の民主主義
ケインズが遺したもの
ジェームズ・M・ブキャナン
＋リチャード・E・ワグナー
大野 一［訳］

17. 決定の本質
キューバ・ミサイル危機の分析
第2版 I、II
グレアム・アリソン
＋フィリップ・ゼリコウ
漆嶋 稔［訳］

18. 資本主義、社会主義、
民主主義 I、II
ヨーゼフ・シュンペーター
大野 一［訳］

著者略歴

W・エドーワーズ・デミング（W.Edwards Deming）一九〇〇～一九九三。米国の統計学者。ワイオミング大学で電気工学を学び、イェール大学で物理学と数学の博士号を取得。農務省、国勢調査局に勤務。第二次世界大戦中は工場で統計的プロセス制御を指導。一九四六年からニューヨーク大学で統計学を教える。一九五〇年、占領下の日本を訪れて経営者らに統計的品質管理を教え、日本製品の品質向上の契機となる。一九八〇年、米国企業が日本製品の輸出攻勢に押されていたとき、全米ネットのNBCがテレビ番組「If Japan can...Why can't we」でデミングの日本での活動を取り上げ、一躍知られる。フォードなどに品質管理を指導し、米国経済復活に貢献した。著書に『標本調査の理論』、『調査における標本設計』など。

訳者略歴

成沢俊子（なるさわ・としこ）ピーキューブ代表。トヨタ生産方式の研究者。NEC、金融庁を経て、PEC産業センターで改善を研究。著書に『英語で kaizen トヨタ生産方式』（共著、日刊工業新聞社）、訳書にライカー他『ザ・トヨタウェイサービス業のリーン改革　上・下』（共訳、日経BP社）ほか。

漆嶋稔（うるしま・みのる）翻訳者。1956年生まれ。神戸大学卒業後、三井銀行（現三井住友銀行）を経て独立。訳書にアリソン、ゼリコウ『決定の本質　キューバ・ミサイル危機の分析　第2版　I・II』、『グリフィス版孫子　戦争の技術』（以上、日経BPクラシックス）、『烈火三国志　上・中・下』（日本能率協会マネジメントセンター）ほか。

危機からの脱出 II

二〇二二年七月一一日　第一版第一刷発行

著　者　W・エドワーズ・デミング
訳　者　成沢俊子＋漆嶋稔
発行者　村上広樹
発　行　株式会社日経BP
発　売　株式会社日経BPマーケティング
〒一〇五-八三〇八
東京都港区虎ノ門四-三-一二
https://bookplus.nikkei.com/
装丁・造本設計　祖父江慎＋根本匠（cozfish）
製　作　マーリンクレイン
印刷・製本　中央精版印刷

ISBN978-4-296-00071-5

本書に関するお問い合わせ、ご連絡は左記にて承ります。
https://nkbp.jp/booksQA

『日経BPクラシックス』発刊にあたって

グローバル化、金融危機、新興国の台頭など、今日の世界にはこれまで通用してきた標準的な認識を揺がす出来事が次々と起っている。しかしそもそもそうした認識はなぜ標準として確立したのか、その源流を辿れば、それは古典に行き着く。古典自体は当時の新しい認識の結晶である。著者は新しい時代が生んだ新たな問題を先鋭に捉え、その問題の解決法を模索して古典を誕生させた。解決法が発見できたかどうかは重要ではない。重要なのは彼らの問題の捉え方が卓抜であったために、それに続く伝統が生まれたことである。

世界が変革に直面し、わが国の知的風土が衰亡の危機にある今、古典のもつ発見の精神は、われわれにとりますます大切である。もはや標準とされてきた認識をマニュアルによって学ぶだけでは変革についていけない。ハウツーものは「思考の枠組み（パラダイム）」の転換によってすぐ時代遅れになる。自ら問題を捉え、自ら解決を模索する者。答えを暗記するのではなく、答えを自分の頭で捻り出す者。古典は彼らに貴重なヒントを与えるだろう。新たな問題と格闘した精神の軌跡に触れることこそが、現在、真に求められているのである。

一般教養としての古典ではなく、現実の問題に直面し、その解決を求めるための武器としての古典。それを提供することが本シリーズの目的である。原文に忠実であろうとするあまり、心に迫るものがない無国籍の文体。過去の権威にすがり、何十年にもわたり改められることのなかった翻訳。それをわれわれは一掃しようと考える。著者の精神が直接訴えかけてくる瞬間を読者がページに感じ取られたとしたら、それはわれわれにとり無上の喜びである。